세상이 변해도 배움의 즐거움은 변함없도록

시대는 빠르게 변해도
배움의 즐거움은
변함없어야 하기에

어제의 비상은
남다른 교재부터
결이 다른 콘텐츠
전에 없던 교육 플랫폼까지

변함없는 혁신으로
교육 문화 환경의 새로운 전형을
실현해왔습니다.

비상은 오늘, 다시 한번
새로운 교육 문화 환경을 실현하기 위한
또 하나의 혁신을 시작합니다.

오늘의 내가 어제의 나를 초월하고
오늘의 교육이 어제의 교육을 초월하여
배움의 즐거움을 지속하는 혁신,

바로, 메타인지학습을.

상상을 실현하는 교육 문화 기업 비상

메타인지학습

초월을 뜻하는 meta와 생각을 뜻하는 인지가 결합된 메타인지는
자신이 알고 모르는 것을 스스로 구분하고 학습계획을 세우도록 하는
궁극의 학습 능력입니다. 비상의 메타인지학습은 메타인지를 키워주어
공부를 100% 내 것으로 만들도록 합니다.

개념+유형 최상위 탑

Top Book

4·1

개념+유형 최상위 탑

구성과 특징

Top Book

기본 실력 점검

STEP 1 핵심 개념과 문제

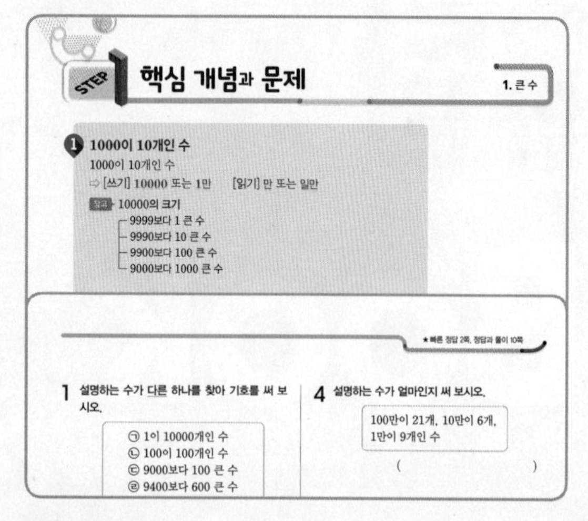
STEP 1 핵심 개념과 문제 1. 큰 수

1 10000이 10개인 수

1000이 10개인 수

⇨ [쓰기] 10000 또는 1만 [읽기] 만 또는 일만

참고 10000의 크기

9999보다 1 큰 수

9990보다 10 큰 수

9900보다 100 큰 수

9000보다 1000 큰 수

★빠른 정답 2쪽, 정답과 풀이 10쪽

1 설명하는 수가 다른 하나를 찾아 기호를 써 보시오.

㉠ 1이 10000개인 수

㉡ 100이 100개인 수

㉢ 9000보다 100 큰 수

㉣ 9400보다 600 큰 수

4 설명하는 수가 얼마인지 써 보시오.

100만이 21개, 10만이 6개, 1만이 9개인 수

( )

[핵심 개념]

핵심 교과 개념을 보기 쉽게 정리

교과 개념과 연계된 상위 개념까지 빠짐없이 정리

[핵심 문제]

개념 이해를 점검할 수 있는 필수 문제로 구성

상위권 실력 향상

STEP 2 상위권 문제

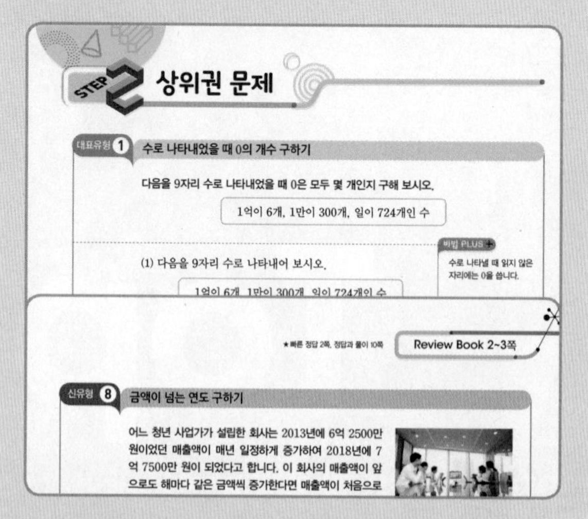
STEP 2 상위권 문제

대표유형 1 수로 나타내었을 때 0의 개수 구하기

다음을 9자리 수로 나타내었을 때 0은 모두 몇 개인지 구해 보시오.

1억이 6개, 1만이 300개, 일이 724개인 수

(1) 다음을 9자리 수로 나타내어 보시오.

1억이 6개, 1만이 300개, 일이 724개인 수

비법 PLUS 수로 나타낼 때 읽지 않은 자리에는 0을 씁니다.

★빠른 정답 2쪽, 정답과 풀이 10쪽 Review Book 2~3쪽

신유형 8 금액이 넘는 연도 구하기

어느 청년 사업가가 설립한 회사는 2013년에 6억 2500만 원이었던 매출액이 매년 일정하게 증가하여 2018년에 7억 7500만 원이 되었다고 합니다. 이 회사의 매출액이 앞으로도 해마다 같은 금액씩 증가한다면 매출액이 처음으로

[대표유형]

단원의 대표 문제를 단계별로 풀 수 있도록 구성

[유제]

대표유형의 유사 문제로 연습할 수 있도록 구성

[신유형]

생활 속에서 찾을 수 있는 흥미로운 문제로 구성

Review Book

| 복습 | 상위권 문제

복습 상위권 문제 1. 큰 수

대표유형 1 • 수로 나타내었을 때 0의 개수 구하기

다음을 10자리 수로 나타내었을 때 0은 모두 몇 개인지 구해 보시오.

1억이 70개, 1만이 30개, 일이 905개인 수

( )

대표유형 2 • 숫자가 나타내는 값 비교하기

㉠이 나타내는 값은 ㉡이 나타내는 값의 몇 배인지 구해 보시오.

264015783941 6918435257

( )

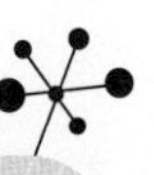

" Top Book의 문제를 Review Book에서
1:1로 복습하여 최상위권을 정복해요. "

상위권 실력 완성

STEP 3 상위권 문제 확인과 응용

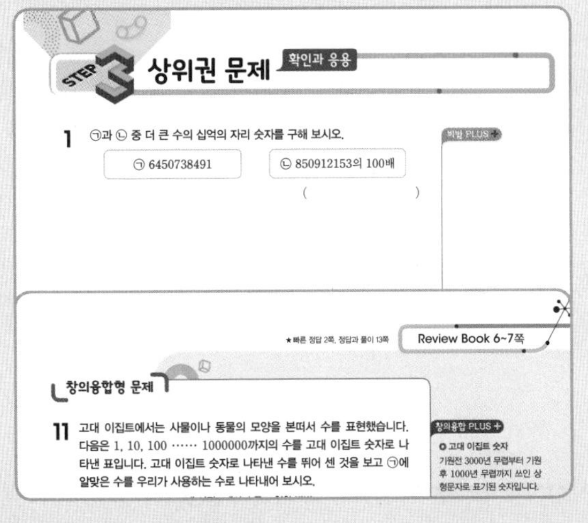
STEP 3 상위권 문제 확인과 응용

1 ㉠과 ㉡ 중 더 큰 수의 십억의 자리 숫자를 구해 보시오.

㉠ 6450738491　　㉡ 850912153의 100배

(　　　　　)

비법 PLUS

★빠른 정답 2쪽, 정답과 풀이 13쪽　Review Book 6~7쪽

창의융합형 문제

11 고대 이집트에서는 사물이나 동물의 모양을 본떠서 수를 표현했습니다. 다음은 1, 10, 100 …… 1000000까지의 수를 고대 이집트 숫자로 나타낸 표입니다. 고대 이집트 숫자로 나타낸 수를 뛰어 센 것을 보고 ㉠에 알맞은 수를 우리가 사용하는 수로 나타내어 보시오.

창의융합 PLUS
○ 고대 이집트 숫자
기원전 3000년 무렵부터 기원후 1000년 무렵까지 쓰인 상형문자로 표기된 숫자입니다.

[확인]
대표유형 문제를 잘 익혔는지 확인할 수 있도록 구성

[응용]
대표유형 문제를 잘 익혀서 풀 수 있는 응용 문제로 구성

[창의융합형 문제]
타 과목과 융합된 문제로 구성
흥미 있는 소재의 문제로 구성

최상위권 완전 정복

STEP 4 최상위권 문제

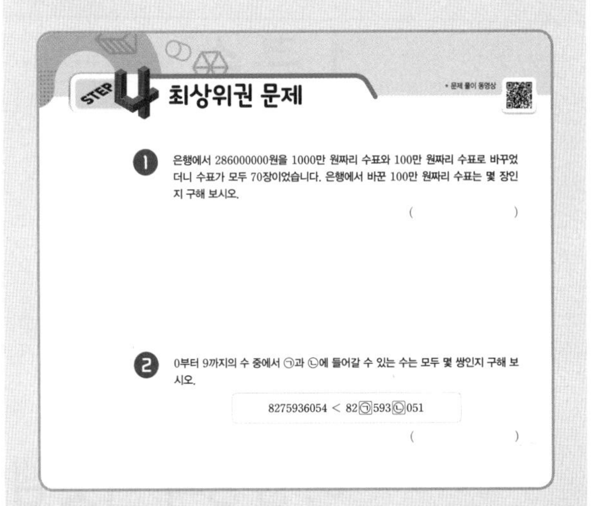
STEP 4 최상위권 문제

• 문제 풀이 동영상

1 은행에서 286000000원을 1000만 원짜리 수표와 100만 원짜리 수표로 바꾸었더니 수표가 모두 70장이었습니다. 은행에서 바꾼 100만 원짜리 수표는 몇 장인지 구해 보시오.

(　　　　　)

2 0부터 9까지의 수 중에서 ㉠과 ㉡에 들어갈 수 있는 수는 모두 몇 쌍인지 구해 보시오.

8275936054 < 82㉠593㉡051

(　　　　　)

[최상위권 문제]
종합적 사고력을 기를 수 있는 문제로 구성
최상위권을 정복할 수 있는 최고난도 문제로 구성

| 복습 | 상위권 문제 확인과 응용

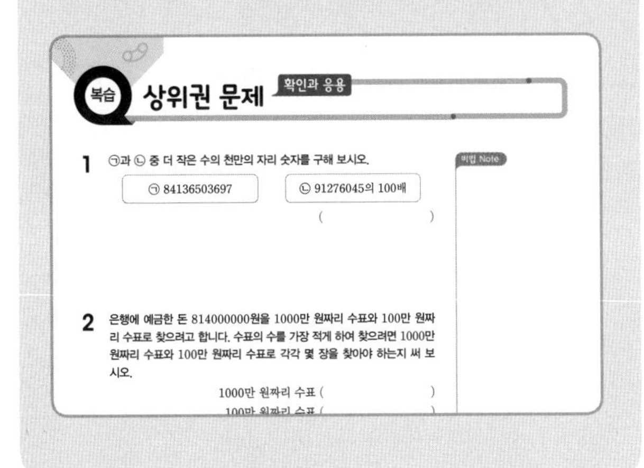
복습 상위권 문제 확인과 응용

1 ㉠과 ㉡ 중 더 작은 수의 천만의 자리 숫자를 구해 보시오.

㉠ 84136503697　　㉡ 91276045의 100배

(　　　　　)

비법 Note

2 은행에 예금한 돈 814000000원을 1000만 원짜리 수표와 100만 원짜리 수표로 찾으려고 합니다. 수표의 수를 가장 적게 하여 찾으려면 1000만 원짜리 수표와 100만 원짜리 수표로 각각 몇 장을 찾아야 하는지 써 보시오.

1000만 원짜리 수표 (　　　　　)
100만 원짜리 수표 (　　　　　)

| 복습 | 최상위권 문제

복습 최상위권 문제

1 은행에서 14900000원을 100만 원짜리 수표와 10만 원짜리 수표로 바꾸었더니 수표가 모두 50장이었습니다. 은행에서 바꾼 100만 원짜리 수표는 몇 장인지 구해 보시오.

(　　　　　)

2 0부터 9까지의 수 중에서 ㉠과 ㉡에 들어갈 수 있는 수는 모두 몇 쌍인지 구해 보시오.

개념+유형 최상위 탑

차례

1
큰 수

STEP 1 핵심 개념과 문제

1 1000이 10개인 수

1000이 10개인 수

⇨ [쓰기] **10000** 또는 **1만**　　[읽기] 만 또는 일만

참고 **10000의 크기**

- 9999보다 1 큰 수
- 9990보다 10 큰 수
- 9900보다 100 큰 수
- 9000보다 1000 큰 수

2 다섯 자리 수

다섯 자리 수

10000이 2개, 1000이 5개, 100이 7개, 10이 9개, 1이 3개인 수

⇨ [쓰기] **25793**　　[읽기] 이만 오천칠백구십삼

25793의 각 자리 숫자와 자릿값

	만의 자리	천의 자리	백의 자리	십의 자리	일의 자리
숫자	2	5	7	9	3
자릿값	20000	5000	700	90	3

⇨ $25793 = 20000 + 5000 + 700 + 90 + 3$

3 10000이 몇십 개, 몇백 개, 몇천 개인 수

십만, 백만, 천만

		[쓰기]		[읽기]
10000이	10개인 수 ⇨	100000	10만	십만
	100개인 수 ⇨	1000000	100만	백만
	1000개인 수 ⇨	10000000	1000만	천만

10000이 5846개인 수 ⇨ [쓰기] **58460000** 또는 **5846만**

[읽기] 오천팔백사십육만

58460000의 각 자리 숫자와 자릿값

5	8	4	6	0	0	0	0
천	백	십	일	천	백	십	일
			만				

⇨ $58460000 = 50000000 + 8000000 + 400000 + 60000$

개념 PLUS

*** 수 읽기와 수 쓰기**

- 수를 읽을 때 자리 숫자가 0인 경우는 읽지 않습니다.
- 수를 쓸 때 자릿값을 읽지 않은 자리에는 0을 씁니다.

예 72046 ⇔ 칠만 이천사십육

1 설명하는 수가 다른 하나를 찾아 기호를 써 보시오.

㉠ 1이 10000개인 수
㉡ 100이 100개인 수
㉢ 9000보다 100 큰 수
㉣ 9400보다 600 큰 수

( )

2 숫자 3이 나타내는 값이 3000000인 수를 찾아 기호를 써 보시오.

㉠ 132467 ㉡ 7386095
㉢ 493720 ㉣ 3968504

( )

3 연석이는 만 원짜리 지폐 1장, 천 원짜리 지폐 7장, 백 원짜리 동전 9개, 십 원짜리 동전 2개를 가지고 있습니다. 연석이가 가지고 있는 돈은 모두 얼마입니까?

( )

4 설명하는 수가 얼마인지 써 보시오.

100만이 21개, 10만이 6개, 1만이 9개인 수

( )

5 주어진 수를 10배한 수에서 숫자 8은 어느 자리 숫자입니까?

512만 8304

( )

6 수 카드를 모두 한 번씩만 사용하여 만들 수 있는 다섯 자리 수 중 가장 작은 수를 구해 보시오.

0 4 6 7 8

( )

STEP 1 핵심 개념과 문제

4 억, 조

억 단위의 수

- 1000만이 10개인 수
  ⇨ [쓰기] 100000000 또는 1억 [읽기] 억 또는 일억
- 1억이 5426개인 수
  ⇨ [쓰기] 542600000000 또는 5426억 [읽기] 오천사백이십육억

조 단위의 수

- 1000억이 10개인 수
  ⇨ [쓰기] 1000000000000 또는 1조 [읽기] 조 또는 일조
- 1조가 1875개인 수
  ⇨ [쓰기] 1875000000000000 또는 1875조
  [읽기] 천팔백칠십오조

1875000000000000의 각 자리 숫자와 자릿값

1	8	7	5	0	0	0	0	0	0	0	0	0	0	0	0
천	백	십	일	천	백	십	일	천	백	십	일	천	백	십	일
			조				억				만				

⇨ 1875000000000000
$=1000000000000000+800000000000000$
$+70000000000000+5000000000000$

5 뛰어 세기

- 28000 — 38000 — 48000 — 58000 — 68000
  ⇨ 만의 자리 수가 1씩 커지므로 10000씩 뛰어 세었습니다.
- 6910억 — 6810억 — 6710억 — 6610억 — 6510억
  ⇨ 백억의 자리 수가 1씩 작아지므로 100억씩 거꾸로 뛰어 세었습니다.

6 수의 크기 비교

① 자릿수가 같은지 다른지 비교해 봅니다.
② 자릿수가 다르면 자릿수가 많은 수가 더 큰 수입니다.
③ 자릿수가 같으면 가장 높은 자리의 수부터 차례대로 비교하여 수가 큰 쪽이 더 큰 수입니다.

$2570163 < 12794860$ (일곱 자리 수, 여덟 자리 수) $932751083 > 932748625$ ($5>4$)

개념 PLUS

큰 수는 일의 자리부터 네 자리씩 끊은 다음 만, 억, 조를 사용하여 읽으면 편리하게 읽을 수 있습니다.

개념 PLUS

★ 조보다 큰 단위
경, 해, 자, 양, 구, 간, 정, 재, 극, 항하사, 아승기, 나유타, 불가사의, 무량대수 등이 있습니다.
수학에서는 수가 계속 커지는 상태를 무한대(無限大)라 하고 ∞와 같은 기호로 나타냅니다.

1 ㉠에 알맞은 수를 구해 보시오.

10억 →(10배)→ □ →(10배)→ □ →(10배)→ ㉠

(   )

2 더 큰 수의 기호를 써 보시오.

㉠ 육백사억 팔천삼백이십만 오십구
㉡ 60483205900

(   )

3 3억 6620만에서 1000만씩 큰 수로 5번 뛰어 센 수는 얼마입니까?

(   )

4 ㉠과 ㉡이 나타내는 값을 각각 써 보시오.

2749178000 (㉠: 7 아래, ㉡: 7 아래)

㉠ (   )
㉡ (   )

5 0부터 9까지의 수 중에서 □ 안에 들어갈 수 있는 수를 모두 구해 보시오.

49457182 > 49□87182

(   )

6 어떤 수에서 100조씩 큰 수로 4번 뛰어 센 수가 5130조였습니다. 어떤 수는 얼마입니까?

(   )

상위권 문제

대표유형 1 수로 나타내었을 때 0의 개수 구하기

다음을 9자리 수로 나타내었을 때 0은 모두 몇 개인지 구해 보시오.

1억이 6개, 1만이 300개, 일이 724개인 수

(1) 다음을 9자리 수로 나타내어 보시오.

1억이 6개, 1만이 300개, 일이 724개인 수

( )

(2) 9자리 수로 나타내었을 때 0은 모두 몇 개입니까?

( )

비법 PLUS +

수로 나타낼 때 읽지 않은 자리에는 0을 씁니다.

유제 1 다음을 11자리 수로 나타내었을 때 0은 모두 몇 개인지 구해 보시오.

1억이 908개, 1만이 3005개, 일이 22개인 수

( )

유제 2 수를 각각 12자리 수로 나타내었을 때 0의 개수가 더 많은 수를 말한 사람은 누구인지 써 보시오.

1억이 6002개인 수.

10억이 488개인 수.

상민

주희

( )

대표유형 2 숫자가 나타내는 값 비교하기

㉡이 나타내는 값은 ㉠이 나타내는 값의 몇 배인지 구해 보시오.

327548769142 (㉠: 5)   85936263779 (㉡: 5)

(1) ㉠과 ㉡이 나타내는 값은 각각 얼마입니까?

㉠ (   )

㉡ (   )

(2) ㉡이 나타내는 값은 ㉠이 나타내는 값의 몇 배입니까?

(   )

비법 PLUS +

(숫자 ■가 나타내는 값)
=(숫자 ■의 자릿값)

유제 3

㉡이 나타내는 값은 ㉠이 나타내는 값의 몇 배인지 구해 보시오.

98934675654233 (㉠: 8)   850639072744265 (㉡: 8)

(   )

유제 4

• 서술형 문제 •

㉠을 수로 나타내었을 때 숫자 3이 나타내는 값은 ㉡을 수로 나타내었을 때 숫자 3이 나타내는 값의 몇 배인지 구하려고 합니다. 풀이 과정을 쓰고 답을 구해 보시오.

㉠ 1억이 3610개, 1만이 9199개, 일이 7485개인 수
㉡ 53809124를 100배한 수

풀이

답

STEP 2 상위권 문제

대표유형 3 전체 금액 구하기

성빈이의 저금통에 10000원짜리 지폐가 16장, 1000원짜리 지폐가 34장, 100원짜리 동전이 52개, 10원짜리 동전이 10개 들어 있습니다. 성빈이의 저금통에 들어 있는 돈은 모두 얼마인지 구해 보시오.

(1) □ 안에 알맞은 수를 써넣으시오.

- 10000원짜리 지폐 16장 ⇨ □원
- 1000원짜리 지폐 34장 ⇨ □원
- 100원짜리 동전 52개 ⇨ □원
- 10원짜리 동전 10개 ⇨ □원

(2) 성빈이의 저금통에 들어 있는 돈은 모두 얼마입니까?

( )

비법 PLUS +

수표, 지폐, 동전을 각각 금액으로 나타낼 때에는 돈의 수 뒤에 돈의 단위만큼 0을 붙입니다.

- 10만 원짜리 수표 ■장 ⇨ ■00000원
- 10000원짜리 지폐 ▲장 ⇨ ▲0000원
- 100원짜리 동전 ●개 ⇨ ●00원

유제 5 봉사 단체에서 불우 이웃 돕기 성금으로 모은 돈은 10만 원짜리 수표가 32장, 만 원짜리 지폐가 61장, 천 원짜리 지폐가 44장, 백 원짜리 동전이 75개였습니다. 불우 이웃 돕기 성금으로 모은 돈은 모두 얼마인지 구해 보시오.

( )

유제 6 어느 회사에서 지난달 은행에 다음과 같이 예금하였습니다. 이 회사가 지난달 은행에 예금한 돈은 모두 얼마인지 구해 보시오.

- 100만 원짜리 수표 1000장
- 10만 원짜리 수표 150장
- 만 원짜리 지폐 620장

( )

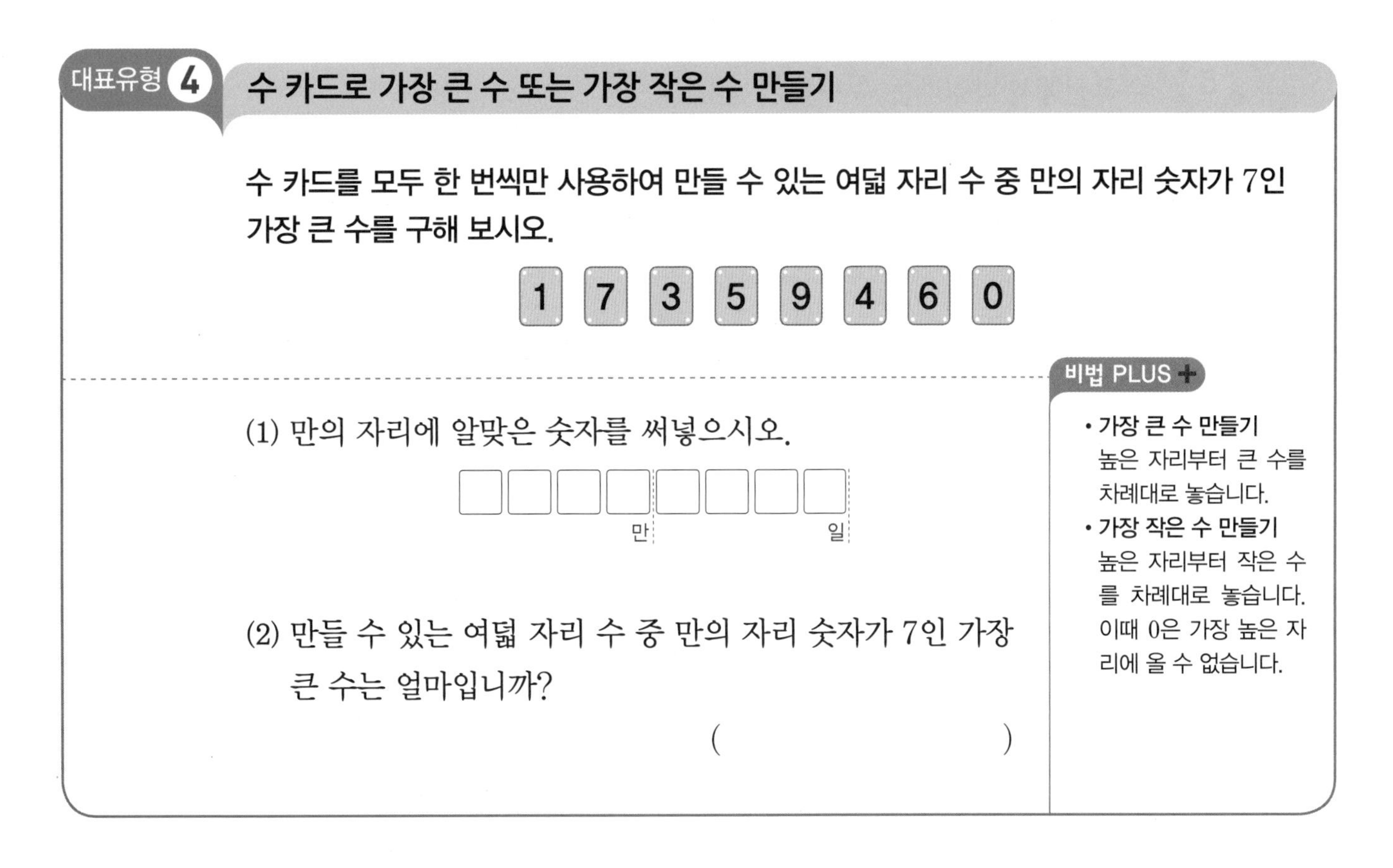

유제 7

수 카드를 모두 한 번씩만 사용하여 만들 수 있는 아홉 자리 수 중 백만의 자리 숫자가 4인 가장 작은 수를 구해 보시오.

8 0 2 7 1 6 4 9 3

( )

유제 8

수 카드를 각각 두 번씩 사용하여 만들 수 있는 열 자리 수 중 십만의 자리 숫자가 9인 가장 작은 수를 구해 보시오.

5 2 0 8 9

( )

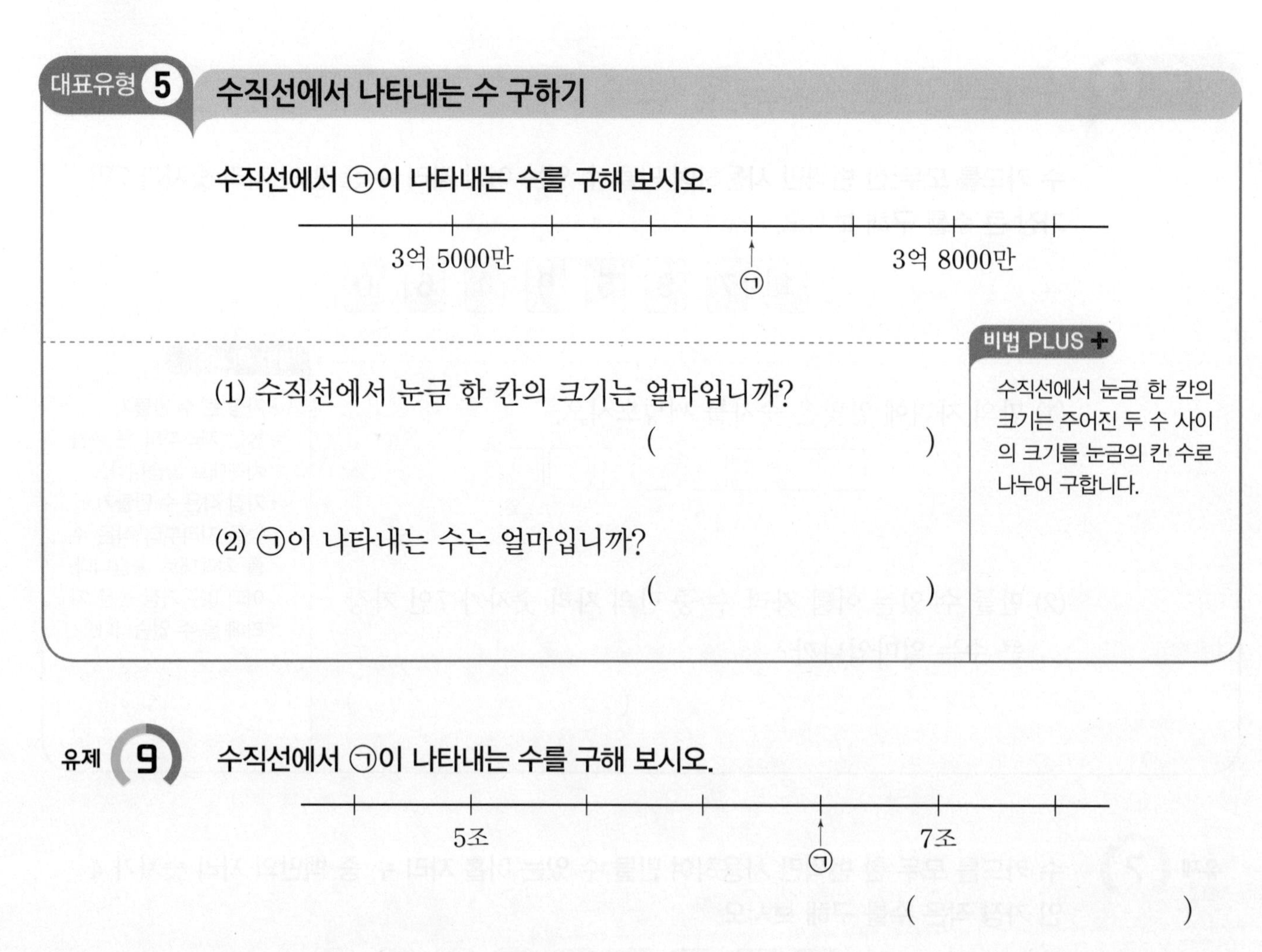

대표유형 5 수직선에서 나타내는 수 구하기

수직선에서 ㉠이 나타내는 수를 구해 보시오.

(1) 수직선에서 눈금 한 칸의 크기는 얼마입니까?

(　　　　　　　　　)

(2) ㉠이 나타내는 수는 얼마입니까?

(　　　　　　　　　)

비법 PLUS +

수직선에서 눈금 한 칸의 크기는 주어진 두 수 사이의 크기를 눈금의 칸 수로 나누어 구합니다.

유제 9 수직선에서 ㉠이 나타내는 수를 구해 보시오.

5조　　7조　　㉠

(　　　　　　　　　)

• 서술형 문제 •

유제 10 수직선에서 ㉠과 ㉡이 나타내는 수를 각각 구하려고 합니다. 풀이 과정을 쓰고 답을 구해 보시오.

130억　　2130억　　㉠　　㉡

풀이

답 ㉠: 　　　　　, ㉡:

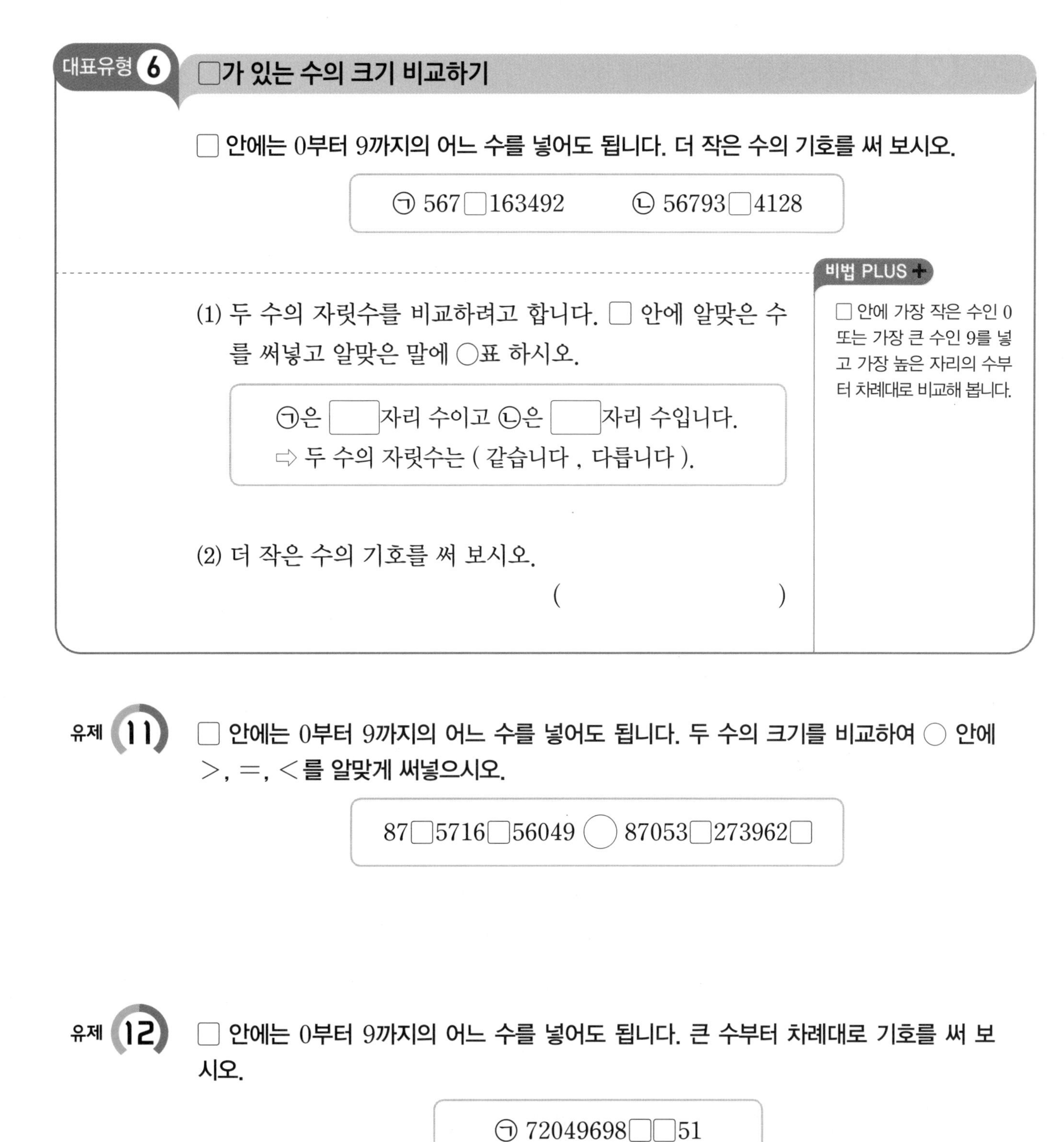

대표유형 6 □가 있는 수의 크기 비교하기

□ 안에는 0부터 9까지의 어느 수를 넣어도 됩니다. 더 작은 수의 기호를 써 보시오.

㉠ 567□163492　　㉡ 56793□4128

(1) 두 수의 자릿수를 비교하려고 합니다. □ 안에 알맞은 수를 써넣고 알맞은 말에 ○표 하시오.

㉠은 □자리 수이고 ㉡은 □자리 수입니다.
⇨ 두 수의 자릿수는 (같습니다 , 다릅니다).

(2) 더 작은 수의 기호를 써 보시오.

(　　　　　　　　)

비법 PLUS +

□ 안에 가장 작은 수인 0 또는 가장 큰 수인 9를 넣고 가장 높은 자리의 수부터 차례대로 비교해 봅니다.

유제 11 □ 안에는 0부터 9까지의 어느 수를 넣어도 됩니다. 두 수의 크기를 비교하여 ○ 안에 >, =, <를 알맞게 써넣으시오.

87□5716□56049 ○ 87053□273962□

유제 12 □ 안에는 0부터 9까지의 어느 수를 넣어도 됩니다. 큰 수부터 차례대로 기호를 써 보시오.

㉠ 72049698□□51
㉡ 7204□29□837
㉢ 72□996940□0

(　　　　　　　　)

대표유형 7 조건을 만족하는 수 구하기

조건을 모두 만족하는 수 중에서 가장 큰 수를 구해 보시오.

㉠ 7자리 수입니다.
㉡ 숫자 0이 4개 있습니다.
㉢ 백만의 자리 수는 천의 자리 수보다 4 큽니다.
㉣ 가장 높은 자리 수는 나머지 자리 수들의 합과 같습니다.

(1) 조건 ㉠에 맞게 □를 사용하여 구하려는 수를 나타내었습니다. 조건 ㉢을 만족하는 가장 큰 수가 되도록 백만의 자리와 천의 자리에 각각 알맞은 숫자를 써넣으시오.

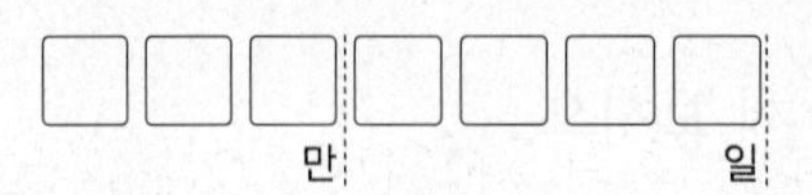

(2) 조건을 모두 만족하는 수 중에서 가장 큰 수는 얼마입니까?

( )

비법 PLUS+
자릿수에 맞게 □를 사용하여 수를 나타낸 다음, 조건에서 알 수 있는 자리 숫자부터 □ 안에 써넣습니다.

유제 13 조건을 모두 만족하는 수 중에서 가장 작은 수를 구해 보시오.

- 0부터 9까지의 수를 모두 한 번씩만 사용하여 만든 10자리 수입니다.
- 천만의 자리 수는 십억의 자리 수의 4배입니다.
- 억의 자리 수와 만의 자리 수의 합은 7입니다.

( )

유제 14 조건을 모두 만족하는 수 중에서 가장 큰 수를 구해 보시오.

- 0부터 9까지의 수를 모두 한 번씩만 사용하여 만든 10자리 수입니다.
- 백만의 자리 수는 십억의 자리 수의 3배입니다.
- 억의 자리 수는 십만의 자리 수의 2배입니다.
- 십만의 자리 수와 만의 자리 수의 합은 10입니다.

( )

신유형 8 금액이 넘는 연도 구하기

어느 청년 사업가가 설립한 회사는 2013년에 6억 2500만 원이었던 매출액이 매년 일정하게 증가하여 2018년에 7억 7500만 원이 되었다고 합니다. 이 회사의 매출액이 앞으로도 해마다 같은 금액씩 증가한다면 매출액이 처음으로 9억 원을 넘는 해는 몇 년인지 구해 보시오.

(1) 매출액이 해마다 얼마만큼씩 증가하고 있습니까?

( )

(2) 매출액이 처음으로 9억 원을 넘는 해는 몇 년입니까?

( )

신유형 PLUS +

해마다 증가하고 있는 매출액을 먼저 알아보고 뛰어 세어 봅니다.

유제 15 어느 화장품 회사는 다양한 상품 개발로 2008년에 2500만 달러였던 수출액이 매년 일정하게 증가하여 2018년에 8000만 달러가 되었다고 합니다. 이 회사의 수출액이 앞으로도 해마다 같은 금액씩 증가한다면 수출액이 처음으로 1억 달러를 넘는 해는 몇 년인지 구해 보시오.

( )

유제 16 어느 자동차 회사는 뛰어난 기술력으로 2014년에 2억 9000만 달러였던 수출액이 매년 일정하게 증가하여 2018년에 3억 7000만 달러가 되었다고 합니다. 이 회사의 수출액이 앞으로도 해마다 같은 금액씩 증가한다면 수출액이 처음으로 5억 달러를 넘는 해는 몇 년인지 구해 보시오.

( )

STEP 3

상위권 문제

확인과 응용

1 ㉠과 ㉡ 중 더 큰 수의 십억의 자리 숫자를 구해 보시오.

㉠ 6450738491

㉡ 850912153의 100배

(　　　　　　　)

비법 PLUS +

2 은행에 예금한 돈 69700000원을 100만 원짜리 수표와 10만 원짜리 수표로 찾으려고 합니다. 수표의 수를 가장 적게 하여 찾으려면 100만 원짜리 수표와 10만 원짜리 수표로 각각 몇 장을 찾아야 하는지 써 보시오.

100만 원짜리 수표 (　　　　　　　)

10만 원짜리 수표 (　　　　　　　)

- 더 큰 금액의 수표로 최대한 많이 찾고 나머지를 다른 금액의 수표로 모두 찾습니다.

3 □ 안에 알맞은 수를 써넣으시오.

6498200은 1000000이 2개, 100000이 □개, 10000이 18개, 1000이 17개, 100이 12개인 수입니다.

4 2조 6430억에서 2번 뛰어 세었더니 2조 8830억이 되었습니다. 같은 규칙으로 5조 7545억에서 5번 뛰어 센 수는 얼마인지 구해 보시오.

(　　　　　　　)

- 먼저 얼마만큼씩 뛰어 세었는지 구합니다.

5 0부터 9까지의 수 중에서 □ 안에 공통으로 들어갈 수 있는 수를 모두 구해 보시오.

- 83493250<8□945164
- 1720645283>1720□64195

(   )

비법 PLUS +
- 가장 높은 자리의 수부터 차례대로 비교하여 □ 안에 들어갈 수 있는 수를 각각 구합니다.

6 [0]부터 [5]까지의 수 카드를 각각 두 번씩 사용하여 만들 수 있는 12자리 수 중 두 번째로 큰 수와 두 번째로 작은 수를 각각 구해 보시오.

두 번째로 큰 수 (   )

두 번째로 작은 수 (   )

• 서술형 문제 •

7 어떤 수에서 130만씩 큰 수로 3번 뛰어 세어야 하는데 잘못하여 1300만씩 큰 수로 3번 뛰어 세었더니 4억 8950만이 되었습니다. 바르게 뛰어 센 수는 얼마인지 풀이 과정을 쓰고 답을 구해 보시오.

풀이 ____________________

____

____

답 ____________________

- 잘못 뛰어 센 수에서 거꾸로 뛰어 세어 어떤 수를 먼저 구합니다.

8 6조 8000억에서 300억씩 뛰어 셀 때 7조에 가장 가까운 수를 구해 보시오.

(   )

비법 PLUS +

- ■에 가장 가까운 수는 ■보다 작은 수 중에서 가장 큰 수와 ■보다 큰 수 중에서 가장 작은 수를 비교하여 찾습니다.

• 서술형 문제 •

9 0부터 9까지의 수를 모두 한 번씩만 사용하여 만들 수 있는 10자리 수 중 9876543102보다 큰 수는 모두 몇 개인지 풀이 과정을 쓰고 답을 구해 보시오.

풀이 ______________________________

____

____

답 ______________

10 만 원짜리 지폐 1000장의 두께는 약 10 cm입니다. 만 원짜리 지폐로 3억 원을 쌓으면 높이는 약 몇 cm가 되는지 구해 보시오.

(   )

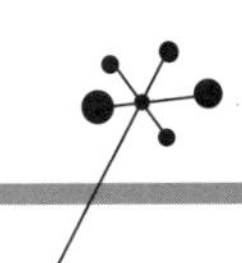

창의융합형 문제

11 고대 이집트에서는 사물이나 동물의 모양을 본떠서 수를 표현했습니다. 다음은 1, 10, 100 …… 1000000까지의 수를 고대 이집트 숫자로 나타낸 표입니다. 고대 이집트 숫자로 나타낸 수를 뛰어 센 것을 보고 ㉠에 알맞은 수를 우리가 사용하는 수로 나타내어 보시오.

고대 이집트에서 수를 표현한 방법

1	10	100	1000
𓏺	𓎆	𓍢	𓆼
막대기	말발굽	밧줄	연꽃
10000	**100000**	**1000000**	
𓂭	𓆐	𓁨	예 𓆼𓆼𓆼𓍢𓎆𓎆𓏺𓏺𓏺𓏺 ⇨ 3124
손가락	올챙이	놀라는 사람	

𓂭𓂭𓆼𓍢𓎆𓎆𓎆𓎆𓏺𓏺𓏺𓏺𓏺 – 𓂭𓂭𓂭𓆼𓆼𓍢𓎆𓎆𓎆𓎆𓏺𓏺𓏺𓏺𓏺 – 𓂭𓂭𓂭𓂭𓆼𓆼𓆼𓍢𓎆𓎆𓎆𓎆𓏺𓏺𓏺𓏺𓏺 – ㉠

( )

창의융합 PLUS +

고대 이집트 숫자
기원전 3000년 무렵부터 기원후 1000년 무렵까지 쓰인 문자로 사물이나 동물의 모양을 본떠서 표현한 숫자입니다.

12 태양계에는 태양 주위를 돌고 있는 8개의 행성이 있습니다. 다음은 태양과 행성 사이의 거리를 나타낸 표입니다. 태양에서 가까운 순서대로 행성의 이름을 써 보시오.

행성	태양과의 거리(km)	행성	태양과의 거리(km)
지구	1억 4960만	수성	5791만
목성	778340000	토성	1426670000
해왕성	44억 9840만	천왕성	2870660000
화성	227940000	금성	1억 821만

( )

태양계
태양의 영향이 미치는 공간과 그 공간에 있는 구성원을 태양계라고 합니다.

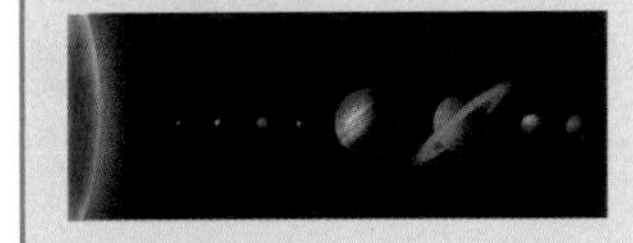

최상위권 문제

• 문제 풀이 동영상 

1 은행에서 286000000원을 1000만 원짜리 수표와 100만 원짜리 수표로 바꾸었더니 수표가 모두 70장이었습니다. 은행에서 바꾼 100만 원짜리 수표는 몇 장인지 구해 보시오.

( )

2 0부터 9까지의 수 중에서 ㉠과 ㉡에 들어갈 수 있는 수는 모두 몇 쌍인지 구해 보시오.

8275936054 < 82㉠593㉡051

( )

3 100만 명이 각각 한 달에 50000원씩 저금하여 5조 원을 모으려고 합니다. 몇 년 몇 개월 동안 모아야 하는지 구해 보시오. (단, 이자는 생각하지 않습니다.)

( )

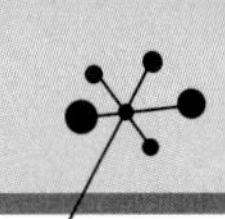

4 아홉 자리 수 ㉠㉡6932075의 억의 자리 숫자와 천만의 자리 숫자를 바꾸어 썼더니 처음 수보다 4억 5000만이 더 작아졌습니다. ㉠과 ㉡의 합이 11일 때 처음 수를 구해 보시오.

(　　　　　　　　)

5 수 카드를 각각 두 번까지 사용하여 11자리 수를 만들려고 합니다. 800억에 가장 가까운 수를 만들어 보시오.

3 8 0 1 7 9

(　　　　　　　　)

6 서로 다른 숫자가 적힌 7장의 수 카드를 각각 두 번씩 사용하여 14자리 수를 만들려고 합니다. 만들 수 있는 14자리 수 중 가장 큰 수와 가장 작은 수의 차는 67653299664423입니다. ㉠에 알맞은 숫자를 구해 보시오.

4 ㉠ 7 1 6 0 2

(　　　　　　　　)

알 콰리즈미 (Al Khwarizmi)

- **출생~사망:** 780?~850?
- **국적:** 페르시아
- **업적:** 중세 이슬람의 수학자로 '대수학(수 대신의 문자를 쓰거나, 수학 법칙을 간단하게 나타내는 학문)의 아버지'라고 불립니다. 알 콰리즈미가 쓴 책 중 가장 유명한 것은 『완성과 균형에 의한 계산 개론』으로 이 책의 제목에서 '대수학[algebra]'이라는 용어가 생겼습니다.

2 각도

STEP 1 핵심 개념과 문제

1 각의 크기 비교하기

두 변이 벌어진 정도가 클수록 큰 각입니다.

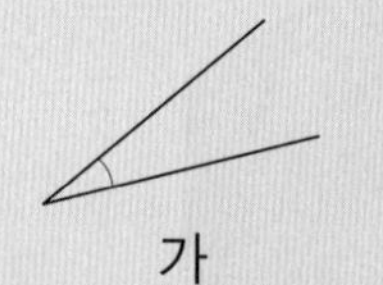

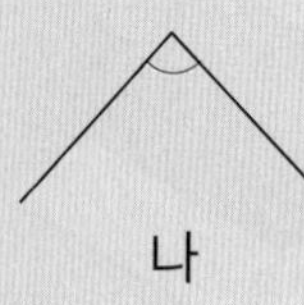

⇨ 나의 각의 크기는 가의 각의 크기보다 더 큽니다.

2 각의 크기 재기

◎ 각의 크기를 나타내는 단위

- 각도: 각의 크기
- **1도(1°)**: 직각을 똑같이 90으로 나눈 것 중 하나
- 직각의 크기: **90°**

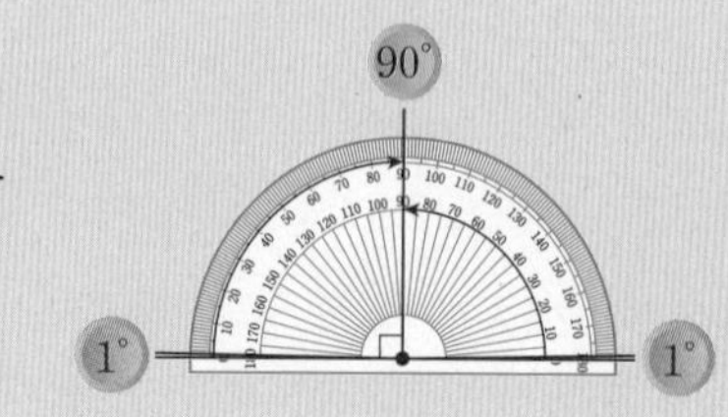

◎ 각도기를 이용하여 각도 재기

① 각도기의 중심을 각의 꼭짓점에 맞춥니다.
② 각도기의 밑금을 각의 한 변에 맞춥니다.
③ 각의 나머지 변과 만나는 눈금을 읽습니다.

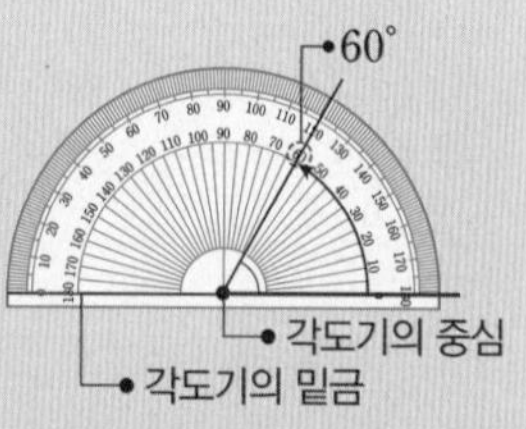

◎ 각도 읽기

- 각의 한 변이 안쪽 눈금 0에 맞춰진 경우 안쪽 눈금을 읽습니다.
- 각의 한 변이 바깥쪽 눈금 0에 맞춰진 경우 바깥쪽 눈금을 읽습니다.

3 각 그리기

◎ 각도가 90°인 각 ㄱㄴㄷ 그리기

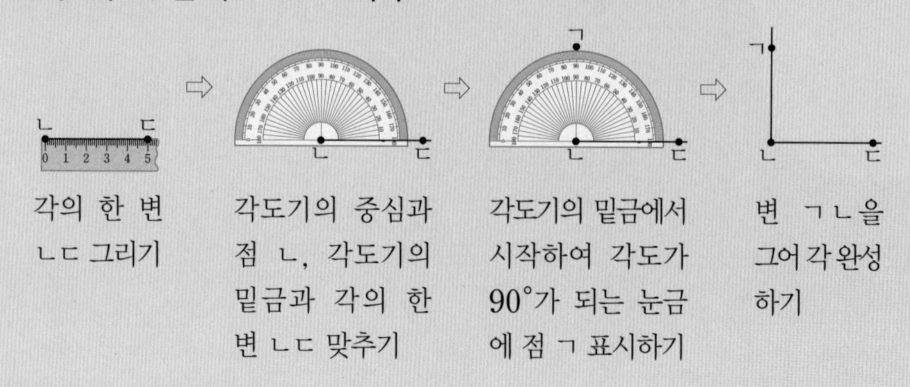

각의 한 변 ㄴㄷ 그리기	각도기의 중심과 점 ㄴ, 각도기의 밑금과 각의 한 변 ㄴㄷ 맞추기	각도기의 밑금에서 시작하여 각도가 90°가 되는 눈금에 점 ㄱ 표시하기	변 ㄱㄴ을 그어 각 완성하기

4 직각보다 작은 각과 직각보다 큰 각

- **예각**: 각도가 0°보다 크고 직각보다 작은 각
- **둔각**: 각도가 직각보다 크고 180°보다 작은 각

개념 PLUS

★ 180°와 360° 알아보기

- 곧은 선으로 이어지면 180°입니다.

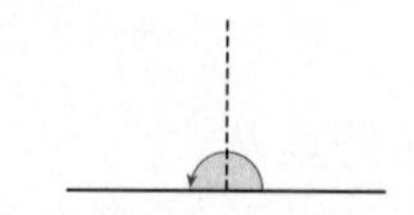

- 한 바퀴 돌아오면 360°입니다.

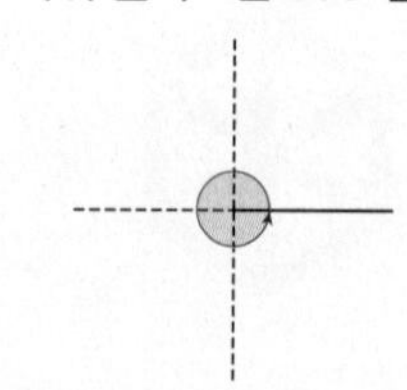

초 4-2 연계

★ 각의 크기에 따른 삼각형 분류

- **예각삼각형**: 세 각이 모두 예각인 삼각형
- **둔각삼각형**: 한 각이 둔각인 삼각형

1 각도기를 이용하여 크기가 더 작은 각을 찾아 보시오.

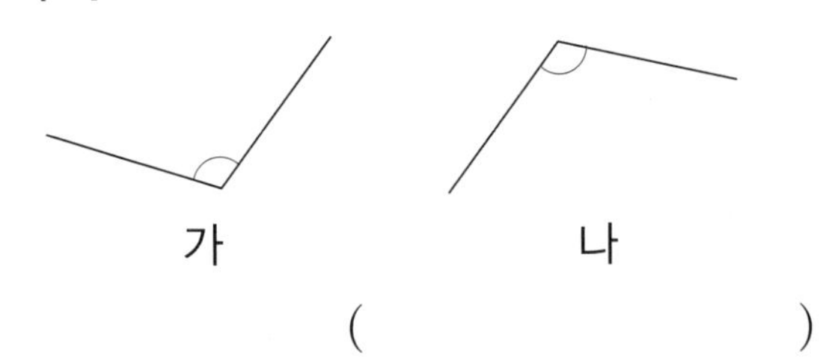

( )

2 각도기를 이용하여 왼쪽 각의 크기를 재고, 오른쪽에 주어진 선분을 이용하여 크기가 같은 각 ㄱㄴㄷ을 그려 보시오.

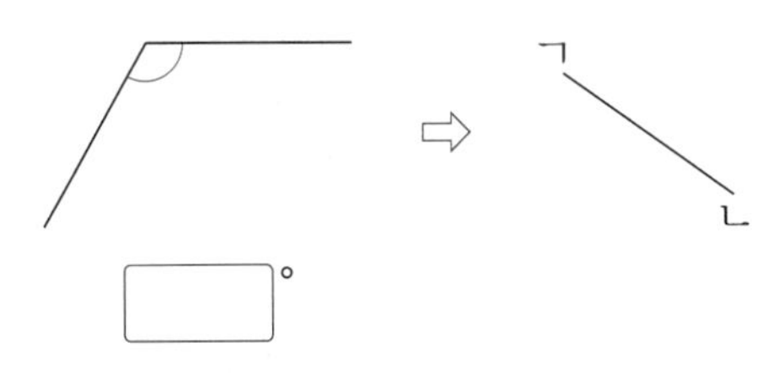

3 예각은 모두 몇 개인지 써 보시오.

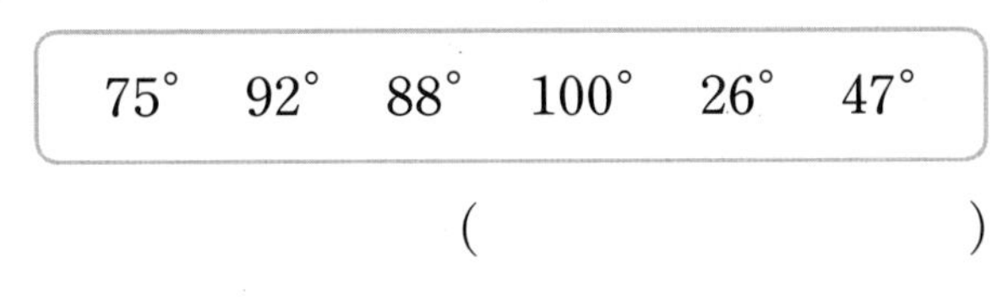

75°	92°	88°	100°	26°	47°

( )

4 시계의 긴바늘과 짧은바늘이 이루는 작은 쪽의 각이 둔각인 시각을 모두 고르시오.

( )

① 3시 ② 8시 55분
③ 2시 30분 ④ 7시
⑤ 1시 10분

5 각도기와 자를 이용하여 색종이를 세 번 접어서 만들어진 각과 크기가 같은 각을 그려 보시오.

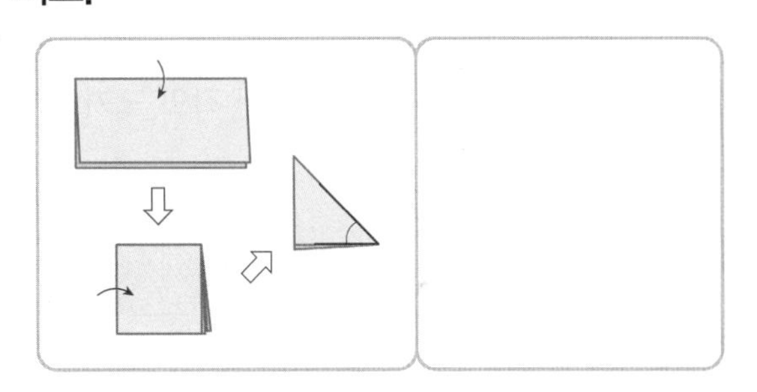

6 직선 ㄱㅅ을 크기가 같은 각 6개로 나눈 것입니다. 각 ㄴㅇㅁ의 크기를 구해 보시오.

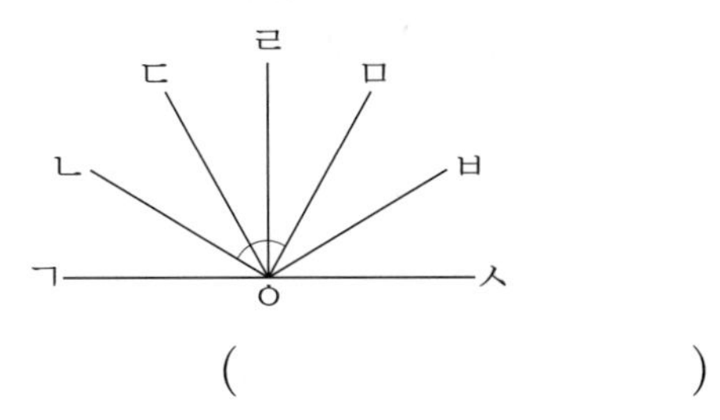

( )

핵심 개념과 문제

5 각도의 합과 차

각도의 합과 차는 자연수의 덧셈, 뺄셈과 같은 방법으로 계산합니다.

• 각도의 합

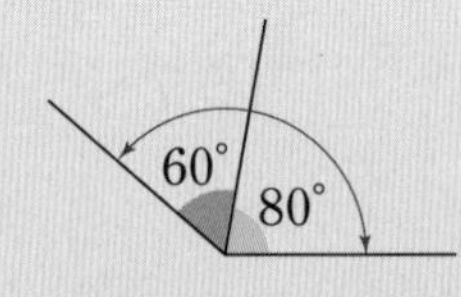

⇨ $80^\circ+60^\circ=140^\circ$

• 각도의 차

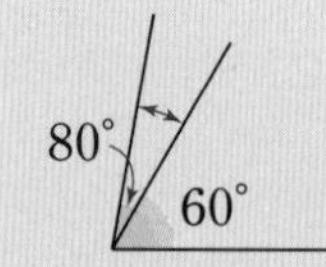

⇨ $80^\circ-60^\circ=20^\circ$

6 삼각형의 세 각의 크기의 합

삼각형의 세 각의 크기의 합은 **180°**입니다.

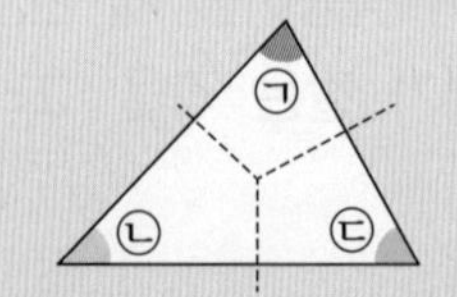

⇨

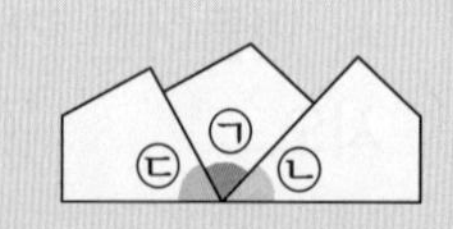

㉠+㉡+㉢=180°

참고 **종이접기로 삼각형의 세 각의 크기의 합 구하기**

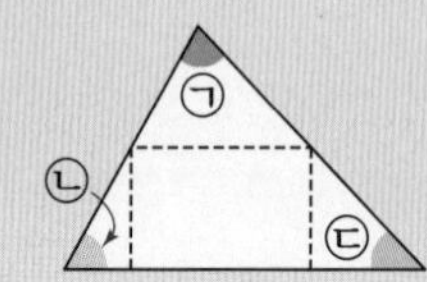

⇨

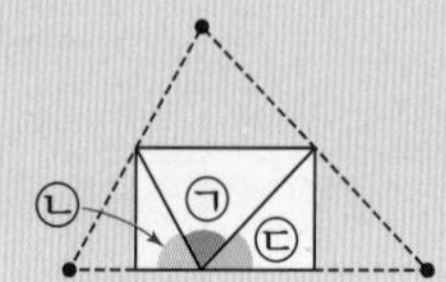

㉠+㉡+㉢=180°

7 사각형의 네 각의 크기의 합

사각형의 네 각의 크기의 합은 **360°**입니다.

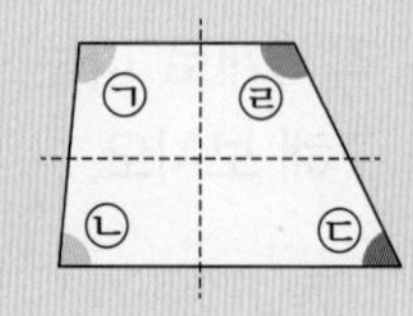

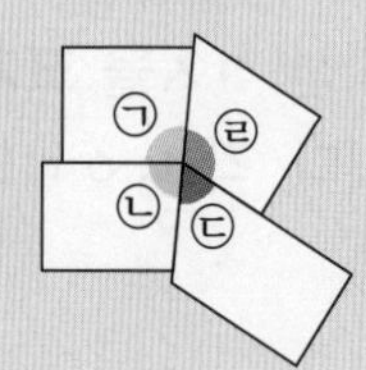

㉠+㉡+㉢+㉣=360°

참고 **삼각형의 세 각의 크기의 합을 이용하여 사각형의 네 각의 크기의 합 구하기**

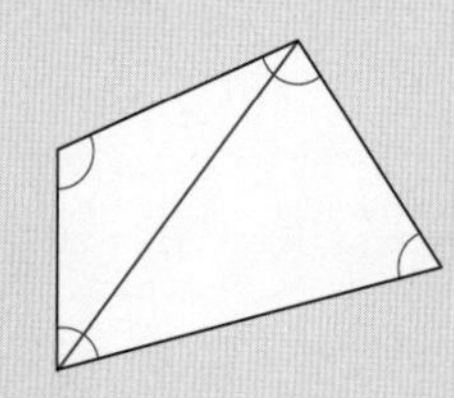

(사각형의 네 각의 크기의 합)
=(삼각형의 세 각의 크기의 합)×2
$=180^\circ\times2=360^\circ$

중 1 연계

★ **맞꼭지각**

• **맞꼭지각:** 두 직선이 한 점에서 만날 때 생기는 네 개의 각 중 서로 마주 보는 두 각

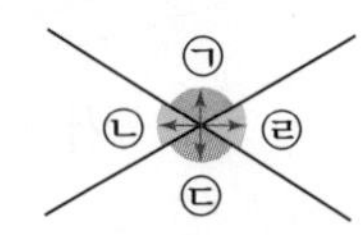

⇨ ㉠과 ㉢, ㉡과 ㉣은 맞꼭지각입니다.

• 맞꼭지각의 크기는 서로 같습니다.

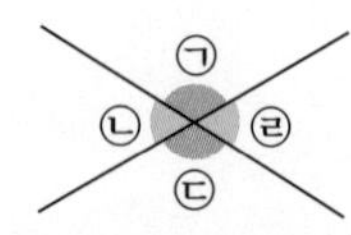

⇨ ㉠=㉢, ㉡=㉣

㉠+㉡=180°, ㉢+㉡=180° → ㉠=㉢

㉡+㉢=180°, ㉣+㉢=180° → ㉡=㉣

중 1 연계

★ **외각**

• **외각:** 도형의 각 꼭짓점에 이웃하는 두 변 중에서 한 변과 다른 변의 연장선이 이루는 각

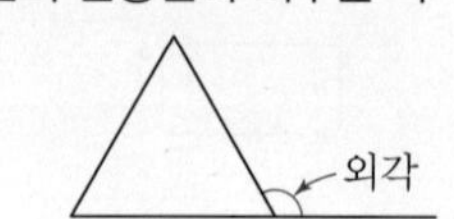

• 삼각형의 한 꼭짓점에서의 외각의 크기는 다른 두 꼭짓점의 각의 크기의 합과 같습니다.

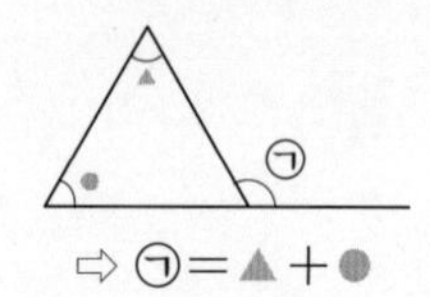

⇨ ㉠=▲+●

1 각도기를 이용하여 두 각도의 합과 차를 구해 보시오.

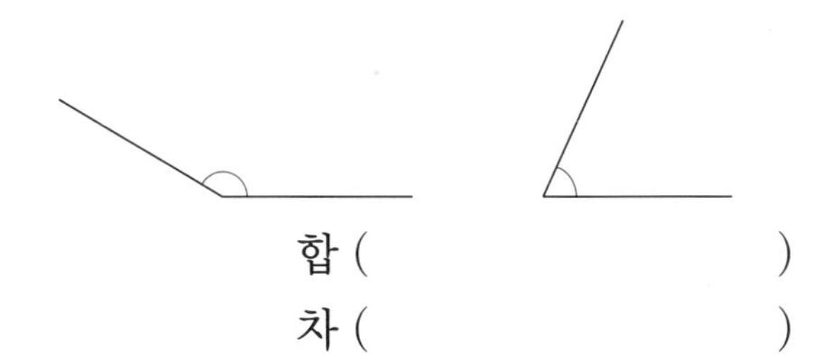

합 (　　　　　　　　)

차 (　　　　　　　　)

2 ㉠의 각도를 구해 보시오.

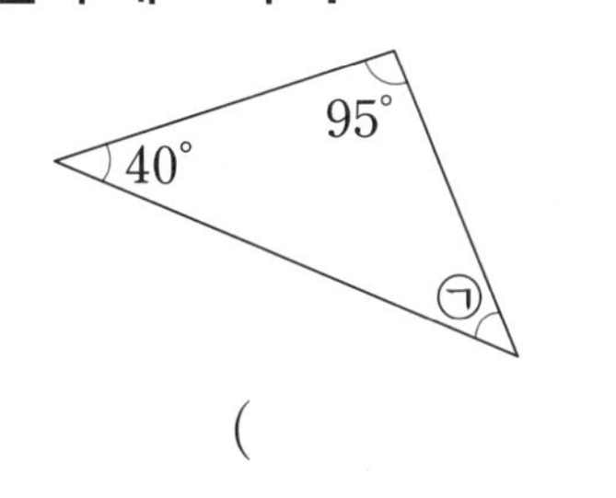

(　　　　　　　　)

3 ㉠과 ㉡의 각도의 합을 구해 보시오.

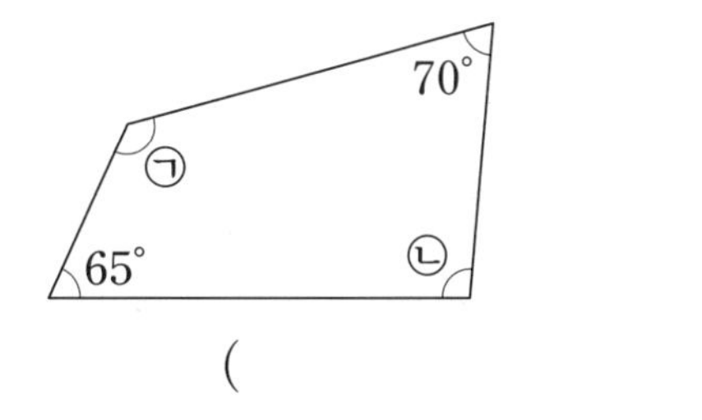

(　　　　　　　　)

4 ㉠의 각도를 구해 보시오.

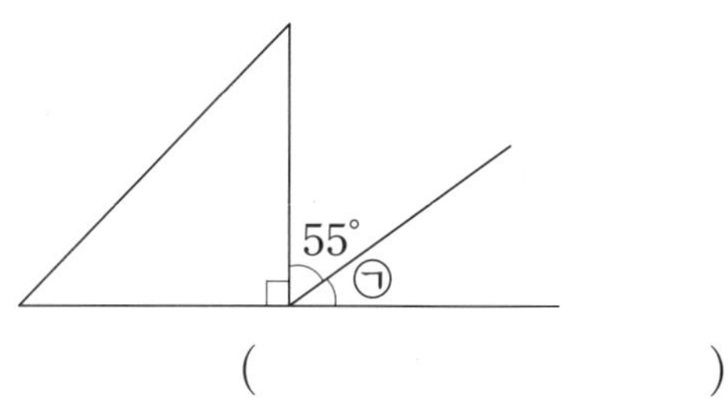

(　　　　　　　　)

5 두 직각 삼각자를 겹쳐서 ㉠을 만든 것입니다. ㉠의 각도를 구해 보시오.

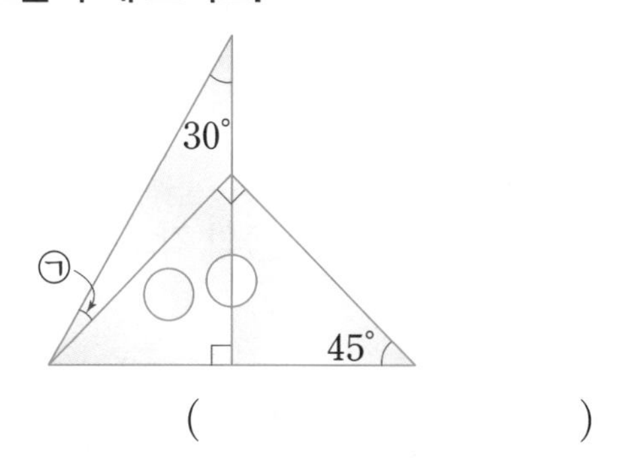

(　　　　　　　　)

6 똑같이 나눈 케이크 조각이 2개 있습니다. 두 케이크 조각의 각도의 차를 구해 보시오.

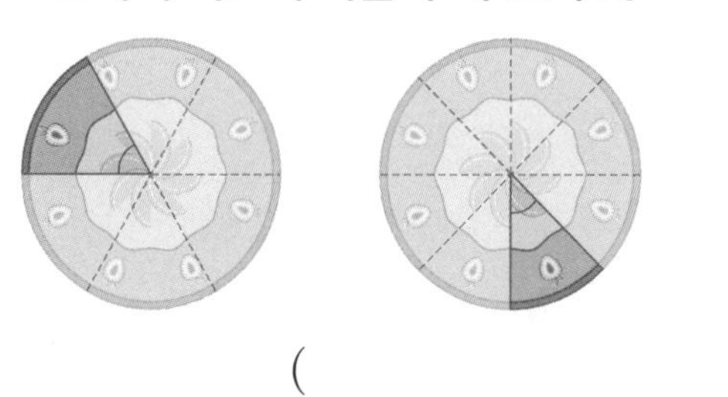

(　　　　　　　　)

상위권 문제

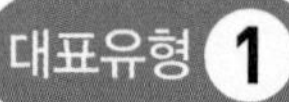

대표유형 1 여러 직선이 만나서 이루는 각도 구하기

㉠의 각도를 구해 보시오.

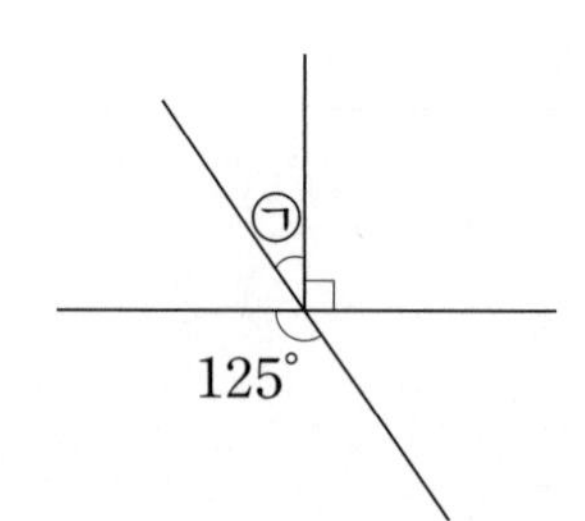

(1) 오른쪽 그림에서 ㉡의 각도는 몇 도입니까?

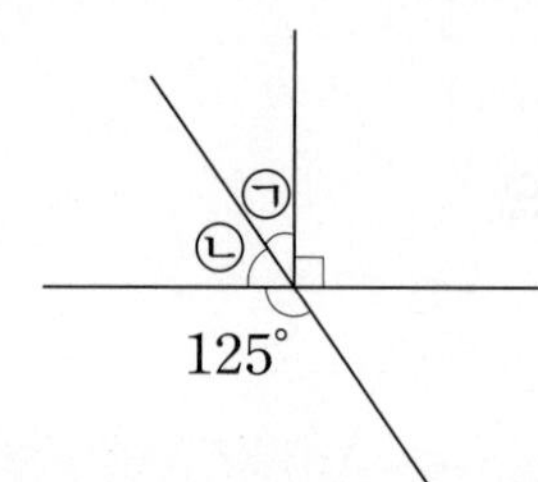

( )

(2) ㉠의 각도는 몇 도입니까?

( )

비법 PLUS +

직선 위의 한 점을 꼭짓점으로 하는 각의 크기는 180°임을 이용하여 각도를 구합니다.

유제 1

㉠의 각도를 구해 보시오.

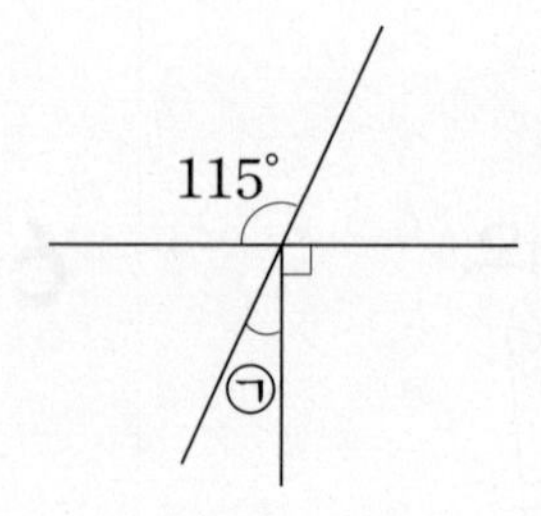

( )

유제 2

㉠의 각도를 구해 보시오.

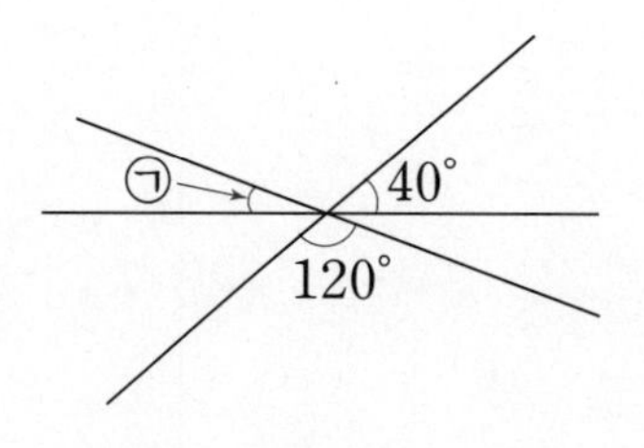

( )

★ 빠른 정답 2쪽, 정답과 풀이 15쪽

Review Book 10~11쪽

대표유형 2 삼각형 또는 사각형에서 각도 구하기

㉠과 ㉡의 각도의 합을 구해 보시오.

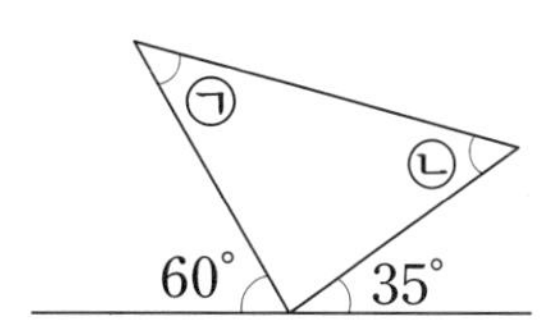

(1) 오른쪽 그림에서 ㉢의 각도는 몇 도입니까?

( )

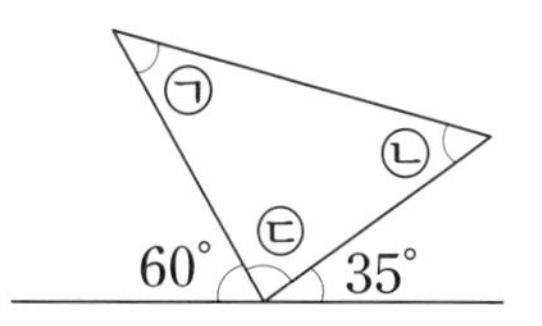

(2) ㉠과 ㉡의 각도의 합은 몇 도입니까?

( )

비법 PLUS +

직선 위의 한 점을 꼭짓점으로 하는 각의 크기는 180°임을 이용하여 삼각형의 한 각의 크기를 구합니다.

유제 3 오른쪽 그림에서 ㉠과 ㉡의 각도의 차를 구해 보시오.

70°
㉡
㉠
55°
85°

( )

• 서술형 문제 •

유제 4 오른쪽 그림에서 각 ㄴㄱㄷ과 각 ㄷㄱㅁ의 크기는 같습니다. 각 ㄱㄷㄴ의 크기를 구하려고 합니다. 풀이 과정을 쓰고 답을 구해 보시오.

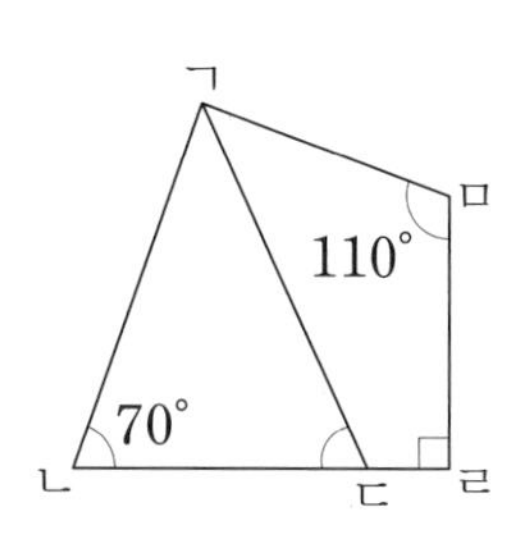

풀이

답

대표유형 3 두 직각 삼각자를 겹쳐서 만들어지는 각도 구하기

두 직각 삼각자를 겹쳐서 ㉠을 만들었습니다. ㉠의 각도를 구해 보시오.

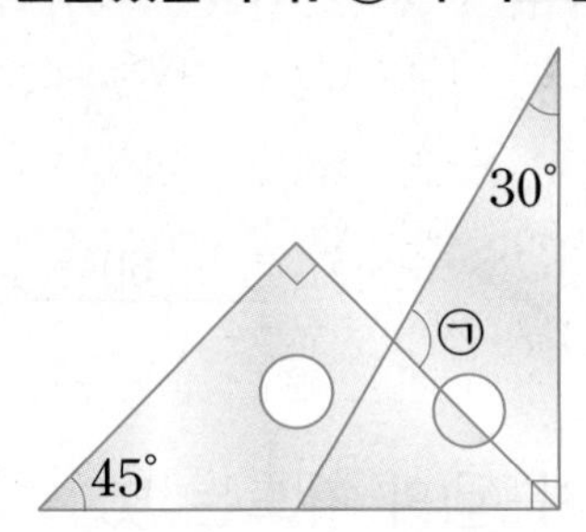

(1) 오른쪽 그림에서 ㉡의 각도는 몇 도입니까?

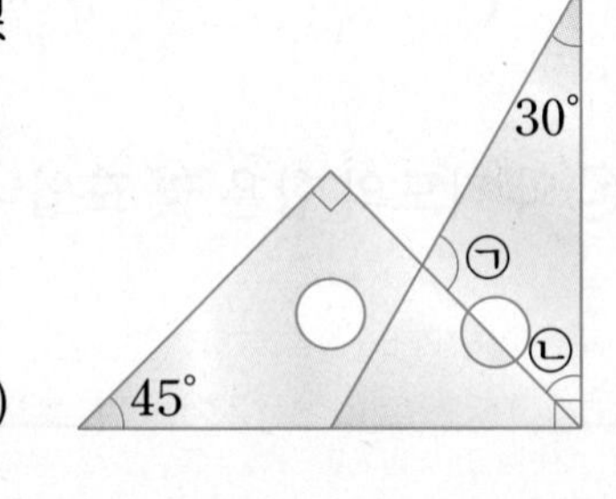

(　　　　　　　　　)

(2) ㉠의 각도는 몇 도입니까?

(　　　　　　　　　)

비법 PLUS +

삼각형의 세 각의 크기의 합은 180°임을 이용하여 ㉠의 각도를 구할 수 있는 삼각형을 찾아봅니다.

유제 5 두 직각 삼각자를 겹쳐서 ㉠을 만들었습니다. ㉠의 각도를 구해 보시오.

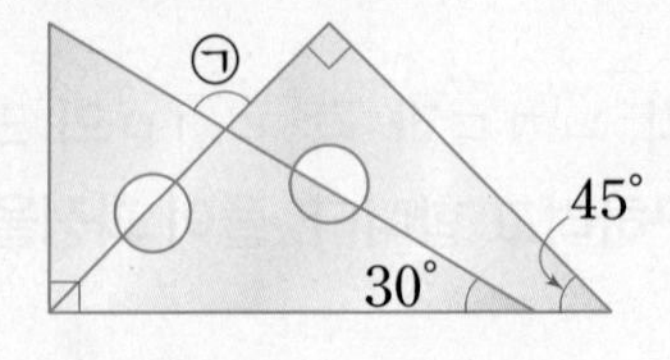

(　　　　　　　　　)

유제 6 두 직각 삼각자를 겹쳐서 ㉠을 만들었습니다. ㉠의 각도를 구해 보시오.

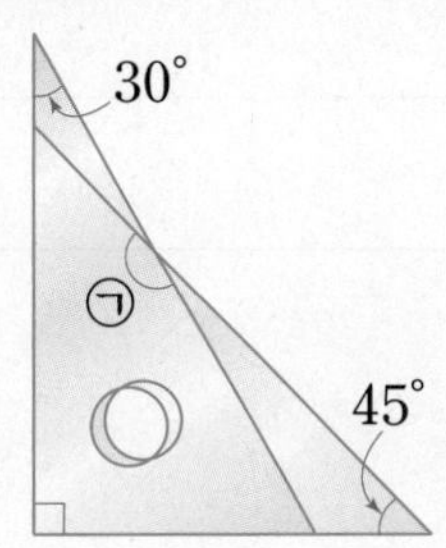

(　　　　　　　　　)

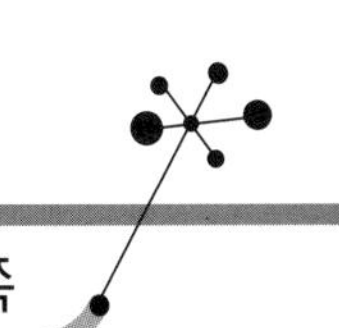

대표유형 4 도형에서 한 각의 크기 구하기

오른쪽 도형은 6개의 각의 크기가 모두 같습니다. ㉠의 각도를 구해 보시오.

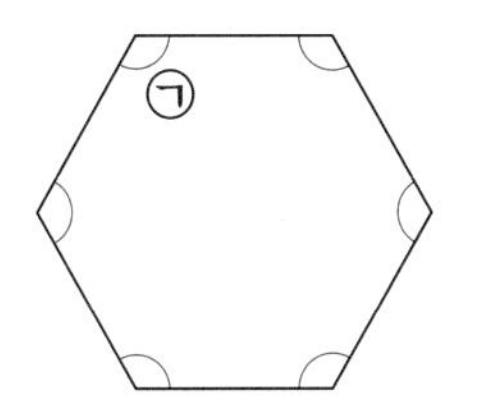

(1) 도형에서 6개의 각의 크기의 합은 몇 도입니까?

( )

(2) ㉠의 각도는 몇 도입니까?

( )

비법 PLUS +

도형을 삼각형 ★개로 나누면 도형의 모든 각의 크기의 합은 $180^\circ \times$ ★입니다.

유제 7 오른쪽 도형은 5개의 각의 크기가 모두 같습니다. ㉠의 각도를 구해 보시오.

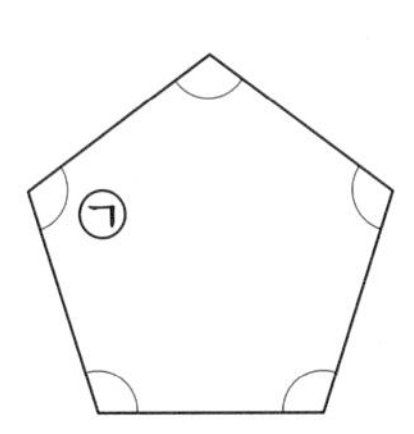

( )

• 서술형 문제 •

유제 8 오른쪽 도형은 8개의 각의 크기가 모두 같습니다. ㉠의 각도를 구하려고 합니다. 풀이 과정을 쓰고 답을 구해 보시오.

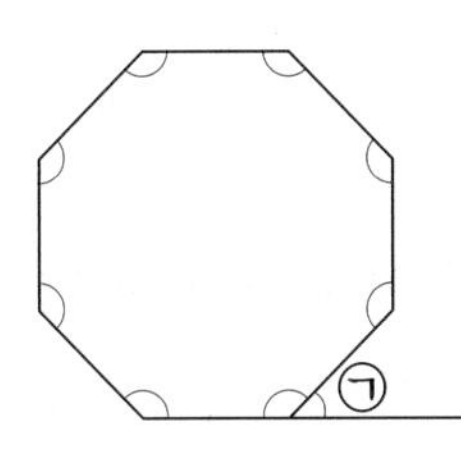

풀이

답

STEP 2 상위권 문제

대표유형 5 예각 또는 둔각의 수 구하기

오른쪽 그림은 직선을 크기가 같은 각 5개로 나눈 것입니다. 그림에서 찾을 수 있는 크고 작은 예각은 모두 몇 개인지 구해 보시오.

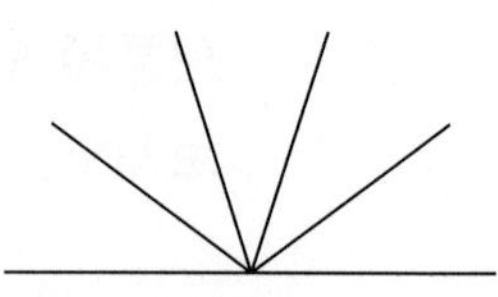

(1) 가장 작은 각의 크기는 몇 도입니까?

( )

(2) 가장 작은 각 1개로 이루어진 예각은 몇 개입니까?

( )

(3) 가장 작은 각 2개로 이루어진 예각은 몇 개입니까?

( )

(4) 그림에서 찾을 수 있는 크고 작은 예각은 모두 몇 개입니까?

( )

비법 PLUS +

그림에서 찾을 수 있는 예각의 종류는 다음과 같습니다.

- 가장 작은 각 1개로 이루어진 예각

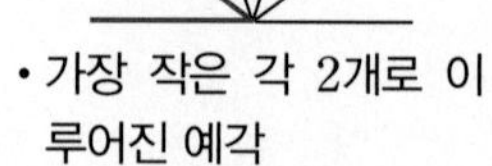

- 가장 작은 각 2개로 이루어진 예각

유제 9 오른쪽 그림은 직선을 크기가 같은 각 6개로 나눈 것입니다. 그림에서 찾을 수 있는 크고 작은 둔각은 모두 몇 개인지 구해 보시오.

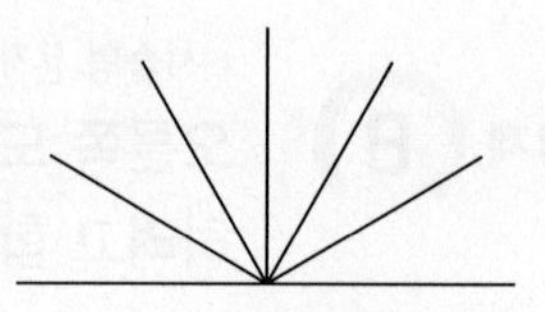

( )

유제 10 오른쪽 그림은 직선을 크기가 같은 각 7개로 나눈 것입니다. 그림에서 찾을 수 있는 크고 작은 예각은 모두 몇 개인지 구해 보시오.

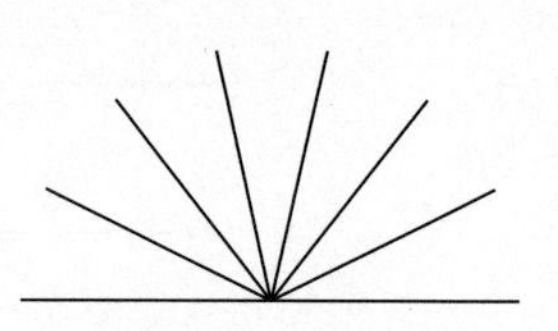

( )

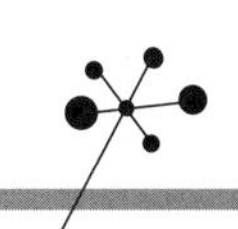

대표유형 6 시계의 두 바늘이 이루는 작은 쪽의 각도 구하기

오른쪽 시계의 긴바늘과 짧은바늘이 이루는 작은 쪽의 각도를 구해 보시오.

(1) 오른쪽 시계에서 ㉠과 ㉡의 각도는 각각 몇 도입니까?

㉠ (　　　　　　)

㉡ (　　　　　　)

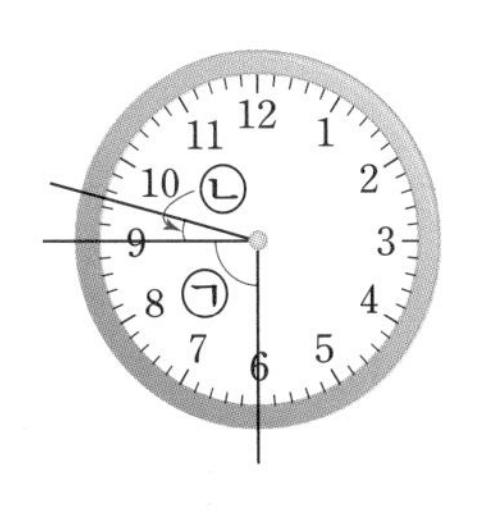

(2) 시계의 긴바늘과 짧은바늘이 이루는 작은 쪽의 각도는 몇 도입니까?

(　　　　　　)

비법 PLUS +

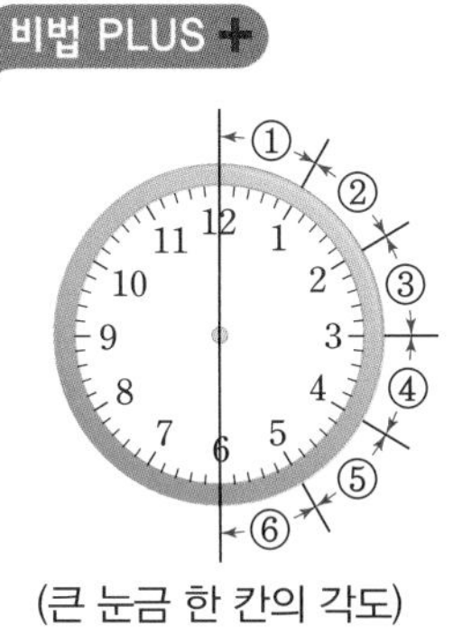

(큰 눈금 한 칸의 각도)
$=180° \div 6 = 30°$

유제 11 오른쪽 시계의 긴바늘과 짧은바늘이 이루는 작은 쪽의 각도를 구해 보시오.

(　　　　　　)

유제 12 시계가 7시 20분을 가리킬 때 시계의 긴바늘과 짧은바늘이 이루는 작은 쪽의 각도를 구해 보시오.

(　　　　　　)

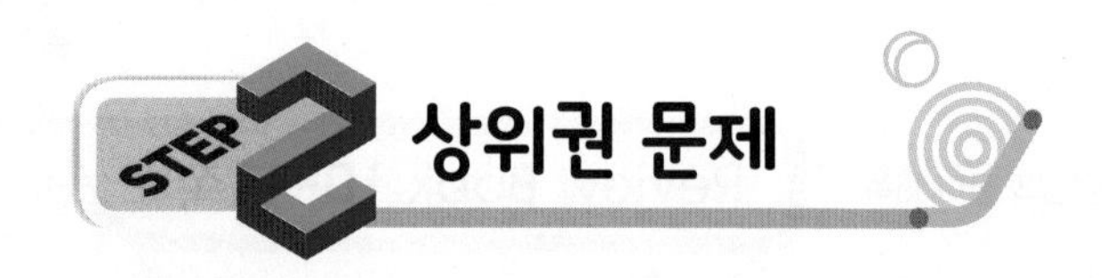

대표유형 7 도형에 선분을 그어 각도 구하기

㉠의 각도를 구해 보시오.

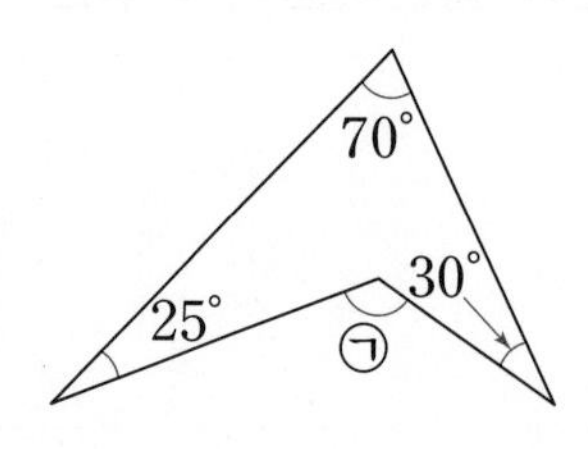

(1) 오른쪽 그림과 같이 도형에 선분을 그었습니다. ㉡과 ㉢의 각도의 합은 몇 도입니까?

(　　　　　　　)

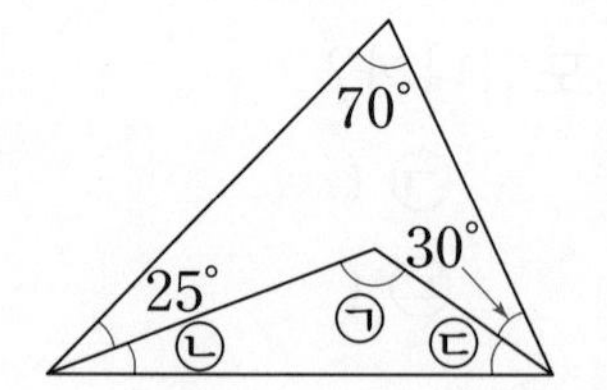

(2) ㉠의 각도는 몇 도입니까?

(　　　　　　　)

비법 PLUS +

도형에 삼각형 또는 사각형을 만들 수 있는 선분을 그어 각도를 구합니다.

유제 13 ㉠의 각도를 구해 보시오.

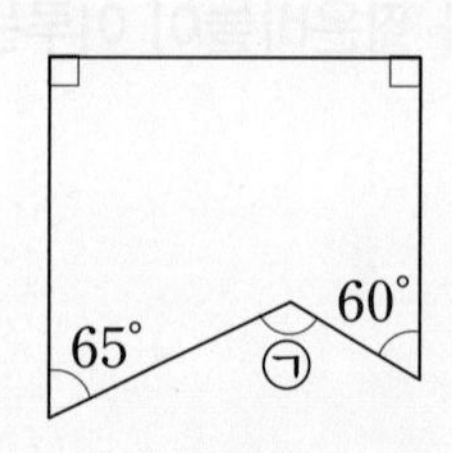

(　　　　　　　)

유제 14 ㉠의 각도를 구해 보시오.

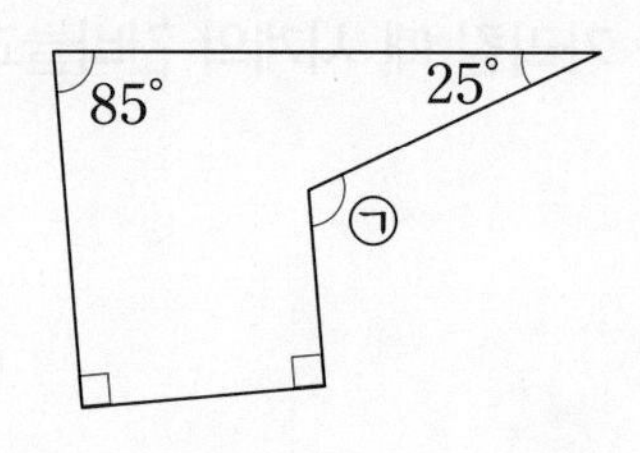

(　　　　　　　)

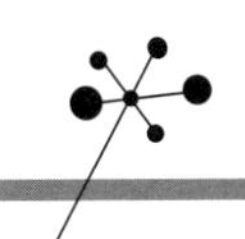

신유형 8 접은 종이에서 각도 구하기

송이는 오른쪽 모양을 만들기 위해 정사각형 모양의 종이를 다음과 같은 순서로 접고 있습니다. 각 ㄱㄴㄷ의 크기를 구해 보시오.

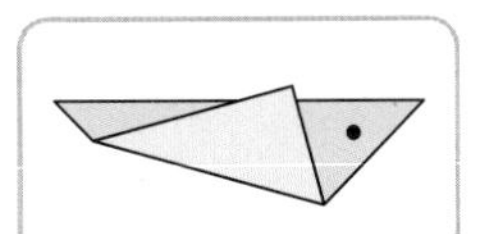

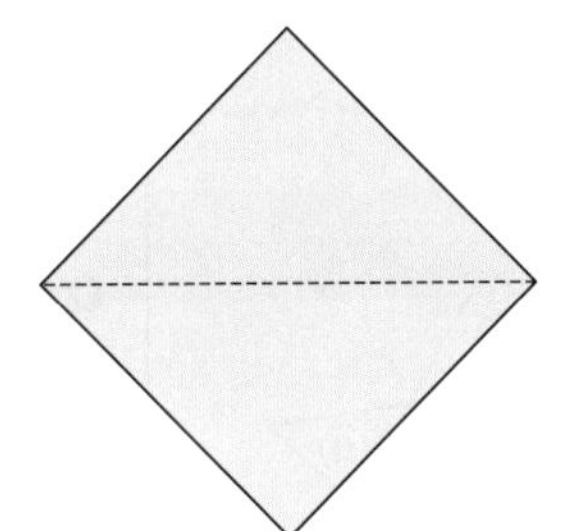

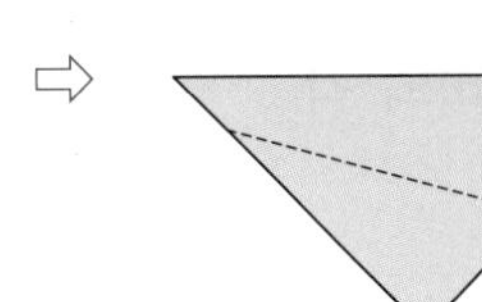

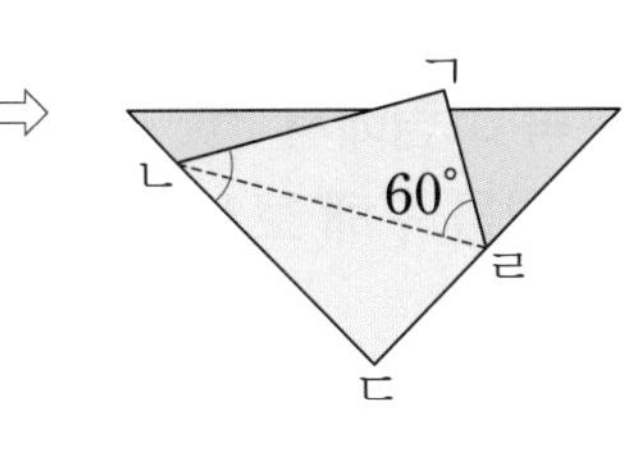

(1) 각 ㄴㄹㄷ의 크기는 몇 도입니까?

(　　　　　　　　)

(2) 각 ㄱㄹㄷ의 크기는 몇 도입니까?

(　　　　　　　　)

(3) 각 ㄱㄴㄷ의 크기는 몇 도입니까?

(　　　　　　　　)

신유형 PLUS +

종이를 접은 부분과 접힌 부분은 모양과 크기가 같으므로 각의 크기도 같습니다.

유제 15

민호는 오른쪽 모양을 만들기 위해 정사각형 모양의 종이를 다음과 같은 순서로 접고 있습니다. 각 ㄴㄷㅁ의 크기를 구해 보시오.

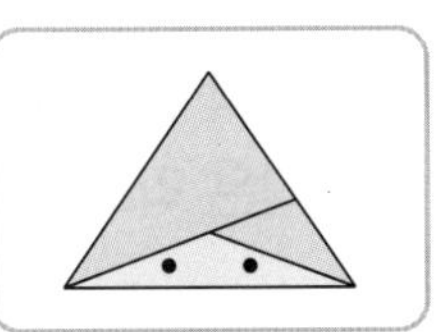

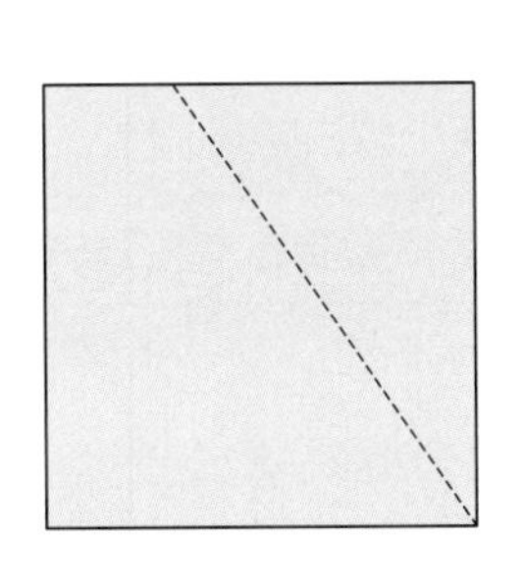

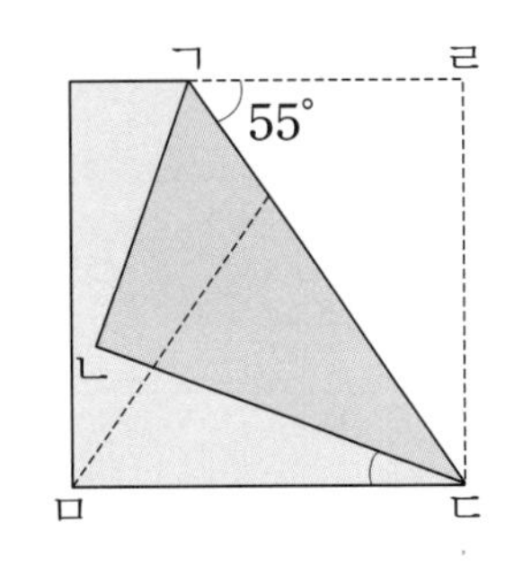

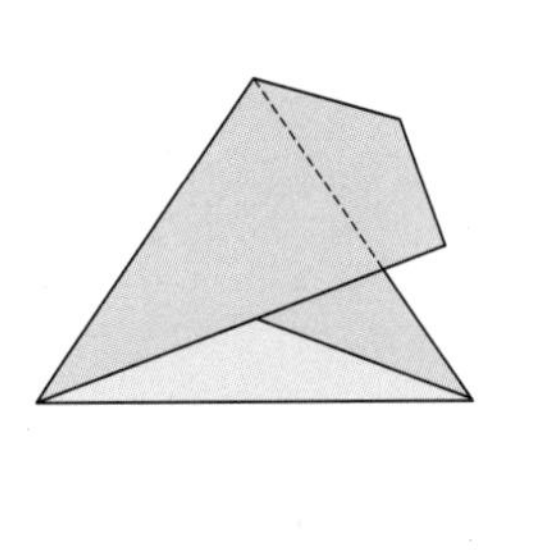

(　　　　　　　　)

상위권 문제 확인과 응용

1 지금 시각은 2시 35분입니다. 4시간 20분 후에 시계의 긴바늘과 짧은바늘이 이루는 작은 쪽의 각은 예각, 직각, 둔각 중 어느 것인지 구해 보시오.

( )

2 오른쪽 그림에서 ㉠, ㉡, ㉢, ㉣, ㉤, ㉥의 각도의 합을 구해 보시오.

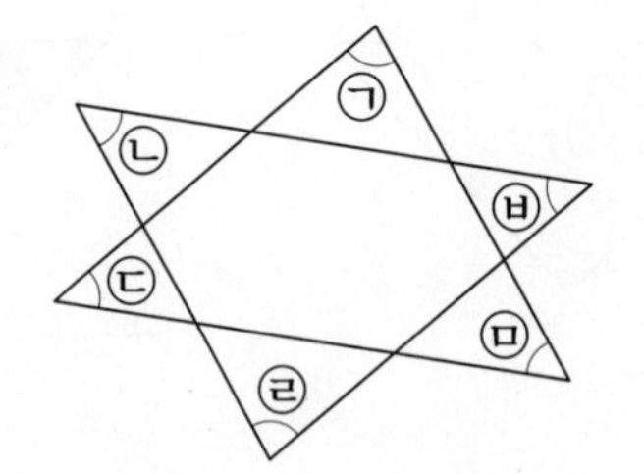

( )

3 오른쪽 그림에서 각 ㄱㅁㄷ의 크기는 110°이고 각 ㄴㅁㄹ의 크기는 140°입니다. 각 ㄴㅁㄷ의 크기를 구해 보시오.

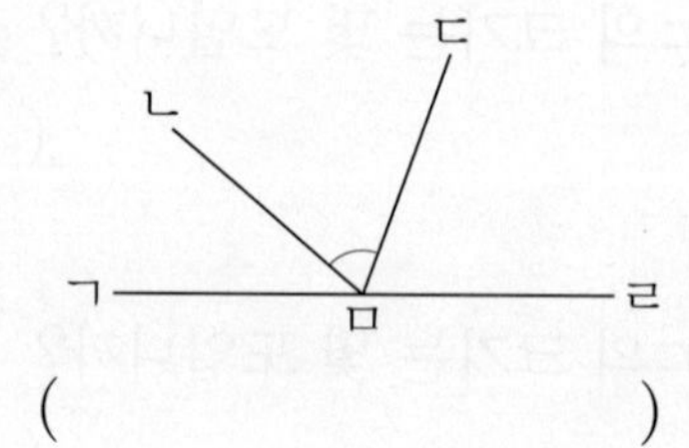

( )

4 두 직각 삼각자를 겹치지 않게 이어 붙여서 만들 수 있는 각도 중 두 번째로 작은 각도를 구해 보시오.

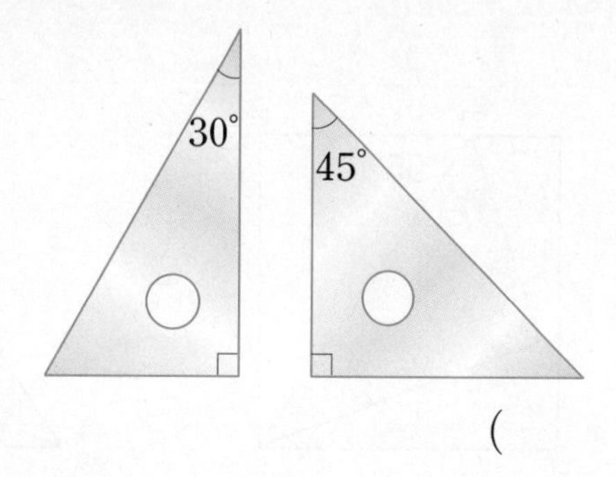

( )

비법 PLUS +

- 그림을 삼각형 2개로 나누어 생각합니다.

5 그림에서 찾을 수 있는 크고 작은 예각과 둔각은 각각 모두 몇 개인지 구해 보시오.

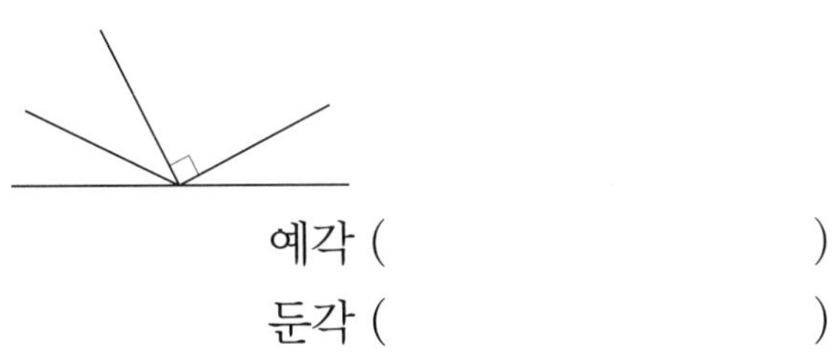

예각 (　　　　　　　　)

둔각 (　　　　　　　　)

6 ㉠의 각도를 구해 보시오.

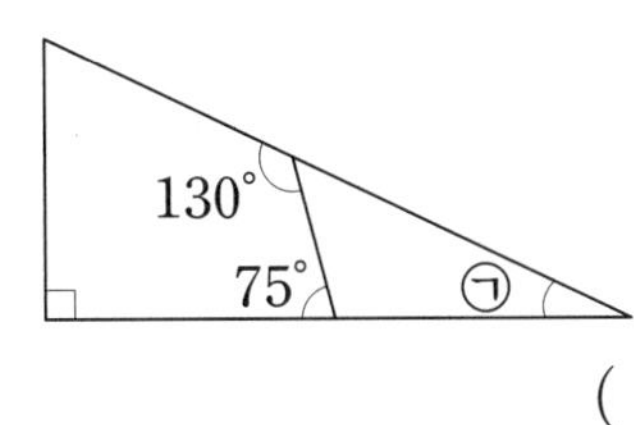

(　　　　　　　　)

● 서술형 문제 ●

7 오른쪽 삼각형에서 ㉠의 각도는 ㉡의 각도의 2배이고 ㉠의 각도와 ㉢의 각도가 같습니다. ㉠의 각도는 몇 도인지 풀이 과정을 쓰고 답을 구해 보시오.

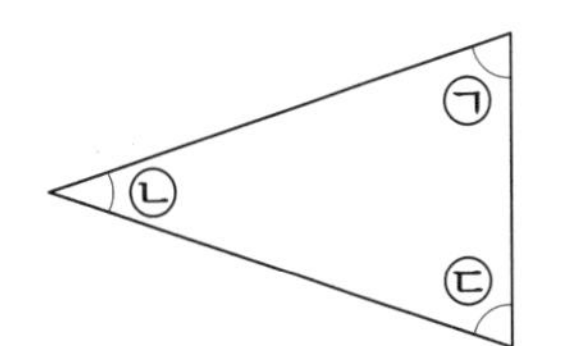

풀이 ____________________

____

____

답 ____________________

비법 PLUS +

- 그림을 삼각형과 사각형으로 나누어 생각합니다.
- ㉠과 ㉢을 ㉡을 이용한 식으로 나타내어 봅니다.

8 두 직각 삼각자를 겹쳐서 ㉠과 ㉡을 만들었습니다. ㉠과 ㉡의 각도의 차를 구해 보시오.

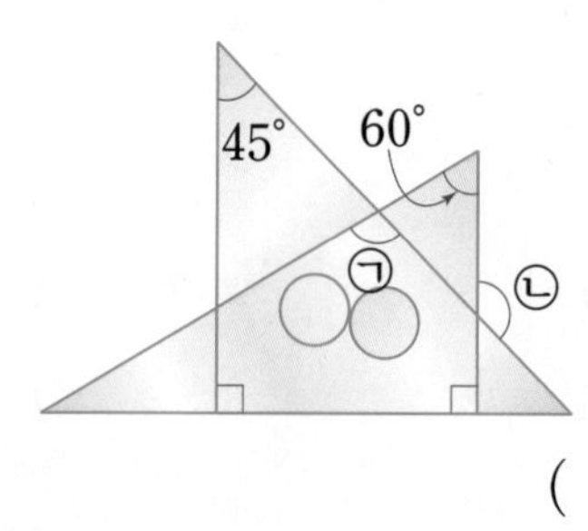

(   )

비법 PLUS +
- 직각 삼각자에서 직각이 아닌 한 각의 크기를 알면 나머지 한 각의 크기도 구할 수 있습니다.

• 서술형 문제 •

9 진주네 가족은 오전 9시에 놀이공원으로 출발해서 오전 11시 20분에 도착했습니다. 진주네 가족이 놀이공원에 가는 동안 시계의 짧은바늘이 움직인 각도를 구하려고 합니다. 풀이 과정을 쓰고 답을 구해 보시오.

풀이

답

- 놀이공원에 가는 데 걸린 시간을 구해서 그 시간에 짧은바늘이 움직인 각도를 구합니다.

10 직사각형 모양의 종이를 오른쪽 그림과 같이 접었습니다. 각 ㅂㅈㅇ의 크기를 구해 보시오.

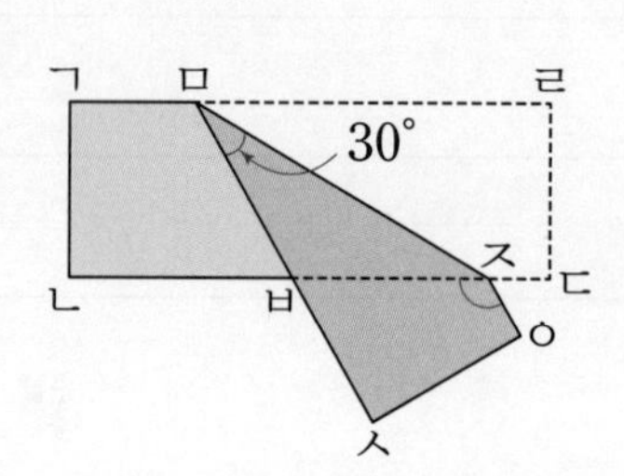

(   )

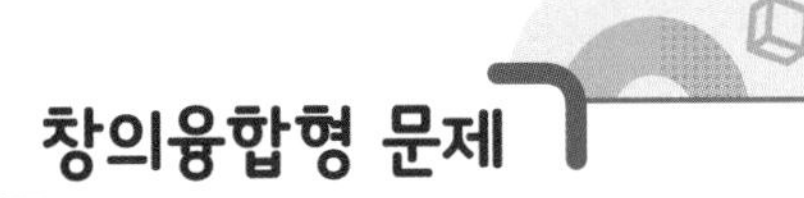

11 스트링 아트를 하기 위해 원 위에 일정한 간격으로 5개의 점을 찍었습니다. 세 점을 이어 각을 만들 때 만들 수 있는 예각은 모두 몇 개인지 구해 보시오.

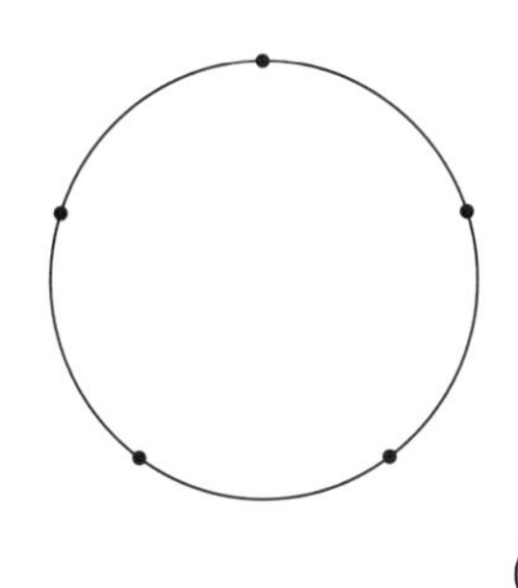

(   )

12 거울에 빛을 쏘면 빛이 거울 면으로 들어오는 각도와 반사되고 난 후 거울 면에서 나가는 각도는 같습니다. 다음과 같이 나란하게 놓인 두 거울 사이로 빛을 2개 쏘았을 때 ㉠의 각도를 구해 보시오.

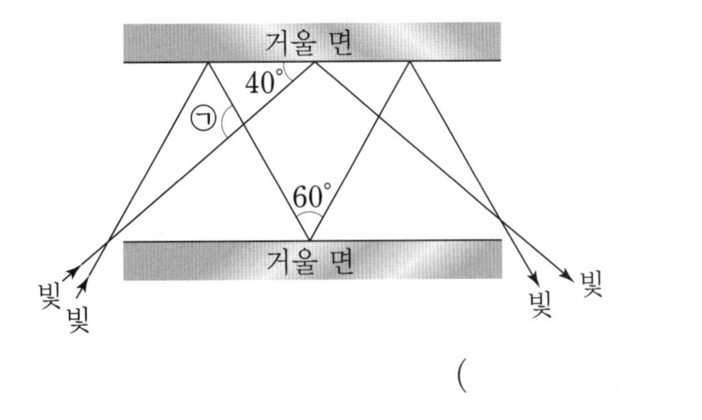

(   )

창의융합 PLUS +

○ 스트링 아트

스트링 아트란 일정한 규칙으로 찍은 점을 직선으로 연결하여 여러 가지 모양을 만드는 것입니다.

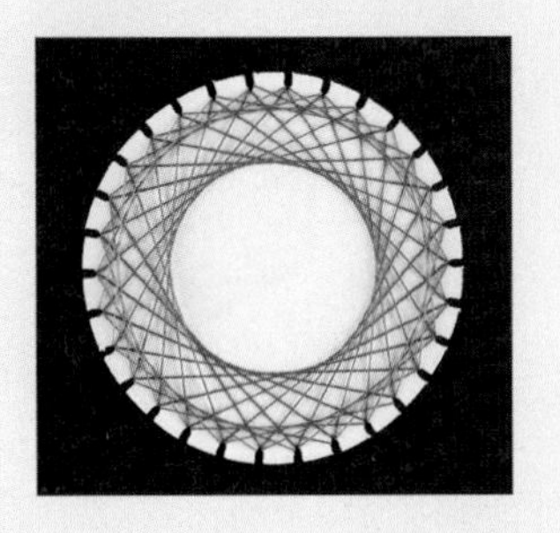

○ 빛의 반사

빛이 물체에 부딪쳐 진행 방향이 바뀌어 나아가는 현상을 빛의 반사라고 합니다.

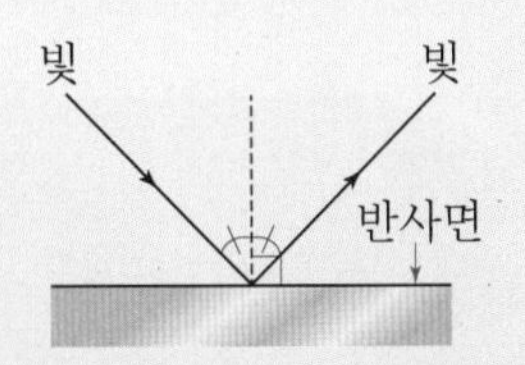

반사면이 거울과 같이 매끄러울 때 빛이 반사면으로 들어오는 각도와 반사되고 난 후 반사면에서 나가는 각도는 같습니다.

최상위권 문제

• 문제 풀이 동영상

1 그림에서 ㉠, ㉡, ㉢, ㉣의 각도의 합을 구해 보시오.

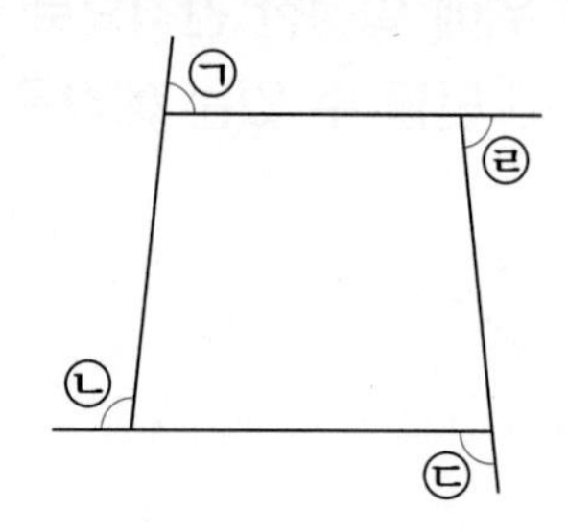

(   )

2 직사각형 ㄱㄴㄷㄹ 안에 삼각형 ㄱㄴㅁ을 그렸습니다. ㉠의 각도를 구해 보시오.

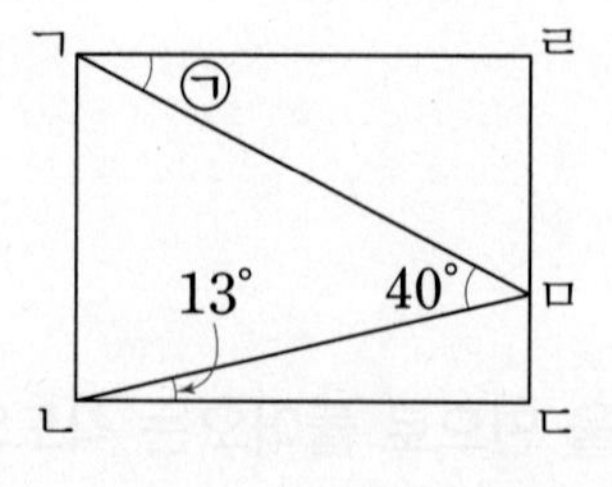

(   )

3 ㉠의 각도를 구해 보시오.

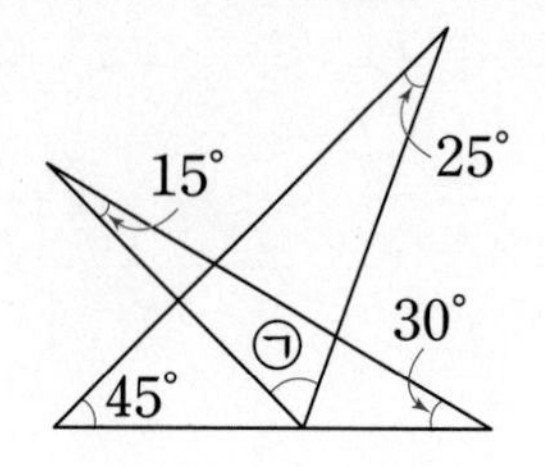

(   )

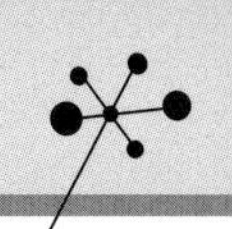

4 각 ㄱㄴㅁ과 각 ㅁㄴㄷ의 크기는 같고, 각 ㄹㄷㅁ과 각 ㅁㄷㄴ의 크기는 같습니다. ㉠의 각도를 구해 보시오.

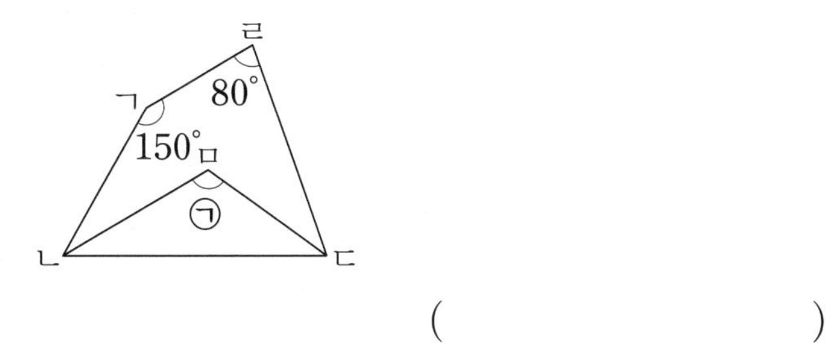

(　　　　　　　)

5 5개의 각의 크기가 모두 같은 종이를 그림과 같이 접었습니다. ㉠의 각도를 구해 보시오.

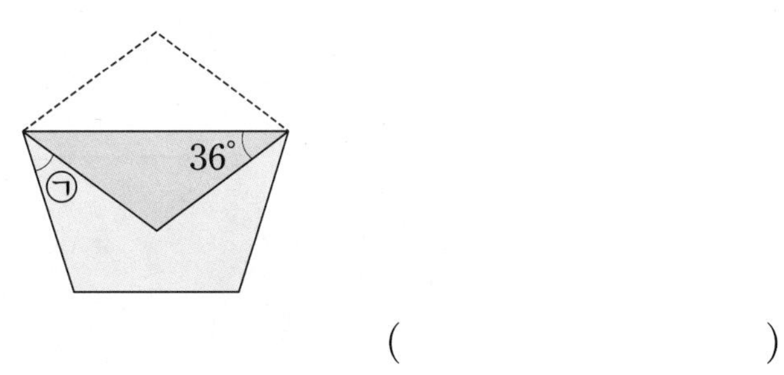

(　　　　　　　)

6 그림은 삼각형 ㄱㄴㄷ을 점 ㄴ을 중심으로 돌려 놓은 것입니다. 각 ㄷㄱㄴ과 각 ㄱㄷㄴ의 크기가 같을 때 삼각형 ㄱㄴㄷ을 몇 도만큼 돌렸는지 구해 보시오.

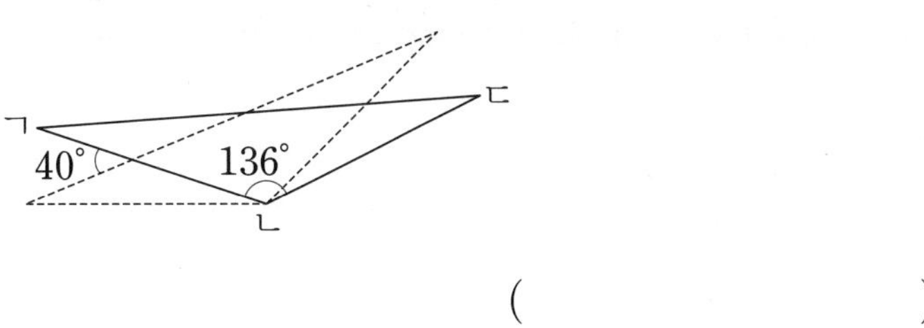

(　　　　　　　)

블레즈 파스칼 (Blaise Pascal)

- **출생~사망:** 1623~1662
- **국적:** 프랑스
- **업적:** 열두 살에 종이를 한 점에 오도록 접는 방법을 이용해 삼각형의 세 각의 크기의 합이 180°라는 사실을 알아냈고 열아홉 살에 계산기를 최초로 발명했습니다.

곱셈과 나눗셈

STEP 1 핵심 개념과 문제

1 (세 자리 수)×(몇십)

(세 자리 수)×(몇)을 계산한 값에 0을 1개 붙입니다.

• 232×30의 계산

$232\times3=696$
10배
$232\times30=6960$

$$\begin{array}{r} 232 \\ \times\quad 3 \\ \hline 696 \end{array} \qquad \begin{array}{r} 232 \\ \times\quad 30 \\ \hline 6960 \end{array}$$

(696 → 6960: 10배)

참고 **(몇백)×(몇십)의 계산**

(몇)×(몇)을 계산한 값에 곱하는 두 수의 0의 개수만큼 0을 붙입니다.

예 300×20의 계산

0이 3개

$300\times20=6000$

$3\times2=6$

중1 연계

★ **곱셈의 교환법칙**

두 수의 곱셈에서 두 수의 순서를 바꾸어 곱하여도 그 결과는 같습니다.

예 $300\times20=6000$, $20\times300=6000$
⇨ $300\times20=20\times300$

2 (세 자리 수)×(두 자리 수)

• 263×27의 계산

$$\begin{array}{r} 263 \\ \times\quad 7 \\ \hline 1841 \end{array} \qquad \begin{array}{r} 263 \\ \times\quad 20 \\ \hline 5260 \end{array} \quad ⇨ \quad \begin{array}{r} 263 \\ \times\quad 27 \\ \hline 1841 \\ 526\boxed{0} \\ \hline 7101 \end{array}$$

(세 자리 수)×(두 자리 수의 일의 자리 수)를 계산합니다.

(세 자리 수)×(두 자리 수의 십의 자리 수)를 계산합니다.

두 곱셈의 계산 결과를 더합니다.

• 일의 자리 0의 표시를 생략할 수 있습니다.

1 계산 결과가 다른 하나를 찾아 ○표 하시오.

600×20　　40×500　　150×80

2 잘못 계산한 곳을 찾아 바르게 고쳐 보시오.

```
  5 0 8
×   4 7
-------
3 5 5 6
2 0 3 2
-------
5 5 8 8
```

⇨

```
  5 0 8
×   4 7
-------
```

3 어느 공장에서 인형 한 개를 만드는 데 드는 재료비가 460원이라고 합니다. 인형 50개를 만드는 데 드는 재료비는 모두 얼마인지 구해 보시오.

(　　　　　　　　)

4 곱이 큰 것부터 차례대로 기호를 써 보시오.

㉠ 382×70
㉡ 924×14
㉢ 492×36

(　　　　　　　　)

5 어느 마을에 있는 시계탑의 종은 매시간 정각에 종을 한 번씩 울립니다. 1년을 365일로 계산한다면 이 시계탑의 종은 1년 동안 몇 번 울리는지 구해 보시오.

(　　　　　　　　)

6 수 카드 5장을 한 번씩만 사용하여 가장 작은 세 자리 수와 가장 큰 두 자리 수를 만들었습니다. 만든 두 수로 곱셈식을 만들어 계산해 보시오.

4　6　3　8　7

□ × □ = □

STEP 1 핵심 개념과 문제

3 (세 자리 수)÷(몇십)

• 165÷30의 계산

$30 \times 4 = 120$
$30 \times 5 = 150$
$30 \times 6 = 180$

$$\begin{array}{r} 5 \\ 30\overline{)165} \\ 150 \\ \hline 15 \end{array}$$

30×5=150이고 여기에 나머지 15를 더하면 165가 되는 것을 확인할 수 있습니다.

165÷30=5…15 (5: 몫, 15: 나머지)

참고 165÷30을 계산할 때 120, 150, 180 중에서 나누어지는 수인 165보다 작으면서 165에 가장 가까운 수는 150이므로 몫은 5입니다.

4 몫이 한 자리 수인 (세 자리 수)÷(두 자리 수)

• 182÷36의 계산

$36 \times 4 = 144$
$36 \times 5 = 180$
$36 \times 6 = 216$

$$\begin{array}{r} 5 \\ 36\overline{)182} \\ 180 \\ \hline 2 \end{array}$$

36×5=180이고 여기에 나머지 2를 더하면 182가 되는 것을 확인할 수 있습니다.

182÷36=5…2

5 몫이 두 자리 수인 (세 자리 수)÷(두 자리 수)

• 415÷28의 계산

$$\begin{array}{r} 1 \\ 28\overline{)415} \\ 28 \\ \hline 13 \end{array} \Rightarrow \begin{array}{r} 14 \\ 28\overline{)415} \\ 28 \\ \hline 135 \\ 112 \\ \hline 23 \end{array}$$

28×14=392이고 여기에 나머지 23을 더하면 415가 되는 것을 확인할 수 있습니다.

415÷28=14…23

참고 세 자리 수 중 왼쪽 두 자리 수부터 먼저 나누고, 남은 나머지와 일의 자리 수를 더하여 다시 나눕니다.

개념 PLUS

■÷▲=●…◆에서 ◆가 될 수 있는 가장 큰 수는 ▲−1입니다.

개념 PLUS

★ (세 자리 수)÷(두 자리 수)의 몫의 자릿수 알아보기

★◆)■▲●에서

• ★◆>■▲
⇨ 몫은 한 자리 수

• ★◆=■▲ 또는 ★◆<■▲
⇨ 몫은 두 자리 수

예 • 24)189에서 24>18
⇨ 몫은 한 자리 수

• 24)375에서 24<37
⇨ 몫은 두 자리 수

1 몫이 더 큰 나눗셈의 기호를 써 보시오.

㉠ $270\div30$　　㉡ $428\div50$

(　　　　　　)

2 계산을 하고 나머지가 큰 것부터 차례대로 ○ 안에 1, 2, 3을 써넣으시오.

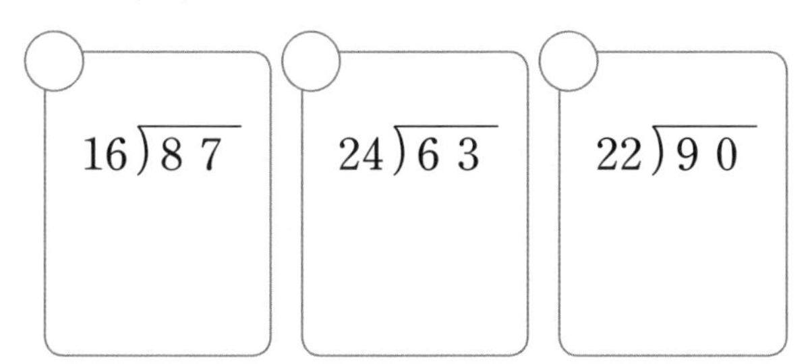

3 리본 1개를 만드는 데 끈이 22 cm 필요합니다. 끈 165 cm로 리본을 몇 개까지 만들 수 있고, 남는 끈의 길이는 몇 cm인지 구해 보시오.

(　　　　　,　　　　　)

4 몫이 두 자리 수인 나눗셈을 모두 고르시오.

(　　　　　)

① $210\div30$　　② $270\div45$

③ $589\div19$　　④ $532\div76$

⑤ $902\div82$

5 미연이가 316쪽짜리 과학책을 읽으려고 합니다. 하루에 25쪽씩 읽으면 며칠 안에 모두 읽을 수 있는지 구해 보시오.

(　　　　　　)

6 □ 안에 들어갈 수 있는 수 중에서 가장 큰 수를 구해 보시오.

$\square\div16=8\cdots$◆

(　　　　　　)

상위권 문제

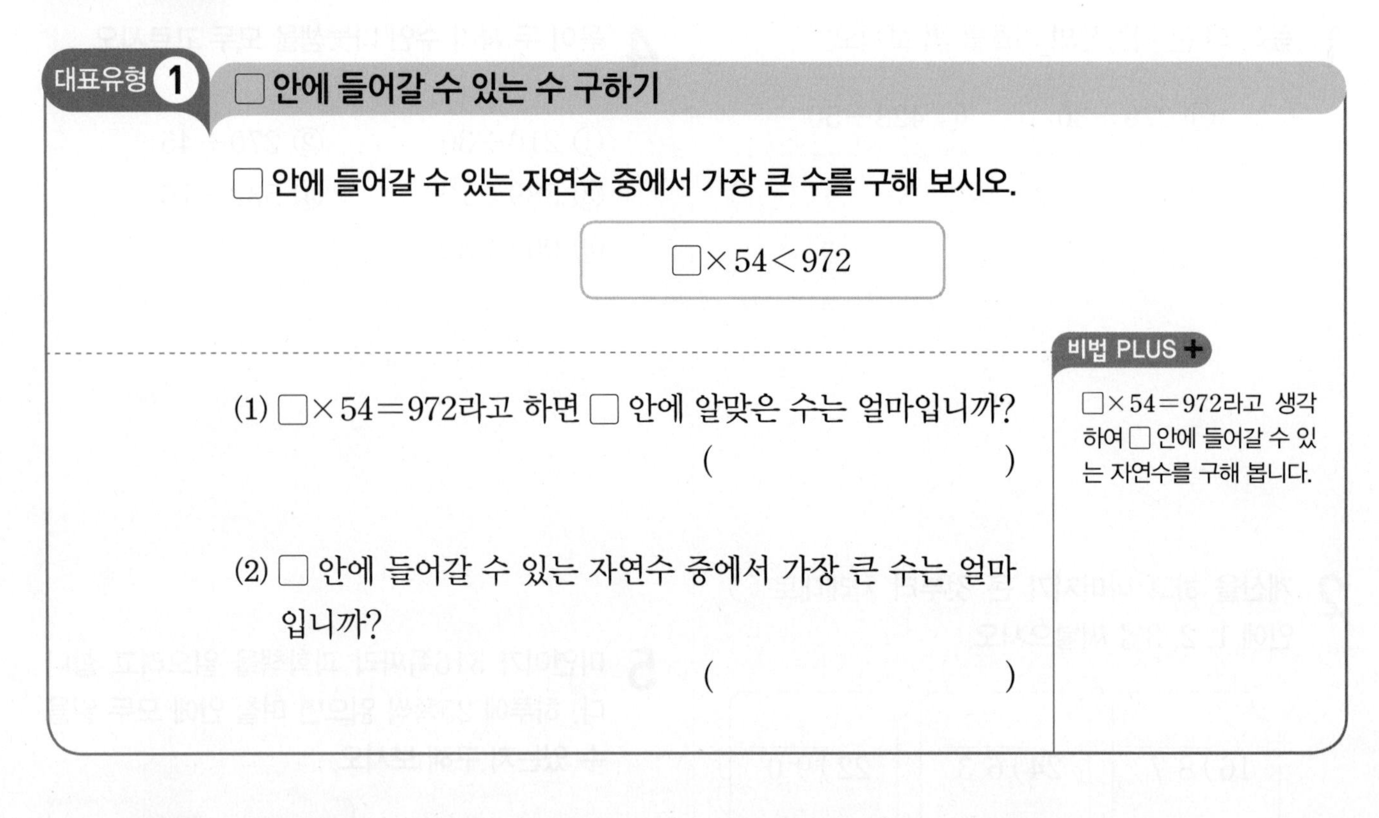

대표유형 1 □ 안에 들어갈 수 있는 수 구하기

□ 안에 들어갈 수 있는 자연수 중에서 가장 큰 수를 구해 보시오.

$\square \times 54 < 972$

(1) $\square \times 54 = 972$라고 하면 □ 안에 알맞은 수는 얼마입니까?

(　　　　　　　　)

(2) □ 안에 들어갈 수 있는 자연수 중에서 가장 큰 수는 얼마입니까?

(　　　　　　　　)

비법 PLUS+

$\square \times 54 = 972$라고 생각하여 □ 안에 들어갈 수 있는 자연수를 구해 봅니다.

유제 1 □ 안에 들어갈 수 있는 자연수 중에서 가장 작은 수를 구해 보시오.

$\square \times 36 > 864$

(　　　　　　　　)

유제 2 □ 안에 들어갈 수 있는 자연수 중에서 가장 큰 수를 구해 보시오.

$63 \times \square < 291$

(　　　　　　　　)

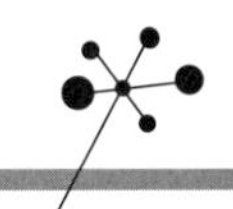

대표유형 2 적어도 얼마나 더 필요한지 구하기

연필 350자루를 40명의 학생에게 똑같이 나누어 주려고 하였더니 몇 자루가 모자랐습니다. 연필을 남김없이 똑같이 나누어 주려면 연필은 적어도 몇 자루 더 필요한지 구해 보시오.

(1) 연필 350자루를 40명의 학생에게 똑같이 나누어 주면 몇 자루씩 나누어 줄 수 있고, 몇 자루가 남습니까?

(,)

(2) 연필을 남김없이 똑같이 나누어 주려면 연필은 적어도 몇 자루 더 필요합니까?

( )

비법 PLUS +

(적어도 더 필요한 연필의 수)
=(연필을 나누어 줄 학생 수)
−(남은 연필의 수)

유제 3 색종이 429장을 35명의 학생에게 똑같이 나누어 주려고 하였더니 몇 장이 모자랐습니다. 색종이를 남김없이 똑같이 나누어 주려면 색종이는 적어도 몇 장 더 필요한지 구해 보시오.

( )

유제 4 한 개에 150원인 사탕 269개를 29명의 학생에게 똑같이 나누어 주려고 하였더니 몇 개가 모자랐습니다. 모자란 사탕을 사려면 적어도 얼마가 더 필요한지 구해 보시오.

( )

STEP 2 상위권 문제

대표유형 3 바르게 계산한 값 구하기

어떤 수를 24로 나누어야 할 것을 잘못하여 42로 나누었더니 몫이 13이고 나머지가 20이었습니다. 바르게 계산했을 때의 몫과 나머지를 각각 구해 보시오.

(1) 어떤 수는 얼마입니까?

( )

(2) 바르게 계산했을 때의 몫과 나머지는 각각 얼마입니까?

몫 ( )

나머지 ( )

비법 PLUS +

(나누어지는 수)
÷(나누는 수)
=(몫)···(나머지)
⇨ 나누어지는 수는 나누는 수와 몫을 곱한 값에 나머지를 더하여 구할 수 있습니다.

유제 5 어떤 수를 21로 나누어야 할 것을 잘못하여 12로 나누었더니 몫이 6이고 나머지가 7이었습니다. 바르게 계산했을 때의 몫과 나머지를 각각 구해 보시오.

몫 ( )

나머지 ( )

• 서술형 문제 •

유제 6 어떤 수에 35를 곱해야 할 것을 잘못하여 35로 나누었더니 몫이 23이고 나머지가 8이었습니다. 바르게 계산하면 얼마인지 풀이 과정을 쓰고 답을 구해 보시오.

풀이

답

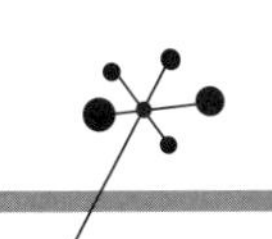

대표유형 4 수 카드로 몫이 가장 큰 또는 몫이 가장 작은 나눗셈식 만들기

수 카드를 한 번씩만 사용하여 몫이 가장 큰 (세 자리 수)÷(두 자리 수)를 만들고 계산해 보시오.

9 5 2 3 7

(1) 수 카드로 만들 수 있는 가장 큰 세 자리 수는 얼마입니까?

( )

(2) 수 카드로 만들 수 있는 가장 작은 두 자리 수는 얼마입니까?

( )

(3) 몫이 가장 큰 (세 자리 수)÷(두 자리 수)를 만들고 계산해 보시오.

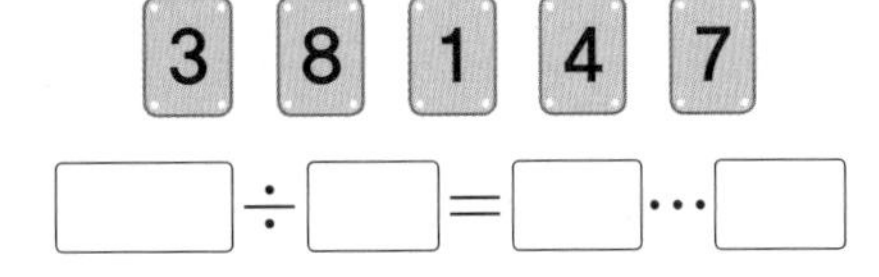

□÷□=□…□

비법 PLUS +

- 몫이 가장 큰 나눗셈식 만들기
  나누어지는 수를 가장 크게 하고, 나누는 수를 가장 작게 합니다.
- 몫이 가장 작은 나눗셈식 만들기
  나누어지는 수를 가장 작게 하고, 나누는 수를 가장 크게 합니다.

유제 7 수 카드를 한 번씩만 사용하여 몫이 가장 큰 (세 자리 수)÷(두 자리 수)를 만들고 계산해 보시오.

3 8 1 4 7

□÷□=□…□

유제 8 수 카드를 한 번씩만 사용하여 (세 자리 수)÷(두 자리 수)를 만들었을 때 가장 작은 몫을 구해 보시오.

8 7 4 6 3

( )

대표유형 5 곱이 주어진 수에 가장 가까운 수 구하기

곱이 10000에 가장 가까운 수가 되도록 □ 안에 알맞은 자연수를 구해 보시오.

218×□

(1) 곱이 10000보다 작을 때, 곱이 가장 큰 곱셈식의 □ 안에 알맞은 자연수는 얼마입니까?

( )

(2) 곱이 10000보다 클 때, 곱이 가장 작은 곱셈식의 □ 안에 알맞은 자연수는 얼마입니까?

( )

(3) 곱이 10000에 가장 가까운 수가 되도록 □ 안에 알맞은 자연수를 구해 보시오.

( )

비법 PLUS+

곱이 10000에 가장 가까우려면 곱과 10000의 차가 가장 작아야 합니다.

유제 9 곱이 20000에 가장 가까운 수가 되도록 □ 안에 알맞은 자연수를 구해 보시오.

384×□

( )

유제 10 곱이 35000에 가장 가까운 수가 되도록 □ 안에 알맞은 자연수를 구해 보시오.

736×□

( )

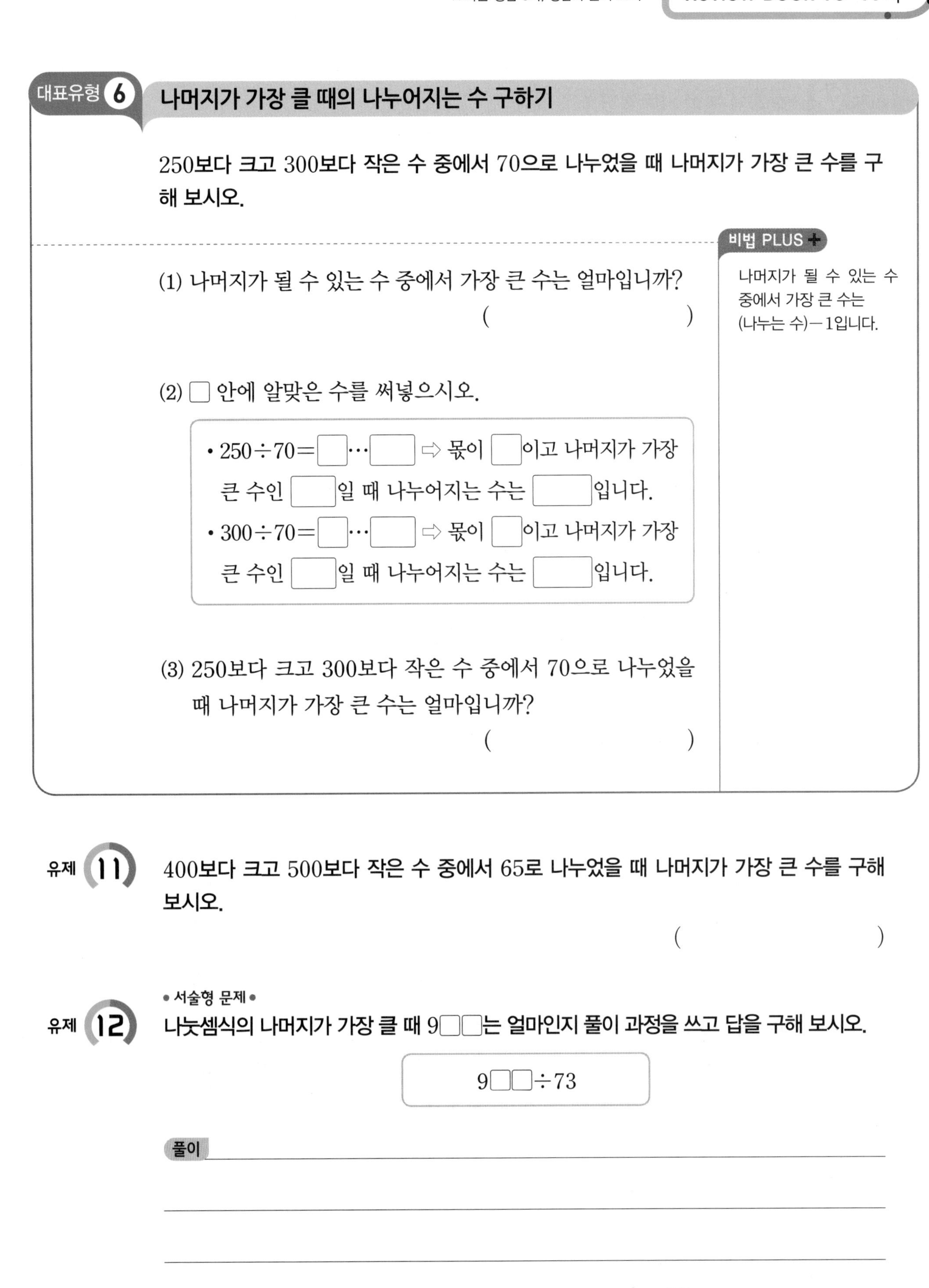

대표유형 6 나머지가 가장 클 때의 나누어지는 수 구하기

250보다 크고 300보다 작은 수 중에서 70으로 나누었을 때 나머지가 가장 큰 수를 구해 보시오.

(1) 나머지가 될 수 있는 수 중에서 가장 큰 수는 얼마입니까?

( )

(2) □ 안에 알맞은 수를 써넣으시오.

- 250÷70=□…□ ⇨ 몫이 □이고 나머지가 가장 큰 수인 □일 때 나누어지는 수는 □입니다.
- 300÷70=□…□ ⇨ 몫이 □이고 나머지가 가장 큰 수인 □일 때 나누어지는 수는 □입니다.

(3) 250보다 크고 300보다 작은 수 중에서 70으로 나누었을 때 나머지가 가장 큰 수는 얼마입니까?

( )

비법 PLUS +

나머지가 될 수 있는 수 중에서 가장 큰 수는 (나누는 수)−1입니다.

유제 11 400보다 크고 500보다 작은 수 중에서 65로 나누었을 때 나머지가 가장 큰 수를 구해 보시오.

( )

• 서술형 문제 •

유제 12 나눗셈식의 나머지가 가장 클 때 9□□는 얼마인지 풀이 과정을 쓰고 답을 구해 보시오.

9□□÷73

풀이

답

STEP 2 상위권 문제

대표유형 7 곱셈식 또는 나눗셈식 완성하기

오른쪽 곱셈식에서 ㉠+㉡+㉢+㉣의 값을 구해 보시오.

```
    ㉠ 1 3
  ×   3 ㉡
  ---------
   2 ㉢ 7 8
  1 ㉣ 3 9
  ---------
  1 4 8 6 8
```

비법 PLUS +

세 자리 수와 두 자리 수의 일의 자리 수의 곱, 세 자리 수와 두 자리 수의 십의 자리 수의 곱을 찾아 모르는 수의 값을 구합니다.

(1) ㉢과 ㉣에 알맞은 수는 각각 얼마입니까?

㉢ ( ), ㉣ ( )

(2) ㉠과 ㉡에 알맞은 수는 각각 얼마입니까?

㉠ ( ), ㉡ ( )

(3) ㉠+㉡+㉢+㉣의 값은 얼마입니까?

( )

유제 13 오른쪽 곱셈식에서 □ 안에 알맞은 수를 써넣으시오.

```
     □ 0 8
  ×    6 □
  ---------
     □ 3 7 2
   □ □ 4 8
  ---------
   □ 8 8 5 2
```

유제 14 오른쪽 나눗셈식에서 □ 안에 알맞은 수를 써넣으시오.

```
          □ □
     ---------
  27 ) □ 1 5
       □ 4
     ---------
       1 □ 5
       □ □ 2
     ---------
         1 3
```

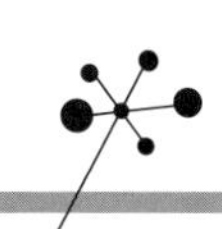

신유형 8 러시아 농부들의 곱셈 방법

옛날 러시아 농부들은 다음과 같은 방법으로 곱셈을 했습니다. 러시아 농부들의 곱셈 방법으로 112×21을 계산해 보시오.

124	×	14	
124		14	
62		28	×2
31(홀수)		56	×2
15(홀수)		112	×2
7(홀수)		224	×2
3(홀수)		448	×2
1(홀수)		896	×2

① 곱해지는 수 124를 연속해서 2로 나눕니다. 이때 나머지 1이 있어도 상관없이 몫을 쓰고, 몫이 1이 될 때까지 연속해서 나눕니다.
② 곱하는 수 14에 연속해서 2를 곱합니다.
③ 왼쪽의 수가 홀수인 경우 같은 줄에 있는 오른쪽의 수를 모두 더하면 124×14의 값이 됩니다.

⇨ 124×14
$=56+112+224+448+896$
$=1736$

(1) □ 안에 알맞은 수를 써넣으시오.

112	×	21	
112		21	
56		42	×2
28		84	×2
□		□	×2
□		□	×2
□		□	×2
□		□	×2

(2) 위 (1)의 곱셈 방법을 보고 112×21의 값을 구해 보시오.

( )

신유형 PLUS +

러시아 농부들의 곱셈 방법
곱셈식에서 곱해지는 수를 연속해서 2로 나누어 그 몫을 쓰고, 곱하는 수에 연속해서 2를 곱해 계산하는 방법입니다. 이 곱셈 방법은 ÷2와 ×2 그리고 덧셈만 할 수 있으면 누구나 쉽게 곱셈할 수 있습니다.

유제 15 러시아 농부들의 곱셈 방법으로 168×12를 계산해 보시오.

( )

STEP 3 상위권 문제 확인과 응용

1 $375 \div 18$보다 몫이 15가 크고 나머지는 같은 나눗셈식을 만들어 보시오. (단, 나누는 수는 같습니다.)

$$\square \div 18 = \square \cdots \square$$

2 소망이네 학교 4학년 학생 90명은 선생님 12명과 함께 박물관에 갔습니다. 입장료가 어른은 900원이고 어린이는 500원일 때, 선생님과 학생들의 입장료로 60000원을 냈습니다. 거스름돈으로 받아야 하는 돈은 얼마인지 구해 보시오.

(　　　　　　　　　　)

3 가로가 262 cm이고 세로가 185 cm인 직사각형 모양의 큰 도화지를 오려서 한 변이 18 cm인 정사각형 모양의 작은 종이를 될 수 있는 대로 많이 만들려고 합니다. 정사각형 모양의 종이는 모두 몇 장까지 만들 수 있는지 구해 보시오.

(　　　　　　　　　　)

4 어떤 수를 32로 나누어야 할 것을 잘못하여 23으로 나누었더니 몫이 3이고 나머지가 17이었습니다. 바르게 계산했을 때의 몫과 나머지의 합을 구해 보시오.

(　　　　　　　　　　)

비법 PLUS +

○ 먼저 가로에서 만들 수 있는 한 변이 18 cm인 정사각형 모양의 수와 세로에서 만들 수 있는 한 변이 18 cm인 정사각형 모양의 수를 각각 구합니다.

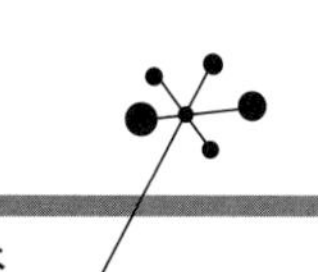

5 □ 안에 공통으로 들어갈 수 있는 자연수 중에서 가장 작은 수를 구해 보시오.

$\square \times 29 > 901$ $\qquad$ $13 \times \square < 514$

( )

비법 PLUS +

• 서술형 문제 •

6 길이가 15 m인 코끼리 열차가 1초에 275 cm씩 달리고 있습니다. 이 열차가 다리를 완전히 통과하는 데 48초가 걸렸다면 다리의 길이는 몇 m인지 구하려고 합니다. 풀이 과정을 쓰고 답을 구해 보시오.

풀이

답

◎ (열차가 다리를 완전히 통과할 때까지 간 거리)
=(다리의 길이)
+(열차의 길이)

7 500보다 크고 600보다 작은 수 중에서 82로 나누었을 때 나머지가 가장 큰 수를 구해 보시오.

( )

◎ 가장 큰 나머지는 (나누는 수)−1입니다.

8 식이 적힌 종이의 일부가 찢어졌습니다. 종이가 찢어진 부분에 들어갈 수 있는 가장 큰 두 자리 수를 구해 보시오.

$450 \times 80 > 537 \times$

( )

비법 PLUS +

• 서술형 문제 •

9 1분 16초 동안 912번을 회전하는 가 톱니바퀴와 49초 동안 833번을 회전하는 나 톱니바퀴가 있습니다. 가와 나 톱니바퀴가 2분 18초 동안 회전한 횟수의 차는 몇 번인지 풀이 과정을 쓰고 답을 구해 보시오.

풀이

답

○ 1분은 60초임을 이용하여 먼저 가와 나 톱니바퀴가 1초 동안 회전한 횟수를 각각 구합니다.

10 조건을 모두 만족하는 수를 구해 보시오.

- 300보다 작은 세 자리 수입니다.
- 76으로 나누었을 때 몫과 나머지가 같습니다.
- 각 자리 수의 합이 10입니다.

( )

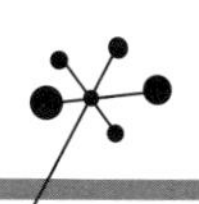

창의융합형 문제

11 지구가 태양 주위를 한 바퀴 도는 데 걸리는 시간은 365일입니다. 다음은 태양계의 행성이 태양 주위를 한 바퀴 도는 데 걸리는 시간을 나타낸 것입니다. 화성이 태양 주위를 한 바퀴 도는 동안 수성은 태양 주위를 몇 바퀴 돌고 며칠이 남게 되는지 구해 보시오. (단, 1년은 365일로 계산합니다.)

행성	수성	금성	화성	목성
걸리는 시간	88일	225일	98주 1일	12년

(,)

창의융합 PLUS +

공전

공전은 한 천체가 다른 천체의 둘레를 주기적으로 도는 것을 말합니다. 지구를 비롯한 태양계의 행성들은 태양 주위를 공전합니다. 지구는 태양을 중심으로 하여 1년에 한 바퀴씩 서쪽에서 동쪽(시계 반대 방향)으로 회전합니다. 태양 주위를 한 바퀴 공전하는 데 걸리는 시간은 행성마다 다르며 태양에서 멀어질수록 한 바퀴 공전하는 데 오랜 시간이 걸립니다.

12 음식물 쓰레기로 오염된 물을 물고기가 살 수 있는 정도로 맑게 정화하려면 많은 양의 깨끗한 물이 필요합니다. 다음 그림의 음식물이 쓰레기로 버려졌을 때 1 mL를 정화하는 데 가장 많은 양의 물이 필요한 것은 무엇인지 써 보시오.

정화하는 데 필요한 물의 양

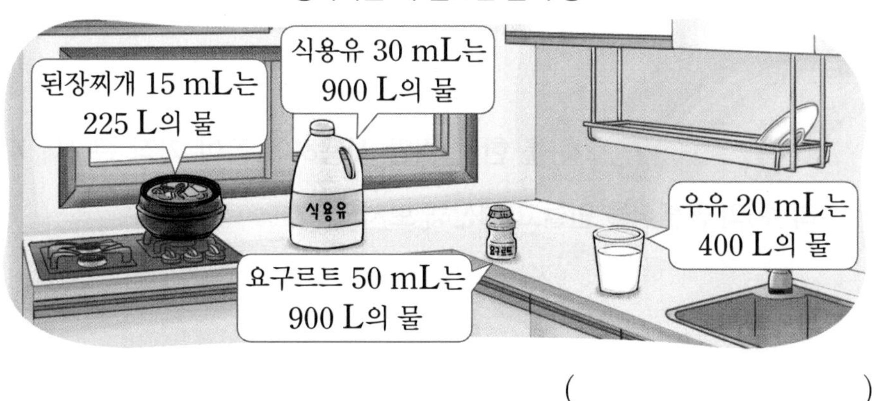

( )

물 오염 줄이기

물을 가장 많이 오염시키는 것 중 하나가 음식물 쓰레기입니다. 음식물 쓰레기로 더러워진 물을 깨끗하게 정화하려면 많은 양의 깨끗한 물이 필요합니다. 음식물 쓰레기로 인한 물 오염을 줄이기 위해서는 음식을 먹을 만큼만 만들고 남기지 않아야 합니다.

최상위권 문제

• 문제 풀이 동영상

1 ㉠에 알맞은 수를 구해 보시오.

$$377 \times 77 = 3㉠9 \times 91$$

(　　　　　　　　)

2 ㉮★㉯를 다음과 같이 약속했을 때, 78★(47★16)을 계산해 보시오. (단, 괄호 안을 먼저 계산합니다.)

㉮★㉯=(㉮와 ㉯ 중에서 큰 수를 작은 수로 나눈 나머지)

(　　　　　　　　)

3 수 카드 2, 9, 5, 7, 4를 한 번씩만 사용하여 곱이 가장 큰 (세 자리 수)×(두 자리 수)의 곱셈식을 만들고 계산해 보시오.

□×□=□

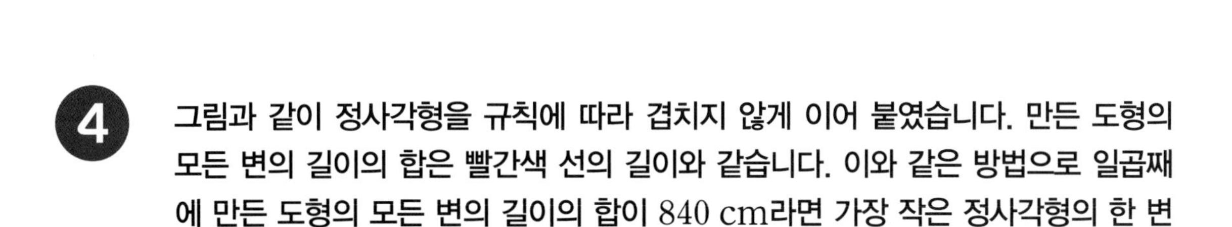

4 그림과 같이 정사각형을 규칙에 따라 겹치지 않게 이어 붙였습니다. 만든 도형의 모든 변의 길이의 합은 빨간색 선의 길이와 같습니다. 이와 같은 방법으로 일곱째에 만든 도형의 모든 변의 길이의 합이 840 cm라면 가장 작은 정사각형의 한 변은 몇 cm인지 구해 보시오.

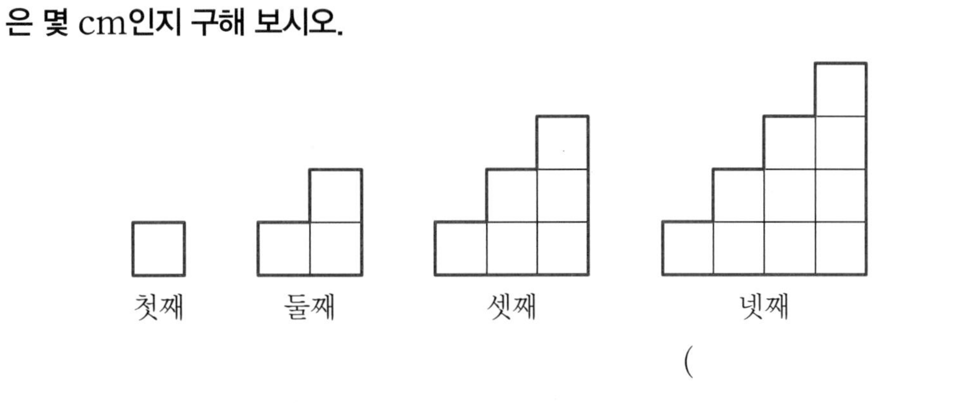

(   )

5 1부터 5까지의 숫자를 한 번씩만 사용하여 세 자리 수를 만들었습니다. 이 수를 21로 나누었더니 몫이 16이 되고 나머지가 있었습니다. 만들 수 있는 세 자리 수는 모두 몇 개인지 구해 보시오. (단, 나머지는 0이 될 수 없습니다.)

(   )

6 오른쪽과 같이 곱셈을 계산한 종이가 얼룩져 보이지 않습니다. ㄱ, ㄴ, ㄷ이 서로 다른 수일 때 ㄱ이 될 수 있는 수를 모두 구해 보시오.

ㄱㄴㄷ
× ㄷㄴ
4
1
1 4

(   )

존 네이피어 (John Napier)

- **출생~사망:** 1550~1617
- **국적:** 영국
- **업적:** 네이피어는 「막대를 이용한 계산법 2편」에서 '네이피어의 막대'를 소개하였습니다. '네이피어의 막대'는 1부터 9까지의 곱셈표가 그려져 있어 아주 큰 수의 곱셈도 쉽게 할 수 있습니다.

평면도형의 이동

STEP 1 핵심 개념과 문제

1 평면도형 밀기

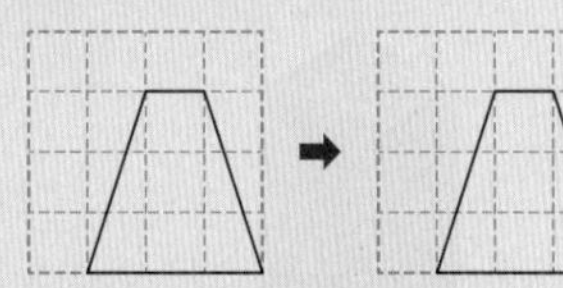

도형을 오른쪽, 왼쪽, 위쪽, 아래쪽 어느 방향으로 밀어도 도형의 모양과 크기는 변하지 않고 위치가 바뀝니다.

2 평면도형 뒤집기

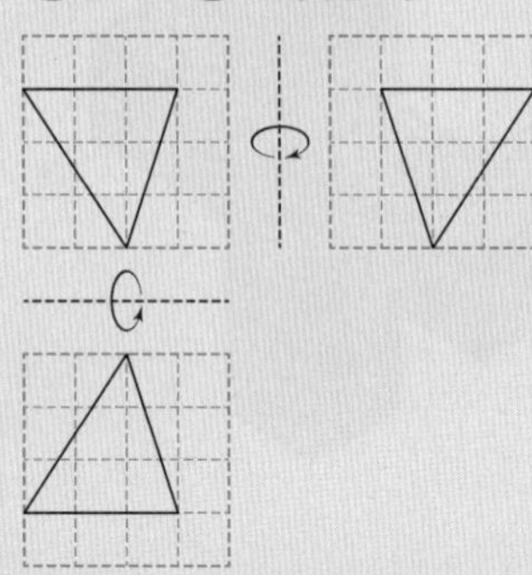

- 도형을 오른쪽이나 왼쪽으로 뒤집으면 도형의 왼쪽과 오른쪽이 서로 바뀝니다.
- 도형을 위쪽이나 아래쪽으로 뒤집으면 도형의 위쪽과 아래쪽이 서로 바뀝니다.

참고 도형을 오른쪽(위쪽)으로 뒤집었을 때와 왼쪽(아래쪽)으로 뒤집었을 때의 모양이 서로 같습니다.

3 평면도형 돌리기

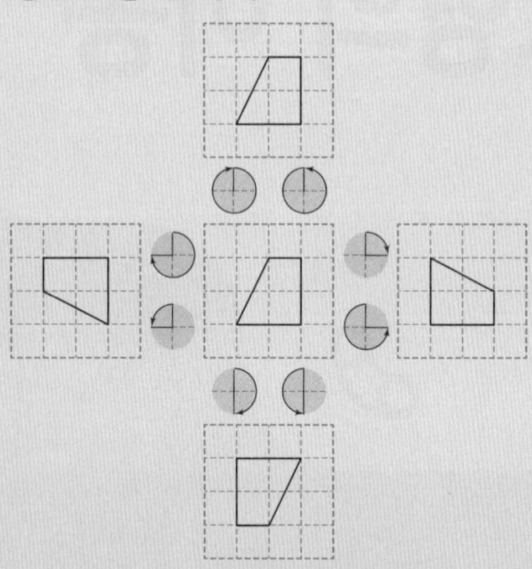

- 도형을 시계 방향으로 90°만큼 돌리면 도형의 위쪽이 오른쪽으로 바뀝니다.
- 도형을 시계 반대 방향으로 90°만큼 돌리면 도형의 위쪽이 왼쪽으로 바뀝니다.

참고 화살표의 끝이 가리키는 곳이 같으면 돌린 모양이 서로 같습니다.

4 평면도형을 뒤집고 돌리기

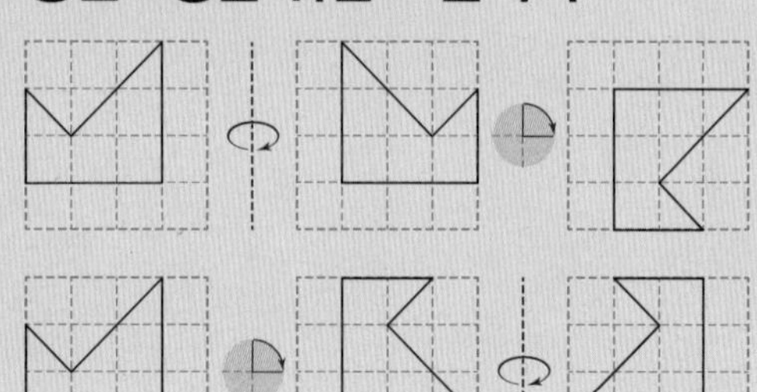

도형을 움직인 방법이 같더라도 그 순서가 다르면 도형의 방향이 다를 수 있습니다.

5 무늬 꾸미기

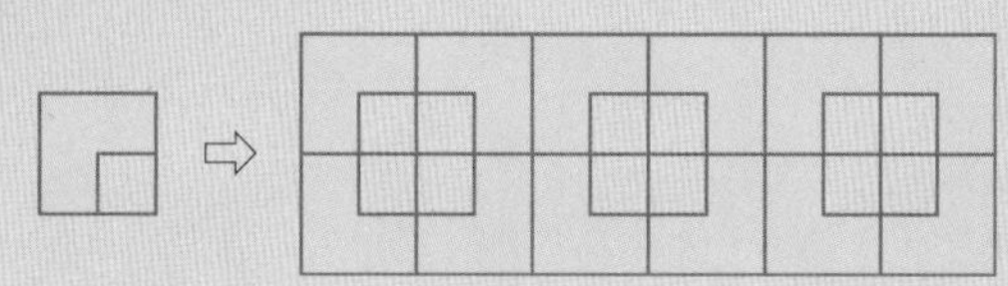

주어진 모양으로 밀기, 뒤집기, 돌리기를 이용하여 규칙적인 무늬를 만들 수 있습니다.

초 5-2 연계

★ 도형의 합동
모양과 크기가 같아서 포개었을 때 완전히 겹쳐지는 두 도형을 서로 **합동**이라고 합니다.

개념 PLUS

★ 시계 방향으로 돌리기

- 180°만큼 돌리기
  = 직각의 2배만큼 돌리기
- 270°만큼 돌리기
  = 직각의 3배만큼 돌리기
- 360°만큼 돌리기
  = 직각의 4배만큼 돌리기

1 도형을 오른쪽으로 5 cm 밀었을 때의 모양을 그려 보시오.

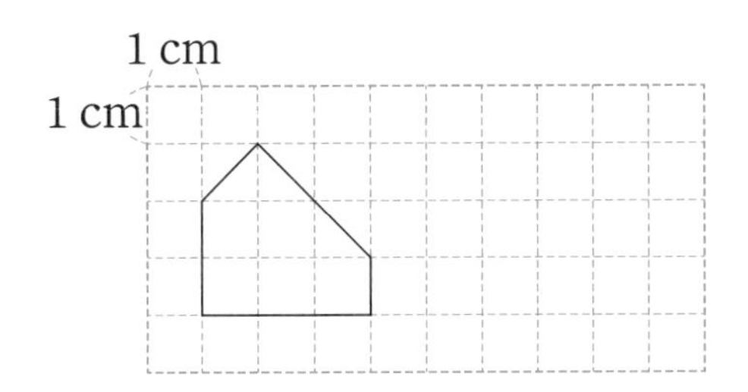

2 보기 의 모양 조각을 오른쪽으로 뒤집고 위쪽으로 뒤집었을 때의 모양으로 옳은 것을 고르시오. (　　　)

① 　② 　③

④ 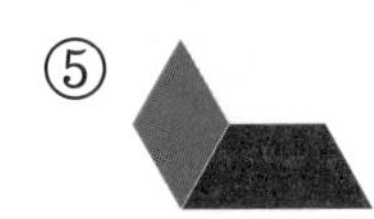　⑤

3 오른쪽은 왼쪽 모양으로 규칙적인 무늬를 만든 것입니다. 만든 방법을 설명해 보시오.

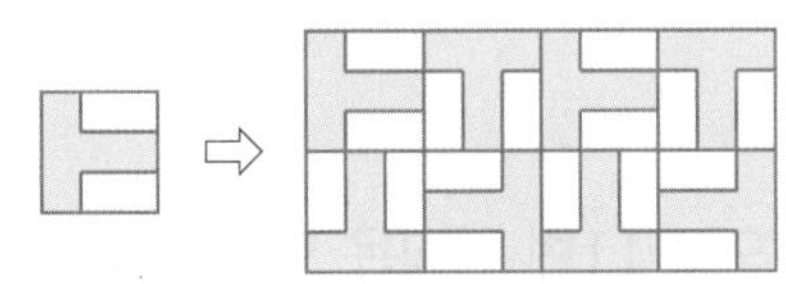

답 ____________________

4 도형을 아래쪽으로 뒤집고 시계 반대 방향으로 180°만큼 돌렸을 때의 모양을 그려 보시오.

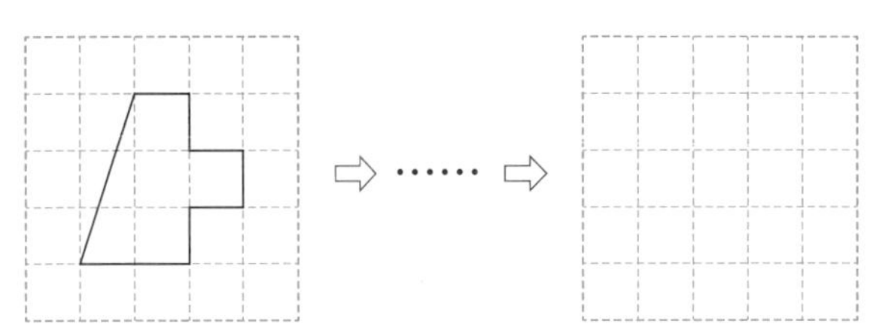

5 세 자리 수가 적힌 카드를 시계 방향으로 180° 만큼 돌렸을 때 만들어지는 수와 처음 수의 차를 구해 보시오.

861

(　　　　　　　)

6 어떤 도형을 시계 방향으로 270°만큼 돌린 모양입니다. 처음 모양을 그려 보시오.

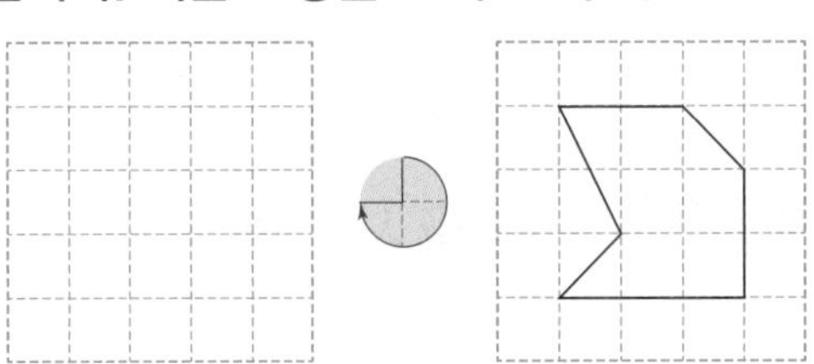

STEP 2 상위권 문제

대표유형 1 도형을 여러 번 뒤집고 돌린 모양 그리기

도형을 왼쪽으로 5번 뒤집고 시계 방향으로 180°만큼 9번 돌린 모양을 그려 보시오.

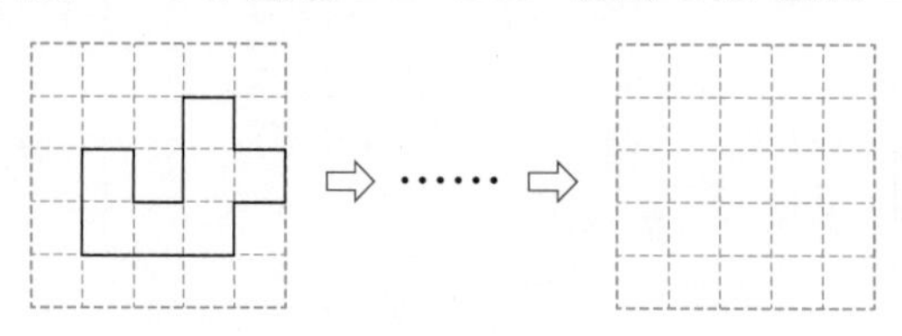

(1) 도형을 왼쪽으로 5번 뒤집은 모양을 그려 보시오.

(2) 위 (1)의 도형을 시계 방향으로 180°만큼 9번 돌린 모양을 그려 보시오.

비법 PLUS +

- 같은 방향으로 2번, 4번, 6번⋯⋯ 뒤집은 모양은 처음 모양과 같습니다.
- 시계 방향으로 또는 시계 반대 방향으로 180°만큼 2번, 4번, 6번⋯⋯ 돌린 모양은 처음 모양과 같습니다.

유제 1 도형을 아래쪽으로 8번 뒤집고 시계 반대 방향으로 90°만큼 7번 돌린 모양을 그려 보시오.

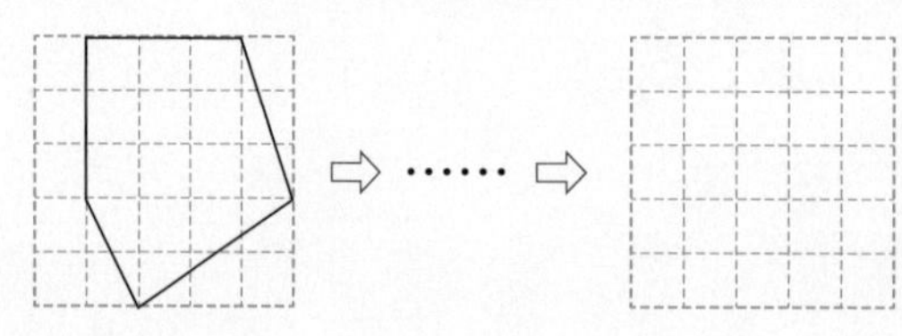

유제 2 도형을 시계 방향으로 270°만큼 6번 돌리고 위쪽으로 11번 뒤집은 모양을 그려 보시오.

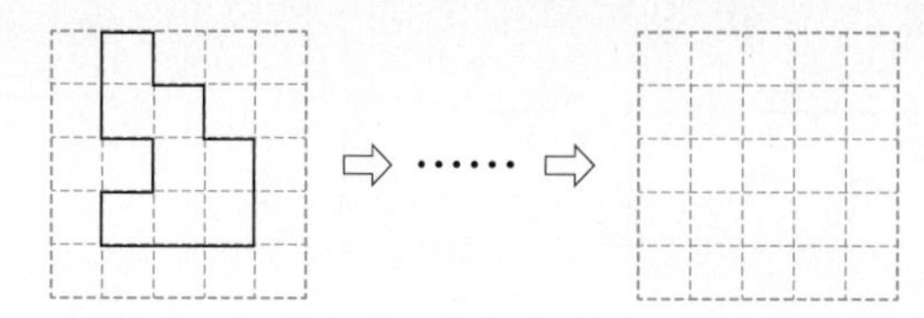

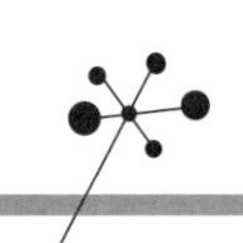

대표유형 2

움직이기 전의 모양 그리기

어떤 도형을 오른쪽으로 뒤집고 시계 방향으로 $90°$만큼 돌린 모양입니다. 처음 모양을 그려 보시오.

처음 모양

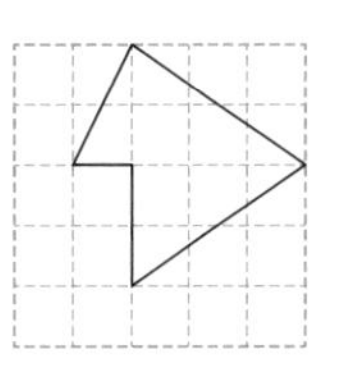
움직인 모양

(1) 시계 방향으로 $90°$만큼 돌리기 전의 모양을 그려 보시오.

(2) 오른쪽으로 뒤집기 전의 처음 모양을 그려 보시오.

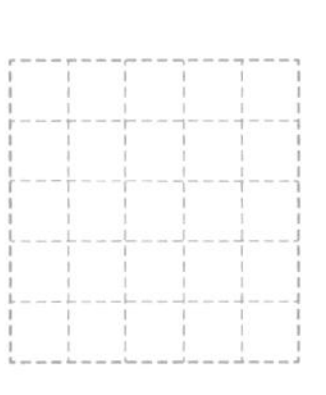

비법 PLUS +

마지막 모양을 바탕으로 움직인 순서를 거꾸로 하여 처음 모양을 구합니다.

유제 3

어떤 도형을 아래쪽으로 3번 뒤집고 시계 반대 방향으로 $180°$만큼 돌린 모양입니다. 처음 모양을 그려 보시오.

처음 모양

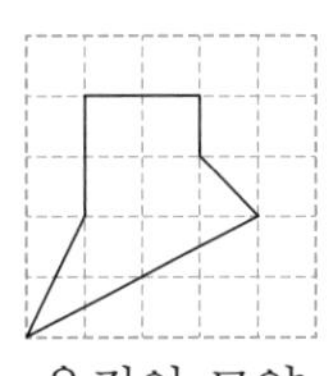
움직인 모양

유제 4

어떤 도형을 시계 방향으로 $90°$만큼 2번 돌리고 왼쪽으로 5번 뒤집은 모양입니다. 처음 모양을 그려 보시오.

처음 모양

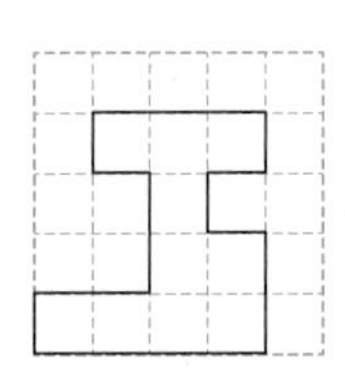
움직인 모양

대표유형 3 움직여서 만들어지는 수 구하기

4장의 수 카드 [2], [6], [1], [5] 중에서 3장을 뽑아 한 번씩만 사용하여 가장 큰 세 자리 수를 만들었습니다. 만든 가장 큰 세 자리 수를 시계 방향으로 180°만큼 돌리면 어떤 수가 되는지 구해 보시오. (단, 수 카드를 한 장씩 돌리지 않습니다.)

(1) 4장의 수 카드 중에서 3장을 뽑아 한 번씩만 사용하여 만든 가장 큰 세 자리 수를 써 보시오.

( )

(2) 위 (1)에서 만든 가장 큰 세 자리 수를 시계 방향으로 180° 만큼 돌리면 어떤 수가 됩니까?

( )

비법 PLUS +

수 카드를 시계 방향으로 180°만큼 돌리면 같은 수가 될 수도 있고, 다른 수로 바뀔 수도 있습니다.

[1] ⊕ [1], [2] ⊕ [2], [5] ⊕ [5], [6] ⊕ [9]

유제 5

4장의 수 카드 [5], [1], [3], [2] 중에서 3장을 뽑아 한 번씩만 사용하여 두 번째로 작은 세 자리 수를 만들었습니다. 만든 두 번째로 작은 세 자리 수를 아래쪽으로 뒤집으면 어떤 수가 되는지 구해 보시오. (단, 수 카드를 한 장씩 뒤집지 않습니다.)

( )

• 서술형 문제 •

유제 6

5장의 수 카드 [2], [6], [0], [1], [8] 중에서 3장을 뽑아 한 번씩만 사용하여 가장 작은 세 자리 수를 만들었습니다. 가장 작은 세 자리 수를 시계 반대 방향으로 180°만큼 돌렸을 때 만들어지는 수와 처음 수의 차는 얼마인지 풀이 과정을 쓰고 답을 구해 보시오. (단, 수 카드를 한 장씩 돌리지 않습니다.)

풀이

답

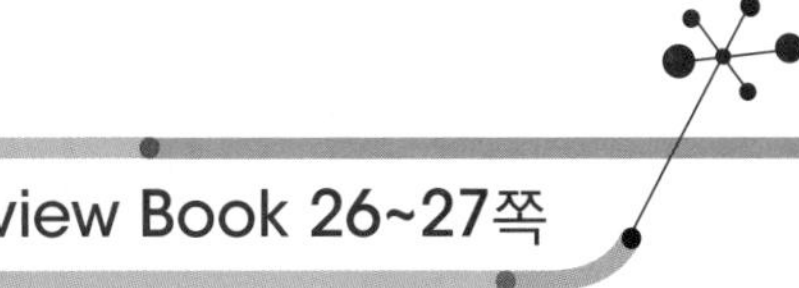

대표유형 4 규칙을 찾아 모양 그리기

규칙에 따라 모양을 움직인 것입니다. ㉮에 알맞은 모양을 그려 보시오.

 ⇨ 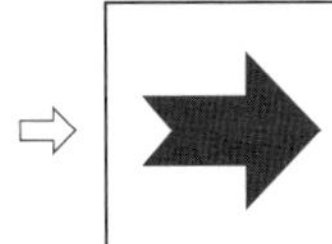 ⇨ 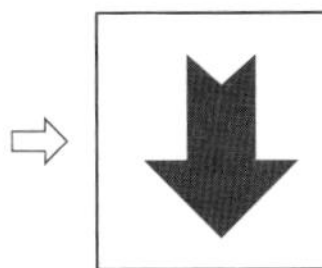 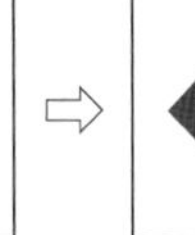  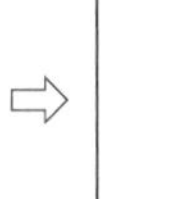 

⇨ 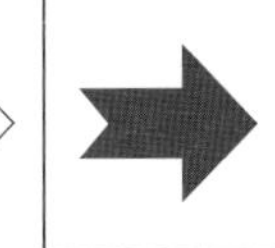

(1) 어떤 규칙으로 모양을 움직였는지 □ 안에 알맞은 수를 써넣으시오.

> 모양의 위쪽이 오른쪽으로 바뀌었으므로 시계 방향으로 □°만큼 돌리는 규칙입니다.

(2) ㉮에 알맞은 모양을 그려 보시오.

모양의 위쪽 부분이 어느 쪽으로 옮겨졌는지 찾아 어느 방향으로 얼마만큼 돌린 모양인지 알아봅니다.

유제 7 규칙에 따라 모양 조각을 움직인 것입니다. 빈칸에 알맞은 모양을 그려 보시오.

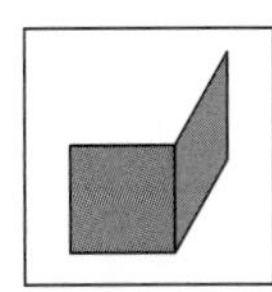 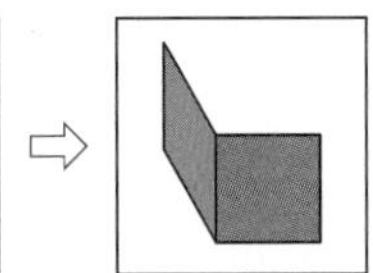 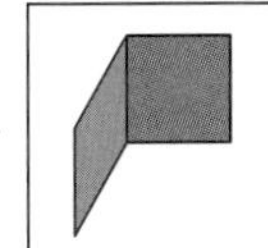 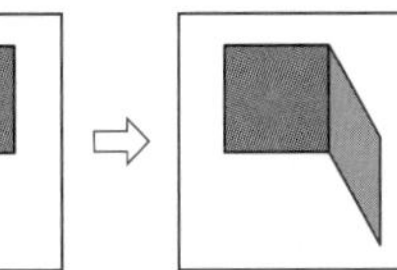 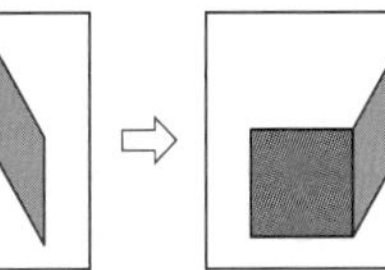 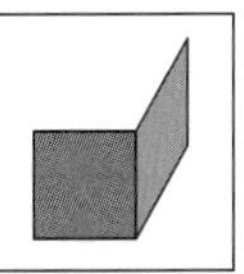 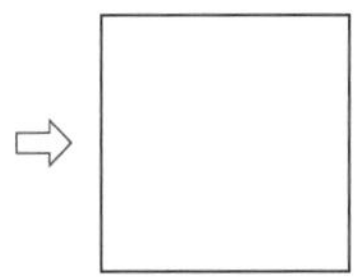

유제 8 규칙에 따라 글자를 움직인 것입니다. 빈칸에 알맞은 모양을 그려 보시오.

 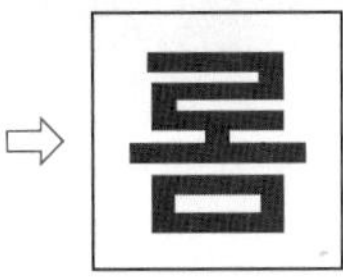 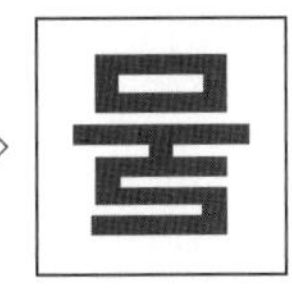 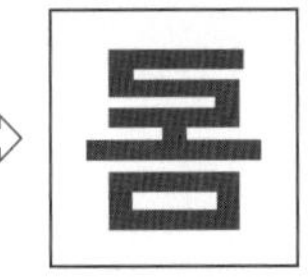 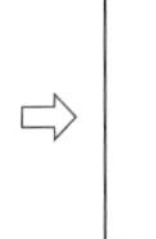 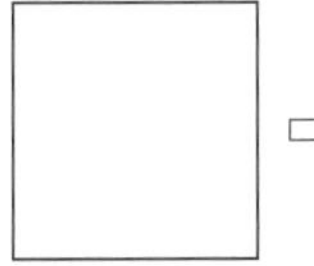 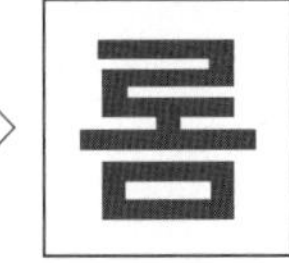

대표유형 5 규칙적인 무늬를 꾸며 보기

오른쪽은 일정한 규칙에 따라 만들어진 무늬입니다. 빈칸에 알맞은 모양을 그려 보시오.

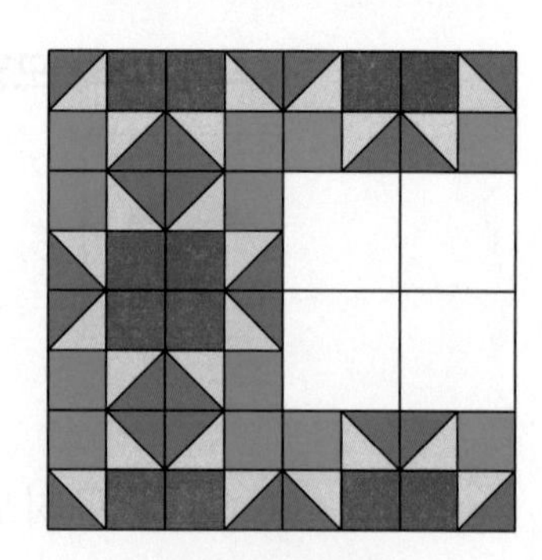

비법 PLUS +

무늬에서 반복되는 모양을 찾아 선을 그어 봅니다.

(1) 알맞은 말에 ◯표 하시오.

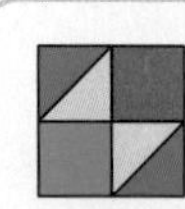 모양을 (오른쪽 , 위쪽)으로 뒤집는 것을 반복해서

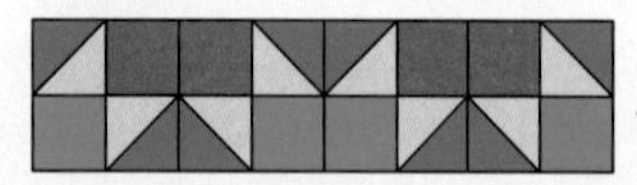 모양을 만들고, 그 모양을 아래쪽으로 (밀어서 , 뒤집어서) 무늬를 만들었습니다.

(2) 빈칸에 알맞은 모양을 그려 보시오.

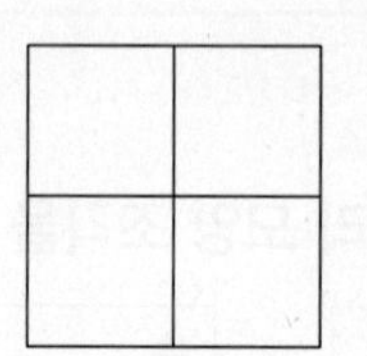

• 서술형 문제 •

유제 9 오른쪽은 일정한 규칙에 따라 만들어진 무늬입니다. 빈칸에 알맞은 모양을 그리려고 합니다. 풀이 과정을 쓰고 답을 그려 보시오.

풀이

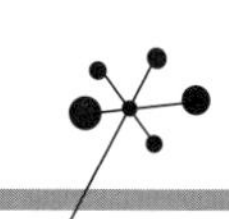

신유형 6 펜토미노 조각으로 글자 만들기

정사각형을 변과 변이 꼭 맞도록 이어 붙이면 다양한 평면도형을 만들 수 있습니다. 만들 수 있는 평면도형 중 정사각형 5개를 이어 붙여 만든 도형들을 펜토미노라고 합니다.

① ② ③ ④ ⑤ ⑥

⑦ ⑧ ⑨ ⑩ ⑪ ⑫

펜토미노 조각으로 글자 '기린'을 만들고 만든 방법을 써 보시오. (단, 펜토미노 조각을 여러 번 사용할 수 있습니다.)

신유형 PLUS +

펜토미노 조각을 밀기, 뒤집기, 돌리기를 하여 글자를 만들어 봅니다.

(1) 펜토미노 조각으로 글자 '기린'을 만들어 보시오.

(2) 글자 '기린'을 만든 방법을 써 보시오.

유제 10 위 신유형 6 의 펜토미노 조각으로 글자 '독수리'를 만들고 만든 방법을 써 보시오. (단, 펜토미노 조각을 여러 번 사용할 수 있습니다.)

STEP 3 상위권 문제 확인과 응용

1 오른쪽과 같이 화살표가 그려진 종이가 있습니다. 이 종이를 시계 반대 방향으로 90°만큼 13번 돌렸을 때 화살표는 몇 번을 가리키는지 구해 보시오.

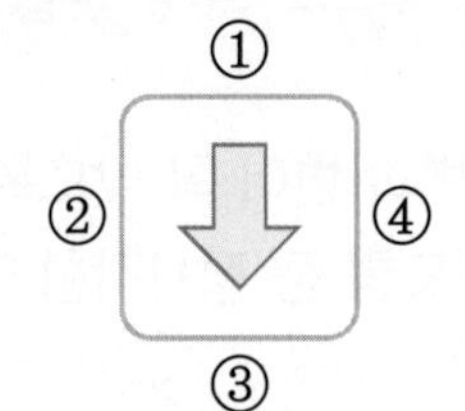

(　　　　　　　　　)

비법 PLUS +

- 시계 반대 방향으로 90°만큼 4번, 8번, 12번…… 돌린 모양은 처음 모양과 같습니다.

• 서술형 문제 •

2 4장의 수 카드 2, 9, 0, 8 중에서 3장을 뽑아 한 번씩만 사용하여 가장 작은 세 자리 수를 만들었습니다. 만든 가장 작은 세 자리 수를 오른쪽으로 뒤집으면 어떤 수가 되는지 풀이 과정을 쓰고 답을 구해 보시오. (단, 수 카드를 한 장씩 뒤집지 않습니다.)

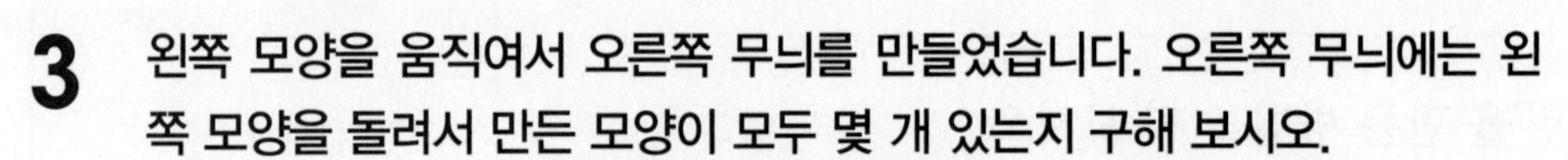

풀이

답

3 왼쪽 모양을 움직여서 오른쪽 무늬를 만들었습니다. 오른쪽 무늬에는 왼쪽 모양을 돌려서 만든 모양이 모두 몇 개 있는지 구해 보시오.

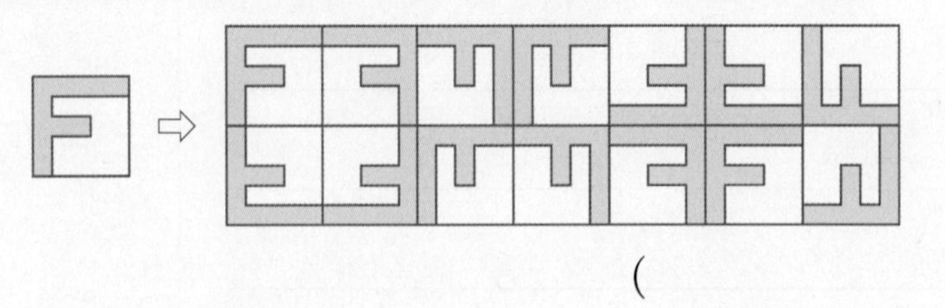

(　　　　　　　　　)

4 보기 와 같은 방법으로 도형을 한 번 움직였을 때의 모양을 그려 보시오.

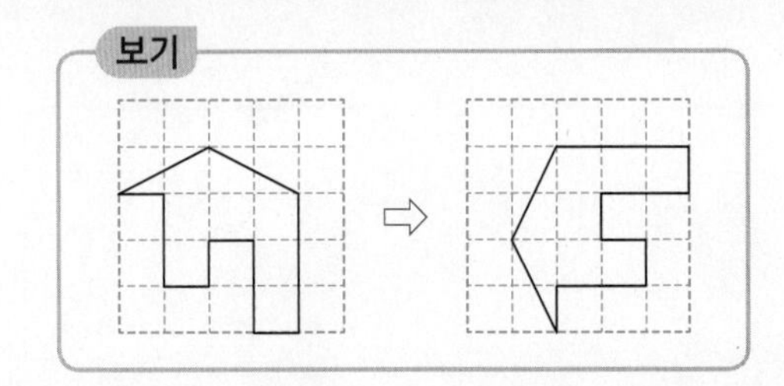

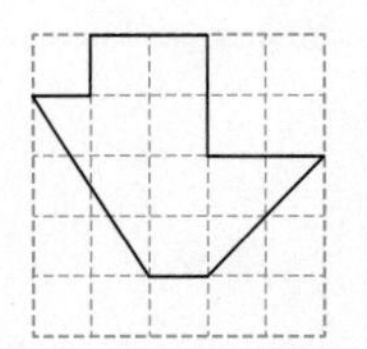

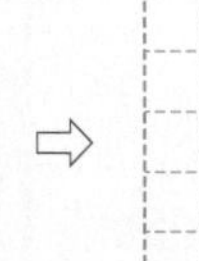

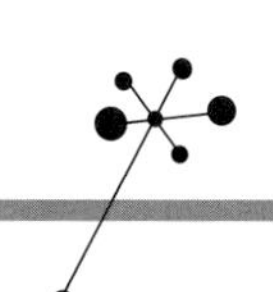

5 혜수네 집의 벽시계에는 숫자는 없고 눈금만 표시되어 있습니다. 오른쪽은 혜수네 집의 벽시계 아래쪽에 거울을 놓았을 때 거울에 비친 모양입니다. 벽시계가 실제로 나타내는 시각은 몇 시 몇 분인지 구해 보시오.

(　　　　　　　　　　)

비법 PLUS +

- 거울에 비친 모양은 뒤집기 한 모양과 같습니다.

6 어떤 도형을 시계 방향으로 90°만큼 10번 돌리고 위쪽으로 9번 뒤집은 모양입니다. 처음 모양을 그려 보시오.

처음 모양

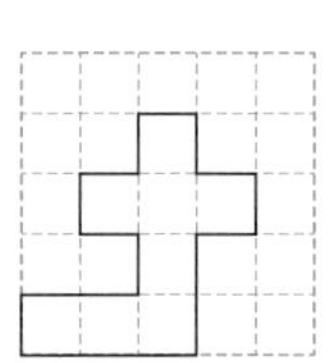

움직인 모양

- 도형을 움직였을 때 같은 모양이 되는 경우를 이용하여 움직인 방법을 간단히 나타낸 다음 움직인 순서를 거꾸로 하여 처음 모양을 구합니다.

7 어떤 수에서 수 카드 561 의 수를 빼야 할 것을 잘못하여 수 카드를 시계 방향으로 180°만큼 돌렸을 때 만들어지는 수를 빼었더니 551이 되었습니다. 바르게 계산한 값은 얼마인지 구해 보시오.

(　　　　　　　　　　)

- 먼저 잘못 뺀 수를 구하여 어떤 수를 구해 봅니다.

상위권 문제 확인과 응용

8 호준이가 철봉에 거꾸로 매달렸을 때 벽에 걸려 있는 시계를 보았더니 다음과 같았습니다. 호준이가 철봉에 5분 동안 매달려 있었다면 호준이가 철봉에서 내려온 시각은 몇 시 몇 분인지 구해 보시오.

05:21

(　　　　　　　　　　)

비법 PLUS +

• 서술형 문제 •

9 어떤 도형을 위쪽으로 뒤집어야 할 것을 잘못하여 시계 방향으로 180°만큼 돌렸더니 왼쪽과 같은 모양이 되었습니다. 바르게 움직였을 때의 모양은 어떤 모양인지 풀이 과정을 쓰고 답을 그려 보시오.

잘못 움직인 모양

바르게 움직인 모양

풀이

○ 움직인 방법을 거꾸로 하여 처음 모양을 먼저 알아봅니다.

10 투명한 정사각형 모양의 카드에 같은 그림을 그린 후 각각을 움직여 오른쪽과 같이 큰 정사각형 안에 놓았습니다. 각각의 카드를 시계 반대 방향으로 180°만큼 돌리고 오른쪽으로 뒤집어서 다시 시계 방향으로 270°만큼 돌렸을 때 (그림) 모양이 되는 모양은 모두 몇 개인지 구해 보시오.

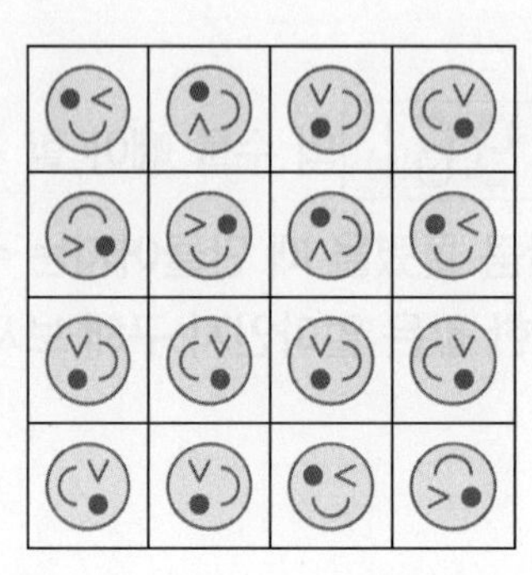

(　　　　　　　　　　)

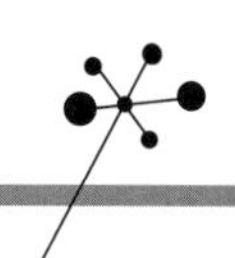

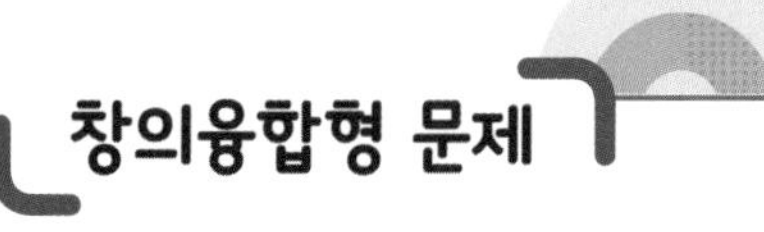

11 한글은 1446년 세종 대왕과 집현전 학자들이 만들어 '훈민정음'이란 이름으로 세상에 널리 퍼뜨린 우리나라의 글자입니다. 한글은 자음과 모음으로 이루어져 있으며 이 자음과 모음을 이용하여 여러 글자를 쓸 수 있습니다. 다음 자음 중에서 오른쪽으로 뒤집었을 때 처음 모양과 같은 것은 모두 몇 개인지 구해 보시오.

ㄱ ㄴ ㄷ ㄹ ㅁ ㅂ ㅅ
ㅇ ㅈ ㅊ ㅋ ㅌ ㅍ ㅎ

( )

12 왼쪽 높은음자리표를 다음과 같은 순서로 움직였더니 오른쪽과 같은 모양이 되었습니다. □ 안에 알맞은 말을 구해 보시오.

① 위쪽으로 뒤집기 ② 시계 반대 방향으로 90°만큼 돌리기
③ □으로 뒤집기 ④ 시계 반대 방향으로 270°만큼 돌리기

처음 모양

움직인 모양

( )

창의융합 PLUS +

훈민정음(訓民正音)

훈민정음은 '백성을 가르치는 바른 소리'라는 뜻입니다. 세종 대왕은 모든 백성들이 훈민정음을 통해 쉽게 글을 배우고 쓸 수 있도록 하였습니다. 1910년대 초에 주시경 선생을 비롯한 한글 학자들이 훈민정음을 '한글'이라고 부르기 시작하였습니다.

음자리표

음자리표는 악보의 왼쪽 끝에 써넣어 음의 높낮이를 정하는 기호입니다. 높은음자리표, 낮은음자리표, 가온음자리표가 있습니다.

최상위권 문제

• 문제 풀이 동영상 

1 왼쪽 글자를 시계 방향으로 270°만큼 돌리고 거울에 비추었더니 오른쪽과 같은 모양이 되었습니다. 돌린 글자의 어느 쪽에 거울을 세워 놓았는지 써 보시오.

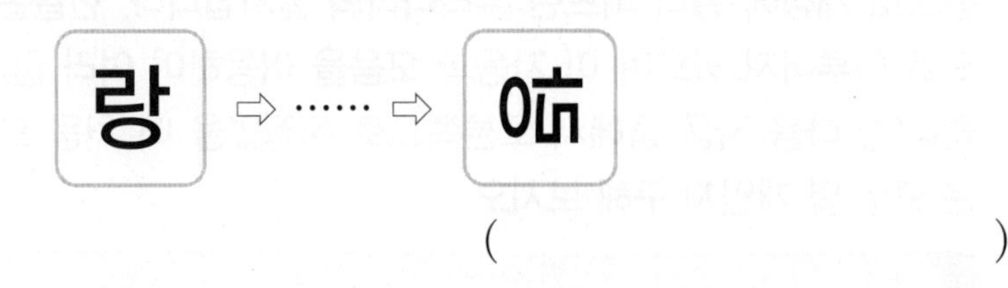

(　　　　　　　　　　　　)

2 왼쪽 모양을 뒤집기 방법으로 오른쪽과 같은 무늬를 만들려고 합니다. 8번 뒤집기 하여 무늬를 만들었을 때 만들어지는 원은 모두 몇 개인지 구해 보시오.

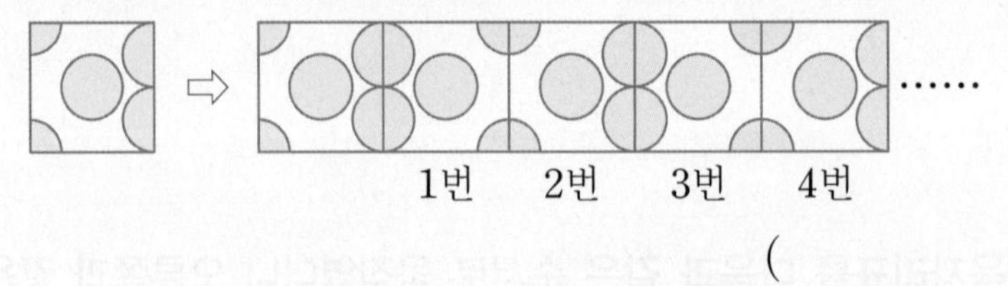

(　　　　　　)

3 오른쪽 도형을 시계 방향으로 180°만큼 5번 돌리고 오른쪽으로 3번 뒤집은 모양은 오른쪽 도형을 어떤 방법으로 한 번 움직인 모양과 같은지 써 보시오.

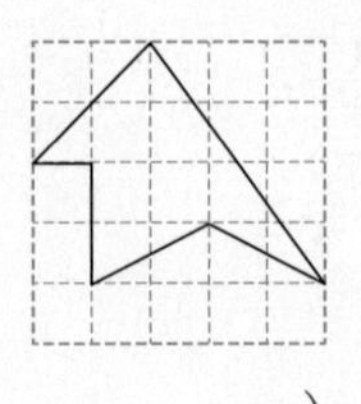

(　　　　　　　　　　　　　　　　　　　　　　　　)

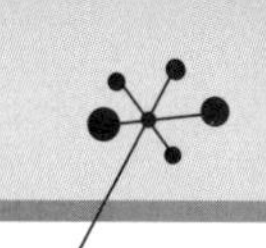

4 10장의 수 카드 중에서 시계 반대 방향으로 270°만큼 2번 돌렸을 때 만들어지는 숫자가 처음 숫자와 같은 수 카드를 한 번씩만 사용하여 세 자리 수를 만들려고 합니다. 만들 수 있는 세 자리 수 중에서 가장 큰 수와 가장 작은 수의 차를 구해 보시오.

( )

5 바둑돌이 자석판에 왼쪽 그림과 같이 붙어 있습니다. 이 자석판을 시계 반대 방향으로 270°만큼 돌리고 오른쪽으로 뒤집었더니 바둑돌이 몇 개 떨어져서 오른쪽 그림의 ◯표 한 곳에만 남았습니다. 남은 바둑돌 중에서 검은색 바둑돌은 몇 개인지 구해 보시오.

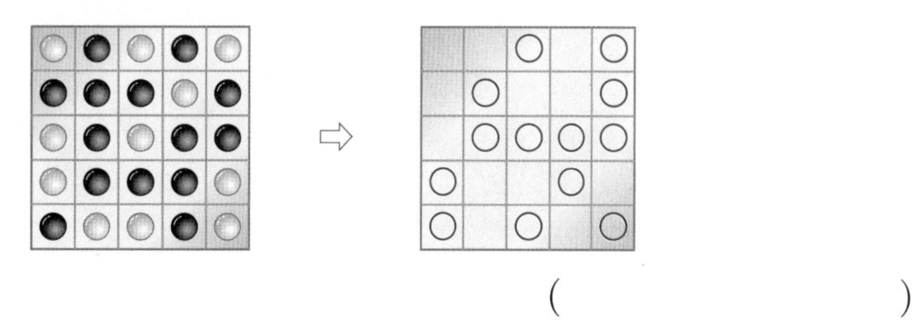

( )

6 10장의 수 카드 중에서 4장을 뽑아 한 번씩만 사용하여 네 자리 수를 만들었습니다. 이 수를 시계 방향으로 180°만큼 돌렸을 때 만들어지는 수는 처음 수보다 720 작습니다. 처음 수가 될 수 있는 수를 모두 구해 보시오. (단, 수 카드를 한 장씩 돌리지 않습니다.)

( )

유클리드 (Euclid)

- **출생~사망:** 기원전 330년~기원전 275년경
- **국적:** 그리스
- **업적:** 수론(수의 성질에 대해 연구하는 학문) 및 기하학(도형 및 공간의 성질에 대해 연구하는 학문)을 체계적으로 정리하여 『유클리드의 원론』을 완성하였습니다. 이 책은 만들어진 후, 거의 2천 년 동안 수학 교과서로 불리며 수학을 공부하는 사람들에게 많은 영향을 주었습니다.

5 막대그래프

핵심 개념과 문제

1 막대그래프

● **막대그래프**: 조사한 자료를 막대 모양으로 나타낸 그래프

좋아하는 체육 활동별 학생 수

체육 활동	달리기	야구	피구	합계
학생 수(명)	7	3	6	16

좋아하는 체육 활동별 학생 수

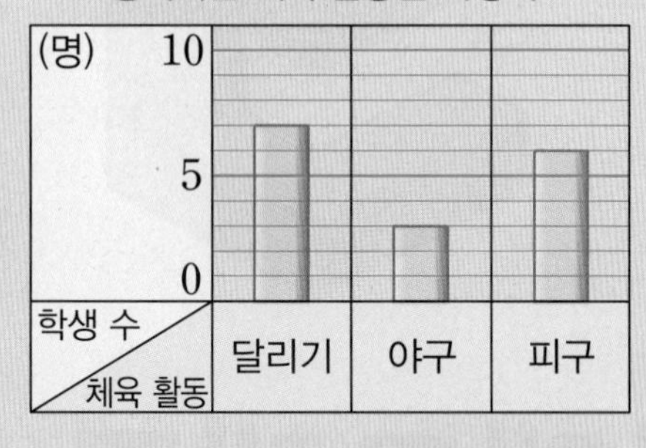

- 가로는 체육 활동, 세로는 학생 수를 나타냅니다.
- 막대의 길이는 좋아하는 체육 활동별 학생 수를 나타냅니다.
- 세로 눈금 한 칸은 1명을 나타냅니다.

좋아하는 체육 활동별 학생 수

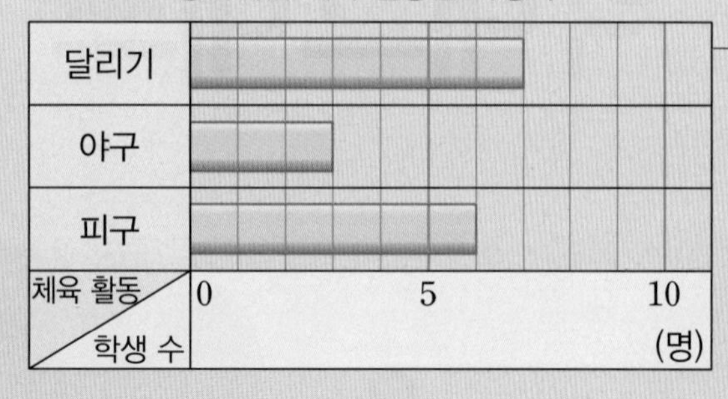

● 위 막대그래프의 가로와 세로를 바꾸어 가로로 된 막대그래프로 나타낼 수 있습니다.

참고 **표와 막대그래프의 비교**
- 표: 항목별 수량과 합계를 쉽게 알 수 있습니다.
- 막대그래프: 항목별 수량의 많고 적음을 한눈에 비교하기 쉽습니다.

2 막대그래프의 내용 알아보기

올림픽 경기 종목별 금메달 수

- 금메달 수가 가장 많은 경기 종목은 레슬링이고, 금메달 수가 가장 적은 경기 종목은 양궁입니다.
- 세로 눈금 한 칸은 금메달 2개를 나타냅니다.
- 레슬링의 금메달 수는 요트의 금메달 수보다 6개 더 많습니다.

개념 PLUS

막대의 색깔을 서로 다르게 하여 두 가지 자료를 하나의 막대그래프에 나타낼 수 있습니다.

요일별 관객 수

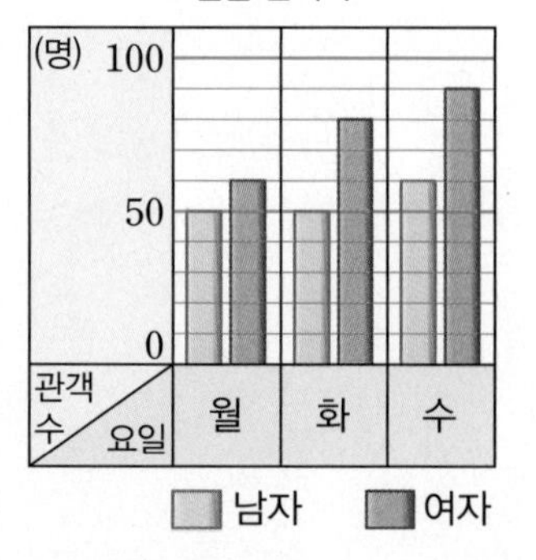

초 4-2 연계

꺾은선그래프: 수량을 점으로 표시하고, 그 점들을 선분으로 이어 그린 그래프

월평균 기온

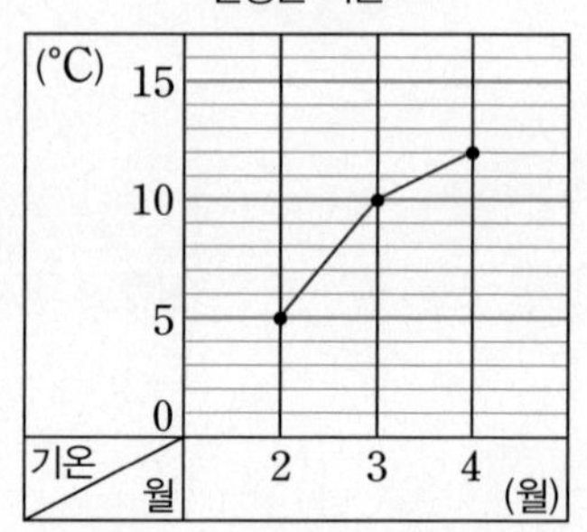

[1~2] 정호가 가지고 있는 책 수를 조사하여 나타낸 표와 막대그래프입니다. 물음에 답하시오.

종류별 책 수

책	동화책	만화책	과학책	위인전	합계
책 수(권)	8	11	9	6	34

종류별 책 수

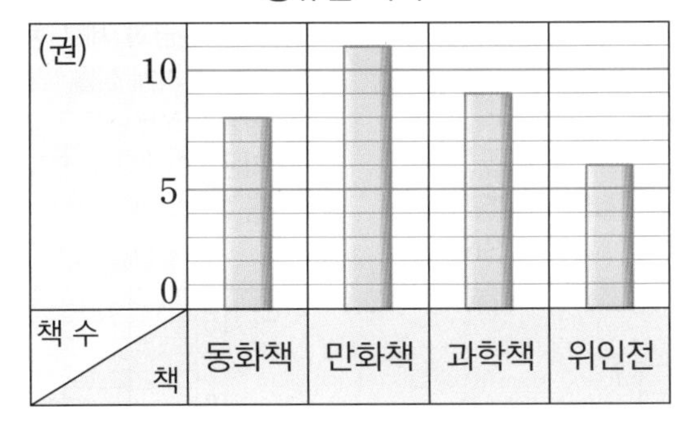

1 정호가 가지고 있는 책 수가 많은 종류부터 차례대로 써 보시오.

( )

2 정호가 가장 많이 가지고 있는 책을 알아보려면 표와 막대그래프 중 어느 자료가 한눈에 더 잘 드러납니까?

( )

3 준우네 반 학생 27명이 먹고 싶어 하는 사탕을 조사하여 나타낸 막대그래프입니다. 사과 맛 사탕을 먹고 싶어 하는 학생은 몇 명입니까?

먹고 싶어 하는 사탕별 학생 수

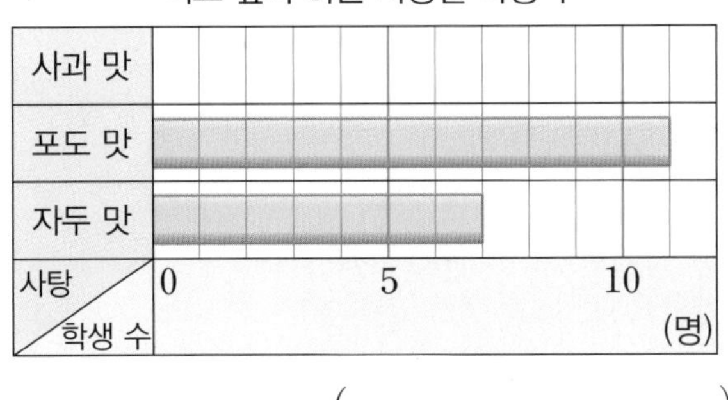

( )

[4~6] 어느 과일 가게에서 일주일 동안 판 과일을 조사하여 나타낸 막대그래프입니다. 물음에 답하시오.

일주일 동안 판 종류별 과일 수

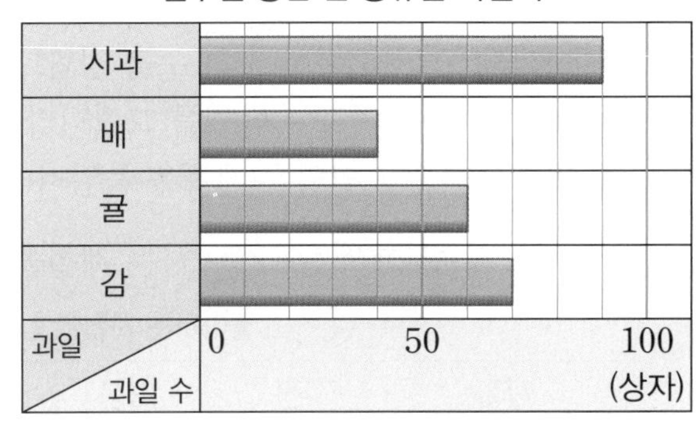

4 사과를 배보다 몇 상자 더 많이 팔았습니까?

( )

5 막대그래프를 통해 알 수 있는 사실을 2가지 써 보시오.

답 ______________________

____

____

6 일주일 동안 판 과일은 모두 몇 상자입니까?

( )

STEP 1 핵심 개념과 문제

3 막대그래프를 그리는 방법

① 가로와 세로 중 어느 쪽에 조사한 수를 나타낼 것인가를 정합니다.
② 눈금 한 칸의 크기를 정하고, 조사한 수 중에서 가장 큰 수를 나타낼 수 있도록 눈금의 수를 정합니다.
③ 조사한 수에 맞도록 막대를 그립니다.
④ 막대그래프에 알맞은 제목을 붙입니다.

예 선빈이네 반 학생들이 좋아하는 계절을 막대그래프로 나타내기

좋아하는 계절별 학생 수

계절	봄	여름	가을	겨울	합계
학생 수(명)	10	9	6	11	36

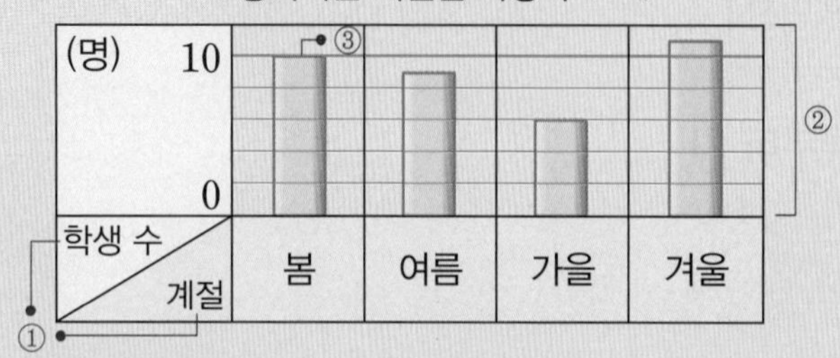

초 4-2 연계

★ 꺾은선그래프를 그리는 방법
① 가로와 세로 중 어느 쪽에 조사한 수를 나타낼 것인가를 정합니다.
② 눈금 한 칸의 크기를 정하고, 조사한 수 중에서 가장 큰 수를 나타낼 수 있도록 눈금의 수를 정합니다.
③ 가로 눈금과 세로 눈금이 만나는 자리에 점을 찍습니다.
④ 점들을 선분으로 잇습니다.
⑤ 꺾은선그래프에 알맞은 제목을 붙입니다.

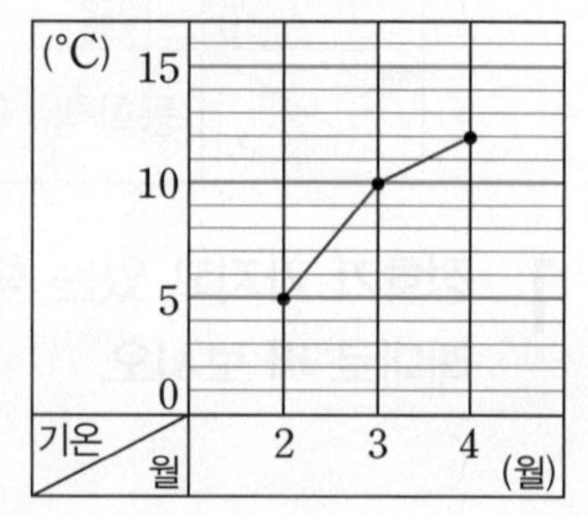

4 자료를 조사하여 막대그래프 그리기

① 자료 조사 후 수집, 집계합니다.

좋아하는 과일

귤	귤	복숭아	포도	복숭아
귤	복숭아	포도	복숭아	포도
포도	복숭아	귤	포도	복숭아

② 표로 정리합니다.

좋아하는 과일별 학생 수

과일	귤	복숭아	포도	합계
학생 수(명)	4	6	5	15

③ 그래프로 나타냅니다.

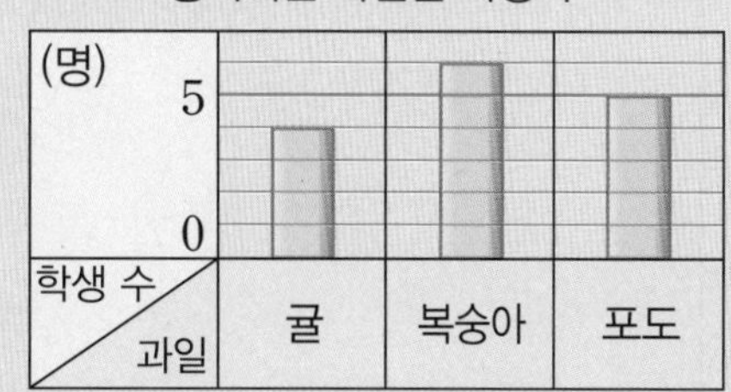

1 경민이네 반 학생들이 좋아하는 체육 활동을 조사하여 나타낸 표와 막대그래프입니다. 표와 막대그래프를 각각 완성해 보시오.

좋아하는 체육 활동별 학생 수

체육 활동	농구	배구	야구	탁구	합계
학생 수(명)	5	8	4		27

좋아하는 체육 활동별 학생 수

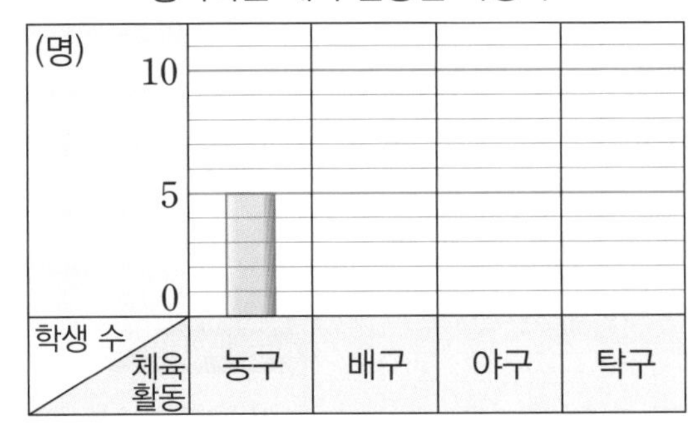

2 은성이네 반 학생들이 좋아하는 과목을 조사하여 나타낸 표와 막대그래프입니다. 표를 보고 막대그래프로 나타내어 보시오.

좋아하는 과목별 학생 수

과목	국어	수학	사회	과학	합계
학생 수(명)	6		5	7	25

좋아하는 과목별 학생 수

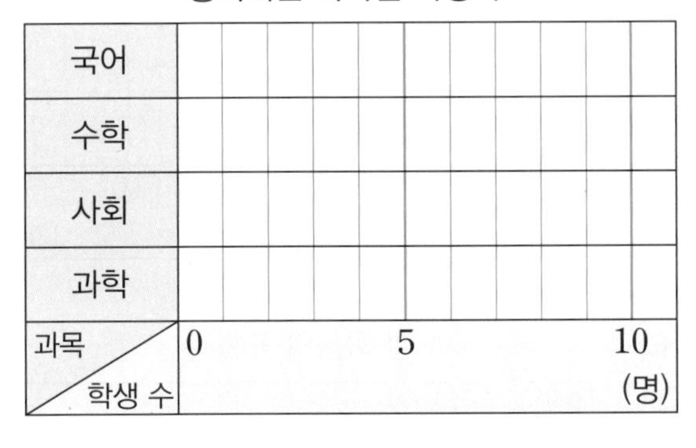

[3~5] 어느 나라 사람들의 평균 수명을 조사하여 나타낸 막대그래프입니다. 물음에 답하시오.

어느 나라 사람들의 평균 수명

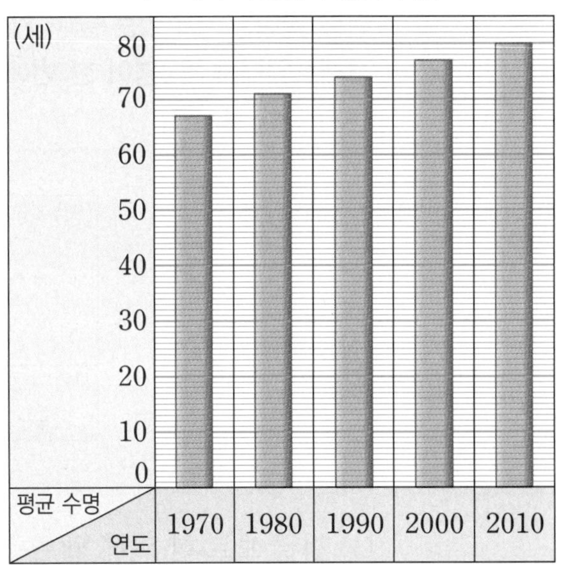

3 2000년과 1980년의 평균 수명의 차는 얼마입니까?

( )

4 막대그래프에서 남자와 여자의 평균 수명을 각각 알 수 있습니까?

( )

5 2020년의 평균 수명을 예상해 보고 그렇게 예상한 이유를 써 보시오.

답 ______________________

상위권 문제

대표유형 1 적어도 몇 묶음 필요한지 구하기

어느 놀이공원에 있는 놀이 기구의 한 칸에 탈 수 있는 사람 수를 조사하여 나타낸 막대그래프입니다. 32명이 한 번에 정글 보트를 타려면 정글 보트는 적어도 몇 칸이어야 하는지 구해 보시오.

한 칸에 탈 수 있는 사람 수

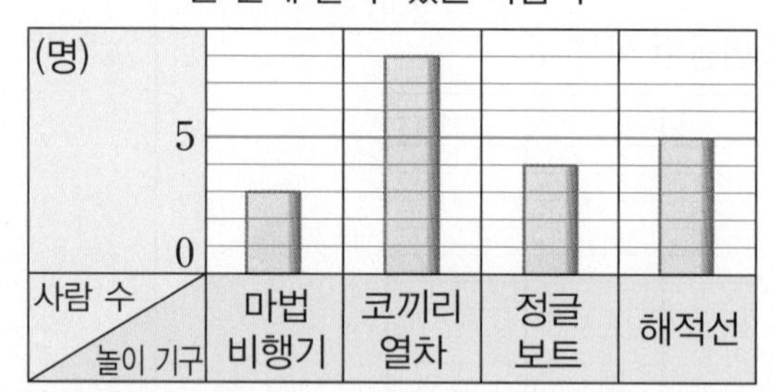

(1) 정글 보트 한 칸에 탈 수 있는 사람은 몇 명입니까?

( )

(2) 32명이 한 번에 정글 보트를 타려면 정글 보트는 적어도 몇 칸이어야 합니까?

( )

비법 PLUS +

(필요한 칸 수)
=(한 번에 타려는 사람 수)
÷(한 칸에 탈 수 있는 사람 수)

유제 1 오른쪽은 한 상자에 들어 있는 물건 수를 조사하여 나타낸 막대그래프입니다. 지우개를 반 친구 35명에게 한 개씩 나누어 주려면 적어도 몇 상자가 필요한지 구해 보시오.

( )

한 상자에 들어 있는 물건 수

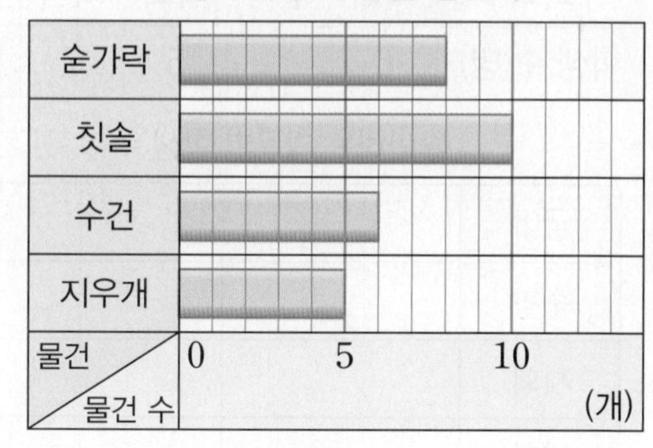

유제 2 오른쪽은 한 묶음의 공책 수를 조사하여 나타낸 막대그래프입니다. 한 사람에게 ㉮, ㉯, ㉰, ㉱ 공책을 각각 한 권씩 나누어 주려고 합니다. 85명에게 나누어 주려면 ㉯ 공책은 적어도 몇 묶음 필요한지 구해 보시오.

( )

한 묶음의 공책 수

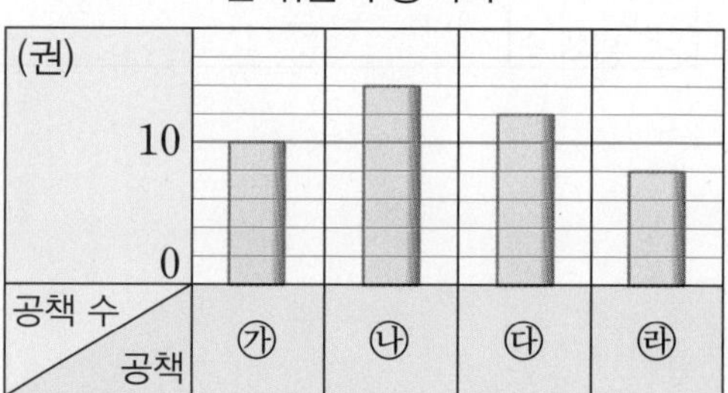

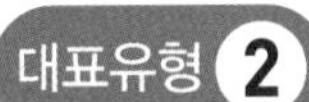

대표유형 2 막대그래프에서 모르는 자료의 값 구하기

목장별 기르고 있는 젖소 수를 조사하여 나타낸 막대그래프입니다. 네 목장에서 기르고 있는 젖소는 모두 500마리이고 푸른 목장과 건강 목장의 젖소 수는 같다고 합니다. 가람 목장의 젖소는 몇 마리인지 구해 보시오.

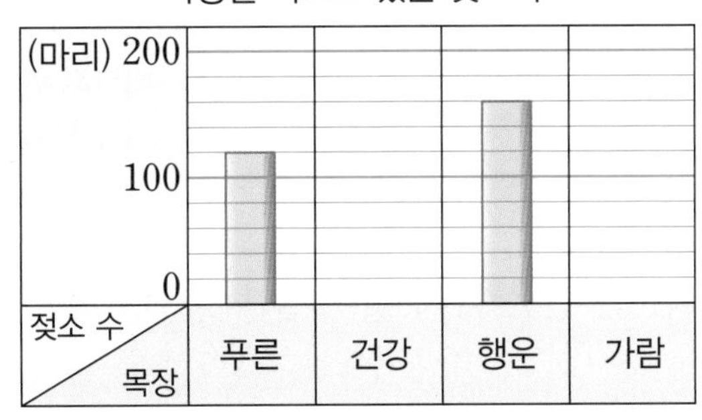

(1) 건강 목장의 젖소는 몇 마리입니까?

( )

(2) 가람 목장의 젖소는 몇 마리입니까?

( )

비법 PLUS +

(가람 목장의 젖소 수)
=(네 목장의 젖소 수)
−(푸른 목장의 젖소 수)
−(건강 목장의 젖소 수)
−(행운 목장의 젖소 수)

유제 3

• 서술형 문제 •

오른쪽은 지민이네 반 학생 36명이 좋아하는 올림픽 경기 종목을 조사하여 나타낸 막대그래프입니다. 육상을 좋아하는 학생이 수영을 좋아하는 학생보다 4명 더 많다고 합니다. 핸드볼을 좋아하는 학생은 몇 명인지 풀이 과정을 쓰고 답을 구해 보시오.

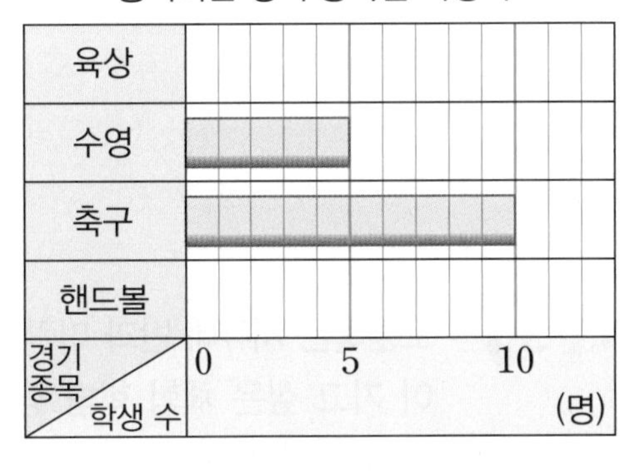

풀이

답

대표유형 3 눈금의 크기가 주어지지 않은 막대그래프에서 자료의 값 구하기

오른쪽은 어느 옷 가게에서 하루 동안 팔린 색깔별 바지 수를 조사하여 나타낸 막대그래프입니다. 하루 동안 초록색 바지가 60개 팔렸다면 노란색 바지는 몇 개 팔렸는지 구해 보시오.

하루 동안 팔린 색깔별 바지 수

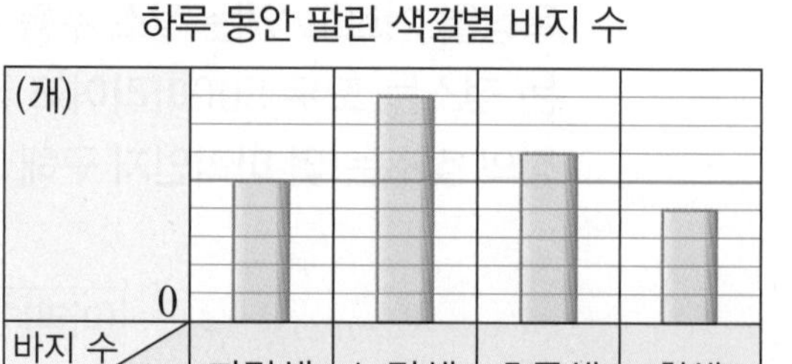

(1) 세로 눈금 한 칸은 바지 몇 개를 나타냅니까?

(　　　　　　　　)

(2) 노란색 바지는 몇 개 팔렸습니까?

(　　　　　　　　)

비법 PLUS +

(세로 눈금 한 칸의 크기)
=(팔린 초록색 바지 수)
÷(초록색 바지의 세로 눈금 수)

유제 4 오른쪽은 현승이네 모둠 학생들이 지난 일요일에 책을 읽은 시간을 조사하여 나타낸 막대그래프입니다. 현승이가 지난 일요일에 책을 읽은 시간이 40분이라면 현승이네 모둠 학생들이 책을 읽은 시간은 모두 몇 분인지 구해 보시오.

(　　　　　　　　)

학생별 책을 읽은 시간

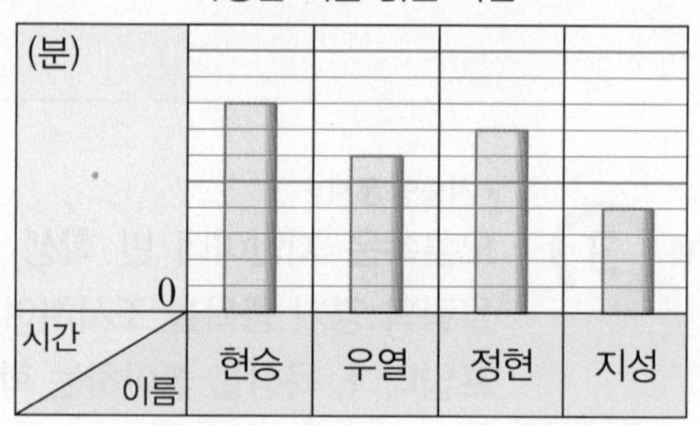

유제 5 오른쪽은 지유네 반과 미란이네 반 학생 50명이 가고 싶은 체험 학습 장소를 조사하여 나타낸 막대그래프입니다. 놀이공원에 가고 싶은 학생은 몇 명인지 구해 보시오.

가고 싶은 체험 학습 장소별 학생 수

고궁
과학관
놀이공원
박물관
장소
학생 수
0
(명)

(　　　　　　　　)

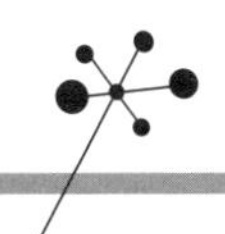

대표유형 4 두 가지 자료를 나타낸 막대그래프에서 자료의 값 구하기

한 달 동안 정우네 학교 4학년 학생들의 반별 지각생 수를 조사하여 나타낸 막대그래프입니다. 남학생과 여학생 수의 차가 가장 큰 반의 지각생은 모두 몇 명인지 구해 보시오.

반별 지각생 수

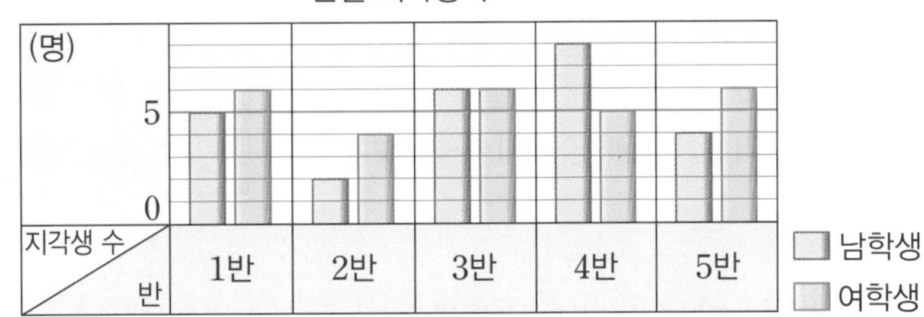

(1) 남학생과 여학생 수의 차가 가장 큰 반은 몇 반입니까?

( )

(2) 남학생과 여학생 수의 차가 가장 큰 반의 지각생은 모두 몇 명입니까?

( )

비법 PLUS+

남학생과 여학생 수의 차가 가장 큰 반은 남학생을 나타내는 막대와 여학생을 나타내는 막대의 길이의 차가 가장 큽니다.

유제 6

• 서술형 문제 •

어느 유치원의 반별 어린이 수를 조사하여 나타낸 막대그래프입니다. 남자 어린이와 여자 어린이 수의 차가 가장 작은 반의 어린이는 모두 몇 명인지 풀이 과정을 쓰고 답을 구해 보시오.

반별 어린이 수

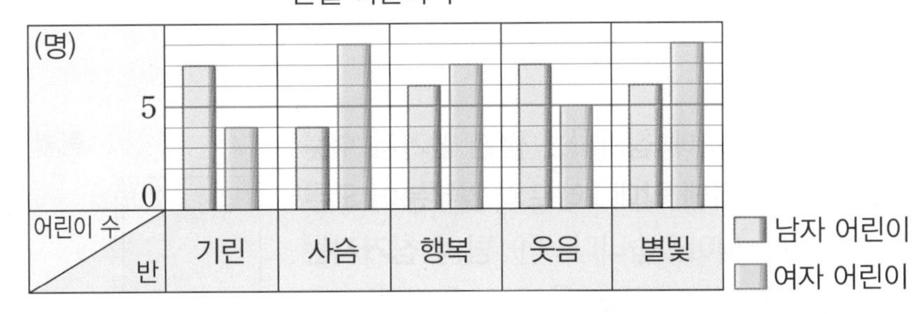

풀이

답

STEP 2 상위권 문제

대표유형 5 일부분이 찢어진 막대그래프에서 두 자료의 값의 합 또는 차 구하기

마을별 초등학생 수를 조사하여 나타낸 막대그래프의 일부분이 오른쪽과 같이 찢어졌습니다. 해 마을의 초등학생 수는 꽃 마을의 2배이고, 달 마을의 초등학생 수는 해 마을보다 8명 더 적다고 합니다. 해 마을과 달 마을의 초등학생 수의 합은 몇 명인지 구해 보시오.

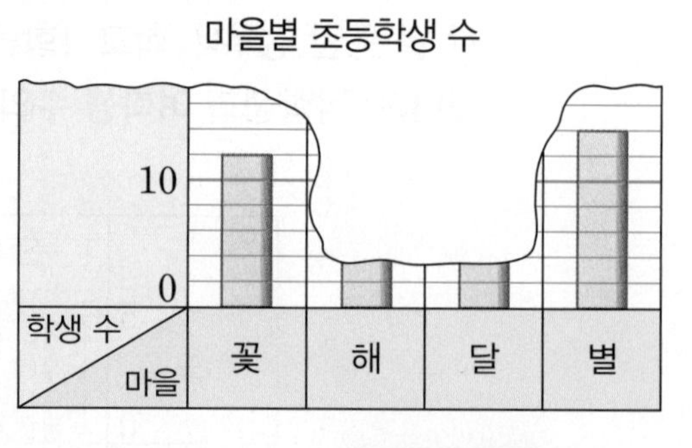

(1) 해 마을과 달 마을의 초등학생은 각각 몇 명입니까?

해 마을 (　　　　　　), 달 마을 (　　　　　　)

(2) 해 마을과 달 마을의 초등학생 수의 합은 몇 명입니까?

(　　　　　　)

비법 PLUS +

- (해 마을의 초등학생 수) =(꽃 마을의 초등학생 수)×2
- (달 마을의 초등학생 수) =(해 마을의 초등학생 수)−8

유제 7 어느 영화관의 요일별 관람객 수를 조사하여 나타낸 막대그래프의 일부분이 오른쪽과 같이 찢어졌습니다. 토요일의 관람객 수는 목요일의 2배이고, 일요일의 관람객보다 20명 더 적다고 합니다. 토요일과 일요일의 관람객 수의 합은 몇 명인지 구해 보시오.

(　　　　　　)

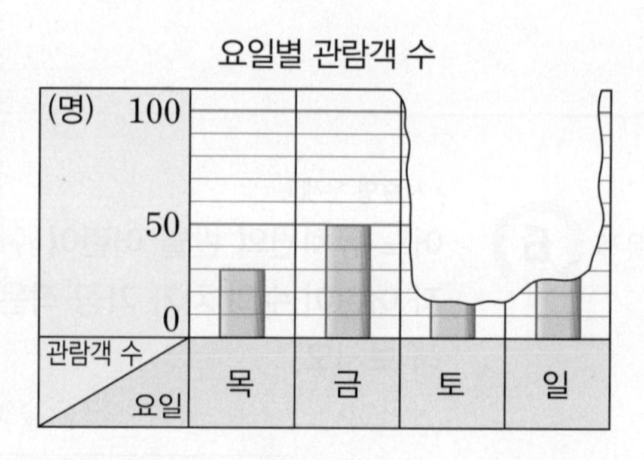

유제 8 어느 합창 대회에 참가하는 팀별 참가자 수를 조사하여 나타낸 막대그래프의 일부분이 오른쪽과 같이 찢어졌습니다. ㉮ 팀의 참가자는 ㉰ 팀보다 4명 더 적고, ㉯ 팀의 참가자는 ㉮ 팀의 2배입니다. 참가자 수가 가장 많은 팀과 가장 적은 팀의 참가자 수의 차는 몇 명인지 구해 보시오.

(　　　　　　)

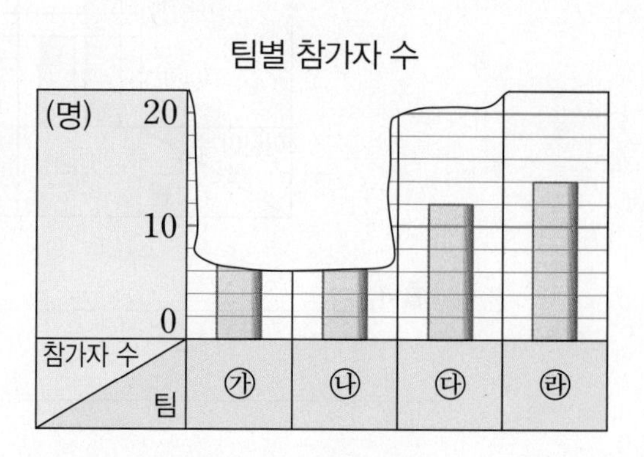

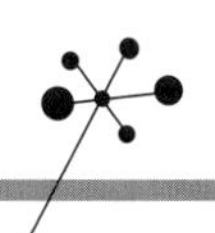

신유형 6 조건에 맞도록 막대그래프 그리기

재환이가 10분 동안 운동을 했을 때의 열량 소비량을 조사하여 막대그래프로 나타내려고 합니다. 왼쪽을 보고 막대그래프를 완성해 보시오.

10분 동안 운동했을 때의 열량 소비량

- '계단 오르기'의 열량 소비량은 '산책하기'의 열량 소비량의 3배입니다.
- '춤추기'의 열량 소비량은 '산책하기'의 열량 소비량보다 30 킬로칼로리 더 많습니다.
- 조사한 운동 종류별 열량 소비량의 합은 150 킬로칼로리입니다.

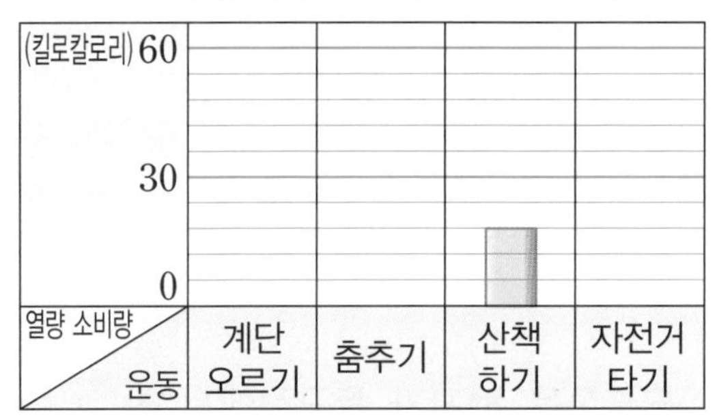

신유형 PLUS +

'산책하기'의 열량 소비량을 먼저 알아보고 비어 있는 항목의 수를 구합니다.

(1) 계단 오르기, 춤추기, 자전거 타기의 열량 소비량은 각각 몇 킬로칼로리입니까?

계단 오르기 (　　　　　　　　)

춤추기 (　　　　　　　　)

자전거 타기 (　　　　　　　　)

(2) 위의 막대그래프를 완성해 보시오.

유제 9

현경이네 동네에 사는 학생들이 가 보고 싶어 하는 도시를 조사하여 막대그래프로 나타내려고 합니다. 주어진 조건에 맞도록 막대그래프를 완성해 보시오.

가 보고 싶어 하는 도시

- 파리에 가 보고 싶어 하는 학생은 베이징에 가 보고 싶어 하는 학생보다 4명 더 적습니다.
- 런던에 가 보고 싶어 하는 학생 수와 시드니에 가 보고 싶어 하는 학생 수는 같습니다.
- 조사한 학생은 모두 74명입니다.

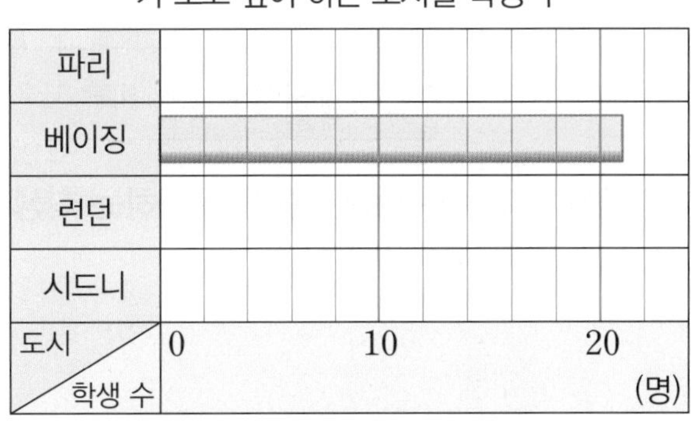

STEP 3 상위권 문제 확인과 응용

1 세희네 반 학생들이 키우는 반려동물을 조사하여 나타낸 표입니다. 표를 막대그래프로 나타낼 때 세로 눈금 한 칸이 2명을 나타내도록 한다면 세로 눈금은 적어도 몇 칸 있어야 하는지 구해 보시오.

반려동물별 학생 수

반려동물	고양이	거북	강아지	새	금붕어	합계
학생 수(명)	8	6		6	4	34

( )

2 오른쪽은 혜지가 문구점에서 산 학용품 가격을 나타낸 막대그래프입니다. 혜지가 학용품을 사고 5000원을 냈다면 거스름돈으로 얼마를 받아야 하는지 구해 보시오.

혜지가 산 학용품 가격

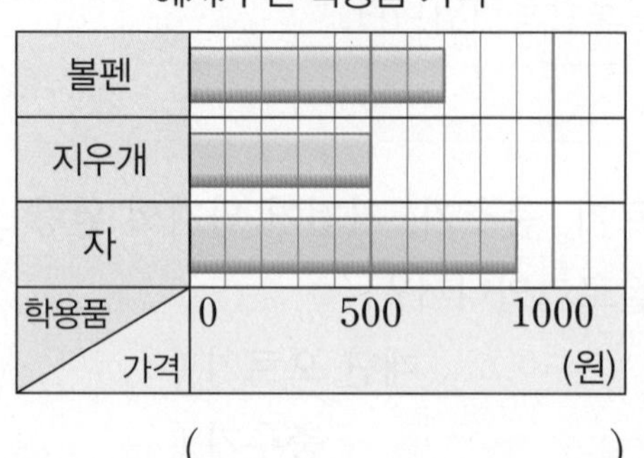

( )

[3~4] 민석이네 반 학생 30명이 좋아하는 계절을 조사하여 나타낸 막대그래프입니다. 물음에 답하시오.

좋아하는 계절별 학생 수

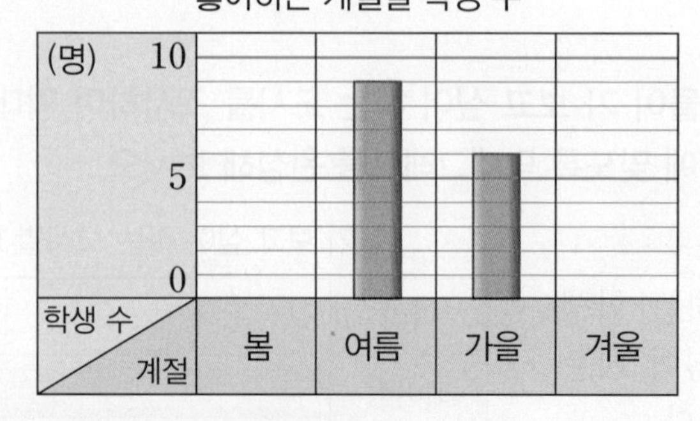

3 겨울을 좋아하는 학생은 봄을 좋아하는 학생보다 3명 더 많습니다. 막대그래프를 완성해 보시오.

4 세로 눈금 한 칸이 3명을 나타내는 막대그래프로 바꿔 그린다면 여름을 좋아하는 학생은 몇 칸으로 그려야 하는지 구해 보시오.

( )

비법 PLUS +

- 그래프에 나타내어야 하는 학생 수: ■명
- 세로 눈금 한 칸: ▲명

⇨ 필요한 최소 세로 눈금의 칸 수: (■ ÷ ▲)칸

5 오른쪽은 주민이네 집과 ㉮, ㉯, ㉰ 가게 사이의 거리를 각각 조사하여 나타낸 막대그래프입니다. 주민이가 2분에 100 m씩 쉬지 않고 걷는다면 집에서 가장 먼 가게에 도착하는 데 걸리는 시간은 몇 분인지 구해 보시오.

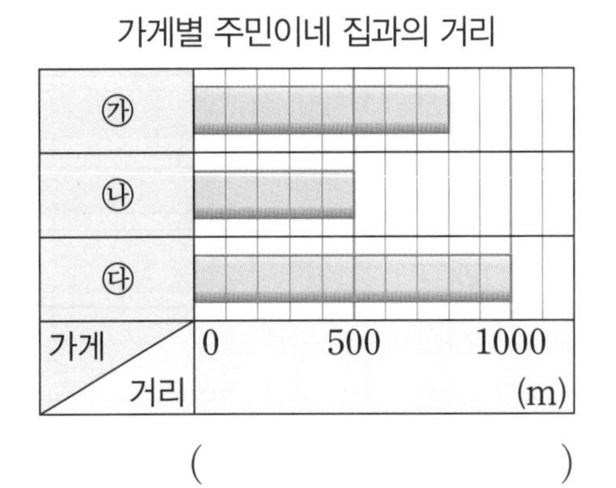

(　　　　　　　　)

비법 PLUS +

- ◆m를 가는 데 걸리는 시간이 ★분
  ⇨ (◆×♥)m를 가는 데 걸리는 시간: (★×♥)분

• 서술형 문제 •

6 어느 지역의 월별 기온과 전기 사용량을 조사하여 나타낸 막대그래프입니다. 두 막대그래프를 보고 기온과 전기 사용량 사이에 어떤 관계가 있는지 써 보시오.

월별 기온

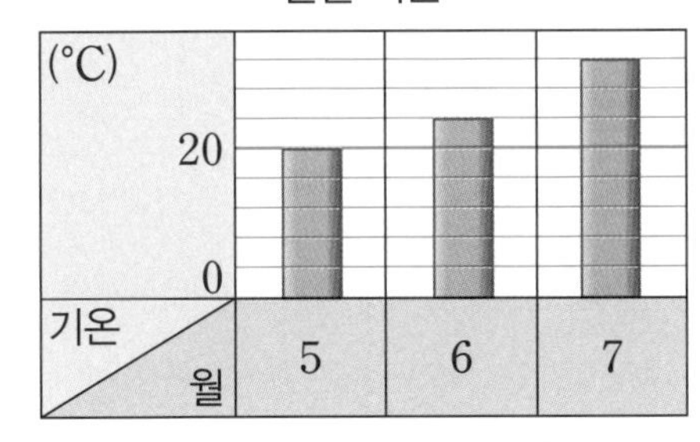

월별 전기 사용량

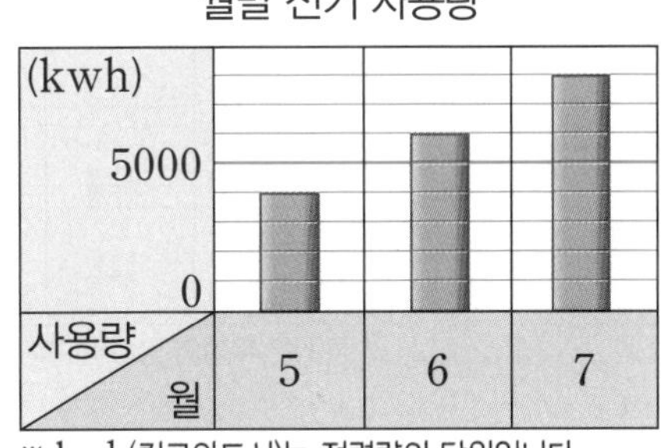

※ kwh(킬로와트시)는 전력량의 단위입니다.

답 ______________________________

7 도윤이네 학교 학생들이 좋아하는 과일을 조사하여 나타낸 막대그래프입니다. 사과를 좋아하는 학생은 감을 좋아하는 학생보다 4명 더 많다고 합니다. 사과를 좋아하는 학생은 몇 명인지 구해 보시오.

좋아하는 과일별 학생 수

(명)
0
학생 수 / 과일
사과 키위 감 귤

(　　　　　　　　)

- 먼저 사과의 막대와 감의 막대는 몇 칸 차이가 나는지 알아보고 세로 눈금 한 칸의 크기를 구합니다.

8 오른쪽은 준호네 집에서 올림픽 기념관까지의 이동 수단별 소요 시간을 조사하여 나타낸 막대그래프입니다. 막대그래프를 가로 눈금 한 칸이 6분을 나타내는 막대그래프로 바꿔 그린다면 버스의 소요 시간은 몇 칸으로 그려야 하는지 구해 보시오.

이동 수단별 소요 시간

자동차
버스
지하철
이동 수단
시간
0
1
2
(시간)

(　　　　　　　　)

> **비법 PLUS +**
> ○ 먼저 1시간이 60분임을 알고 가로 눈금 한 칸이 몇 분을 나타내는지 구합니다.

• 서술형 문제 •

9 ㉮ 공장과 ㉯ 공장의 월별 과자 생산량을 조사하여 나타낸 막대그래프입니다. 두 공장의 월별 과자 생산량의 차가 가장 큰 달은 몇 월인지 풀이 과정을 쓰고 답을 구해 보시오.

㉮ 공장의 월별 과자 생산량

(만 톤)
5
0
생산량
월
10
11
12

㉯ 공장의 월별 과자 생산량

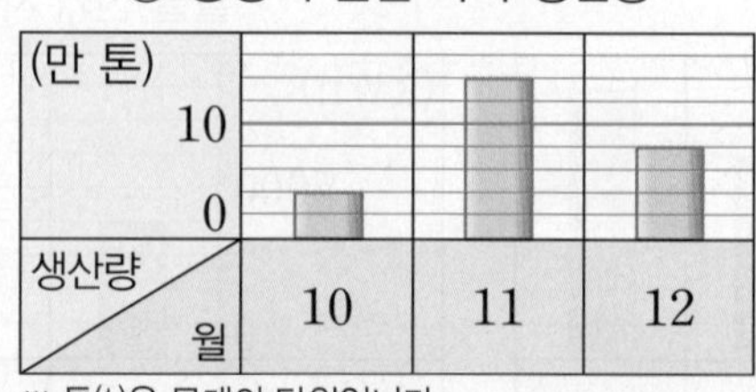

※ 톤(t)은 무게의 단위입니다.

풀이 ______________________________

____

____

답 ______________

10 어느 병원에 월요일부터 금요일까지 온 남녀 환자 수를 조사하여 나타낸 막대그래프입니다. 5일 동안 온 남자 환자 수와 여자 환자 수가 같다면 목요일에 온 여자 환자는 몇 명인지 구해 보시오.

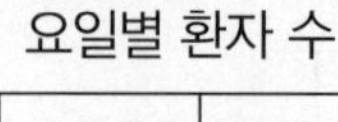

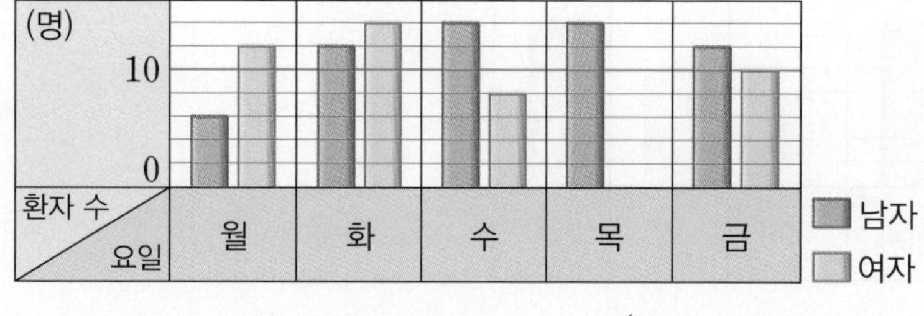

(　　　　　　　　)

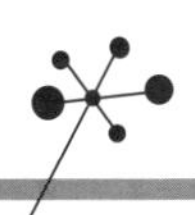

창의융합형 문제

11 올림픽은 국제 올림픽 위원회가 4년마다 개최하는 국제 스포츠 대회입니다. 2016년 리우데자네이루 올림픽에서 나라별 획득한 금메달 수를 나타낸 표입니다. 영국의 막대가 대한민국의 막대보다 가로 눈금이 6칸 더 길게 막대그래프로 나타내어 보시오.

나라별 획득한 금메달 수

나라	영국	대한민국	케냐	스위스
금메달 수(개)	27	9	6	3

나라별 획득한 금메달 수

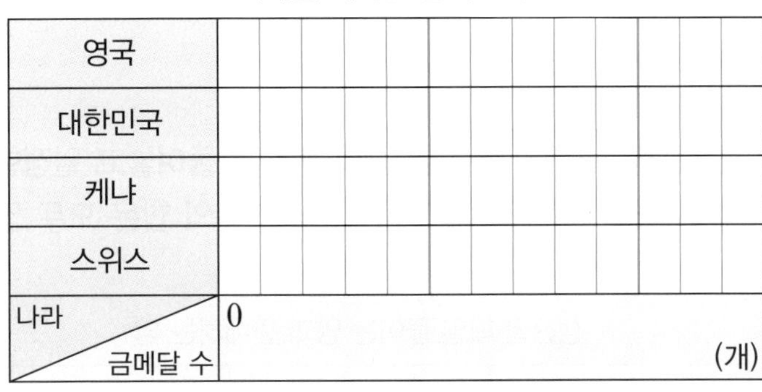

12 여성의 시기별 칼슘 1일 권장량을 조사하여 나타낸 막대그래프의 일부분이 다음과 같이 찢어졌습니다. 청소년기의 권장량이 성년기보다 200 mg 더 많을 때, 칼슘 1일 권장량이 많은 시기부터 차례대로 써 보시오.

mg(밀리그램)은 무게의 단위입니다.

시기별 칼슘 1일 권장량

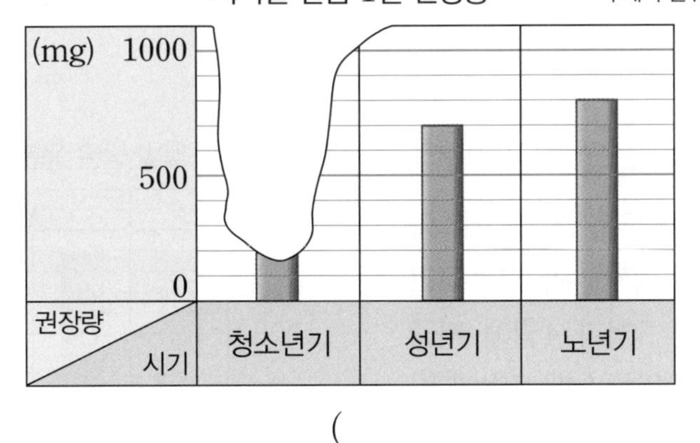

( )

창의융합 PLUS +

리우데자네이루 올림픽

브라질의 리우데자네이루에서 열린 제31회 올림픽 경기 대회로 남아메리카 대륙에서 개최된 첫 번째 올림픽입니다.

칼슘

칼슘은 뼈와 치아를 만드는 데 사용되는 중요한 영양소입니다. 칼슘은 우유 및 유제품, 뼈째 먹는 생선, 짙푸른 채소에 많이 함유되어 있으며 해조류, 콩류, 곡류 등에도 들어 있습니다.

최상위권 문제

• 문제 풀이 동영상 

1 오른쪽은 도란이네 학교 4학년의 반별 학급 문고 수를 조사하여 나타낸 막대그래프입니다. 1반의 학급 문고가 30권이고, 네 반의 학급 문고 수의 합은 140권입니다. 4반의 학급 문고 수는 막대그래프에 몇 칸으로 그려야 하는지 구해 보시오.

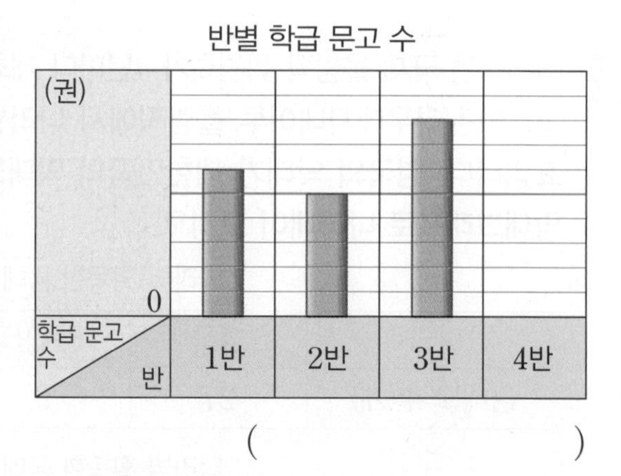

(   )

2 어느 생선 가게에서 오늘부터 매일 일정한 양의 생선을 들여놓고 일정한 양만큼만 팔기로 했습니다. 일주일 후 남는 갈치, 고등어, 삼치 수의 합은 모두 몇 마리인지 구해 보시오.

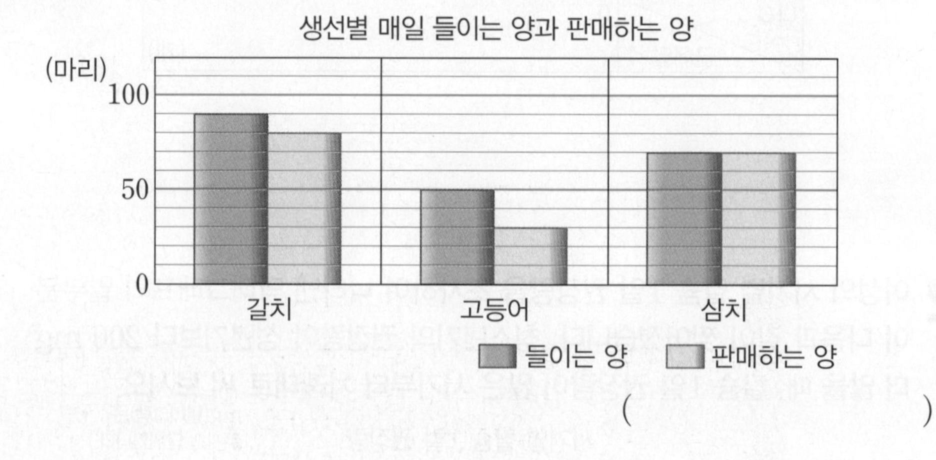

(   )

3 진주는 매달 용돈의 $\frac{1}{3}$을 저금합니다. 진주가 매달 받은 용돈을 조사하여 나타낸 막대그래프의 일부분이 오른쪽과 같이 찢어졌습니다. 3월과 4월에 저금한 돈의 합이 10000원일 때 3월에 받은 용돈은 얼마인지 구해 보시오.

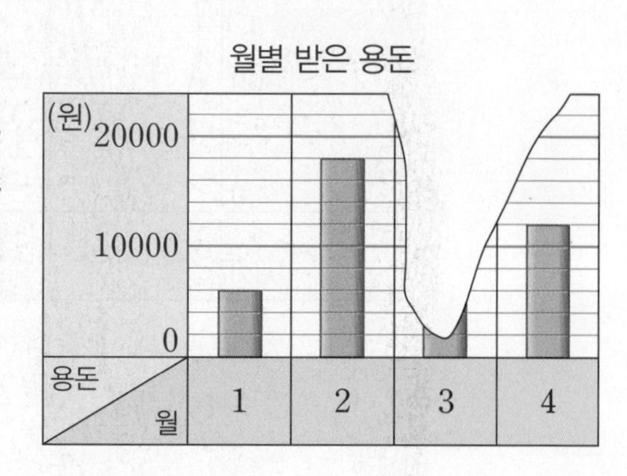

(   )

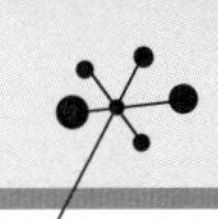

4 왼쪽 막대그래프는 정연이네 학교 4학년 학생 160명이 좋아하는 동물을 조사하여 나타낸 것입니다. 학생 수가 적은 동물부터 오른쪽 막대그래프에 왼쪽부터 차례대로 다시 나타내어 보시오.

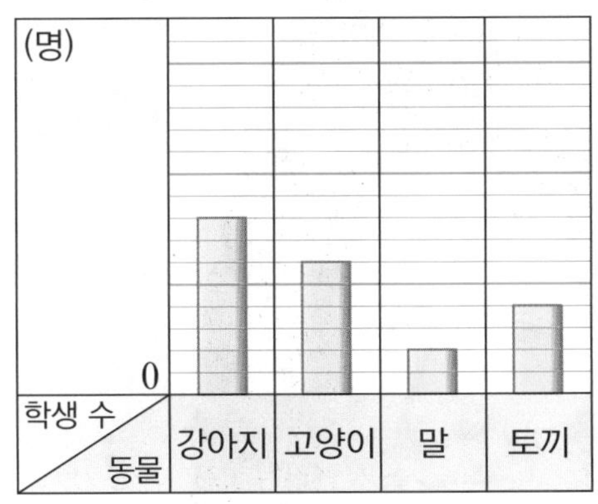

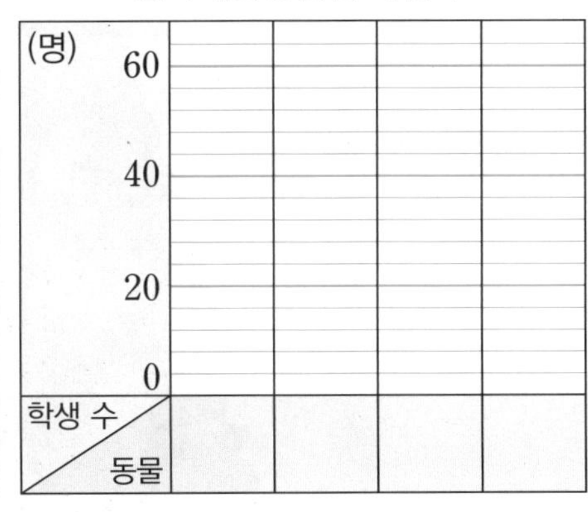

5 오른쪽은 준호가 문구점에서 산 색깔별 리본의 길이를 조사하여 나타낸 막대그래프입니다. 길이가 가장 긴 리본과 가장 짧은 리본의 길이의 차가 14 m일 때 가장 짧은 리본의 색깔은 무엇이고, 몇 m인지 구해 보시오. (단, 각 리본의 길이는 24 m보다 짧습니다.)

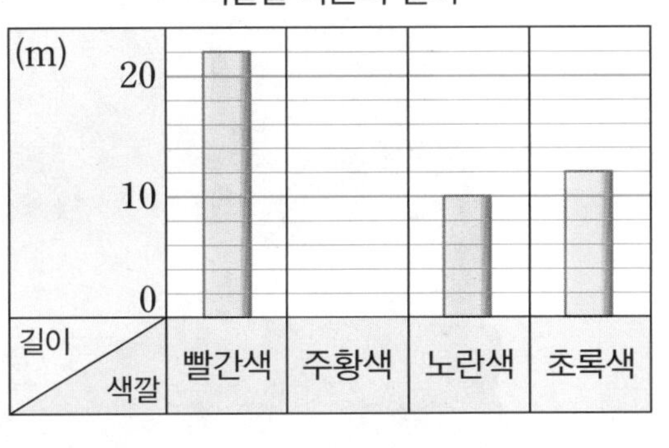

(,)

6 오른쪽은 구슬이 각각 1개, 2개, 3개, 4개씩 들어 있는 주머니 수를 조사하여 나타낸 막대그래프입니다. 주머니는 모두 17개입니다. 주머니에 들어 있는 구슬이 모두 47개일 때, 막대그래프를 완성해 보시오.

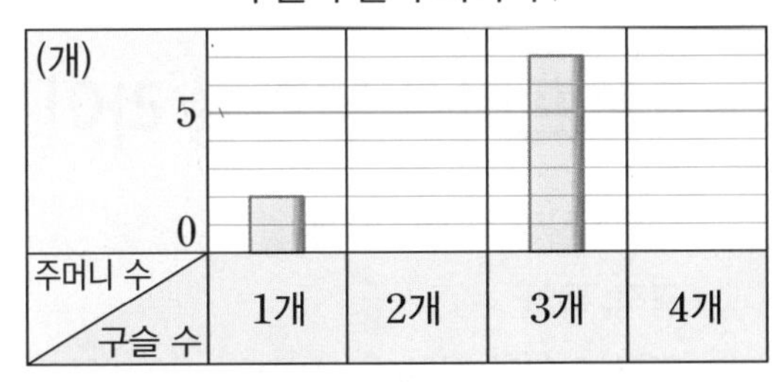

고트프리트 빌헬름 라이프니츠 (Gottfried Wilhelm Leibniz)

- **출생~사망:** 1646~1716
- **국적:** 독일
- **업적:** 독일의 철학자, 수학자, 자연과학자, 법학자, 신학자, 언어학자, 역사가입니다. 수학에서는 미적분법의 창시로, 미분 기호와 적분 기호의 발명 등 해석학(함수의 성질을 연구하는 학문) 발달에 많은 공헌을 하였습니다.

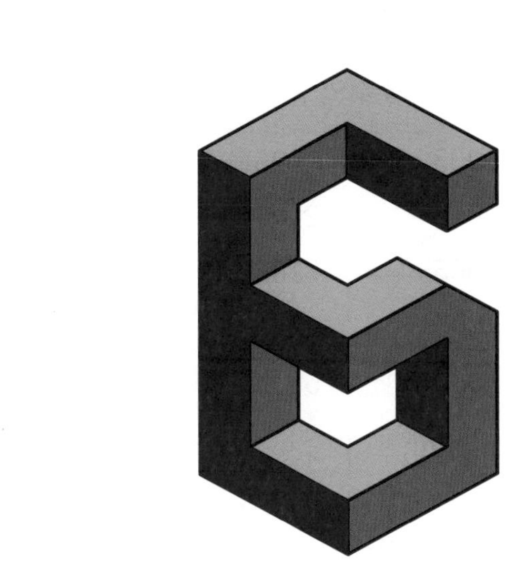

규칙 찾기

1 수의 배열에서 규칙 찾기

● 수 배열표에서 수의 규칙 찾기

1005	1105	1205	1305	1405
2005	2105	2205	2305	2405
3005	3105	3205	3305	3405
4005	4105	4205	4305	4405
5005	5105	5205	5305	5405

규칙1 1005부터 시작하여 오른쪽으로 100씩 커집니다.
규칙2 1005부터 시작하여 아래쪽으로 1000씩 커집니다.
규칙3 1005부터 시작하여 ↘ 방향으로 1100씩 커집니다.

● 수의 배열에서 규칙 찾기

×	101	102	103	104	105	106	107	108	109
11	1	2	3	4	5	6	7	8	9
12	2	4	6	8	0	2	4	6	8
13	3	6	9	2	5	8	1	4	7
14	4	8	2	6	0	4	8	2	6
15	5	0	5	0	5	0	5	0	5
16	6	2	8	4	0	6	2	8	4
17	7	4	1	8	5	2	9	6	3
18	8	6	4	2	0	8	6	4	2
19	9	8	7	6	5	4	3	2	1

규칙1 두 수의 곱셈의 결과에서 일의 자리 숫자를 씁니다.
규칙2 2부터 시작하는 가로줄은 2, 4, 6, 8, 0이 반복됩니다.
규칙3 9부터 시작하는 세로줄은 1씩 작아집니다.

2 도형의 배열에서 규칙 찾기

첫째 둘째 셋째 넷째

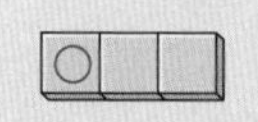
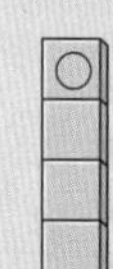
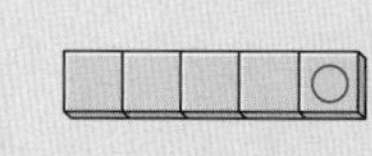

규칙 ○ 표시된 모양을 중심으로 시계 방향으로 돌리기 하며 모양이 1개씩 늘어납니다.

개념 PLUS

★ 수 배열표에서 또 다른 규칙 찾기
- 2405부터 시작하여 왼쪽으로 100씩 작아집니다.
- 5205부터 시작하여 위쪽으로 1000씩 작아집니다.
- 5005부터 시작하여 ↗ 방향으로 900씩 작아집니다.

1 수 배열의 규칙에 맞게 ■에 알맞은 수를 구해 보시오.

10001	11002	12003	13004
20001	21002	22003	23004
30001	31002	32003	33004
40001	41002	42003	43004
50001	51002	■	53004

(　　　　　　)

[2~3] 수 배열표를 보고 물음에 답하시오.

+	205	206	207	208	209
11	6	7	8	9	0
12	7	8	9	0	1
13	8	9	0	1	2
14	9	0	1	2	●
15	■	1	2	3	4

2 규칙적인 수의 배열에서 ■, ●에 알맞은 수를 구해 보시오.

■ (　　　　　　)
● (　　　　　　)

3 수 배열의 규칙을 써 보시오.

규칙

4 규칙적인 도형의 배열을 보고 여덟째에 올 도형에서 모양은 몇 개인지 구해 보시오.

첫째　둘째　셋째　넷째

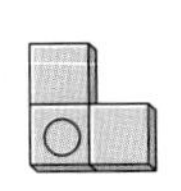
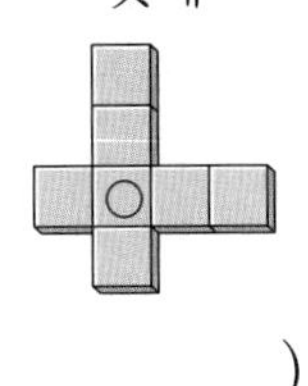

(　　　　　　)

5 규칙적인 수의 배열에서 ■, ●에 알맞은 수를 구해 보시오.

1200	600	■	150	
	48000	24000	●	6000

■ (　　　　　　)
● (　　　　　　)

6 도형과 관련된 수의 규칙을 찾아 빈칸에 알맞은 도형의 그림을 그리고, □ 안에 알맞은 수를 써넣으시오.

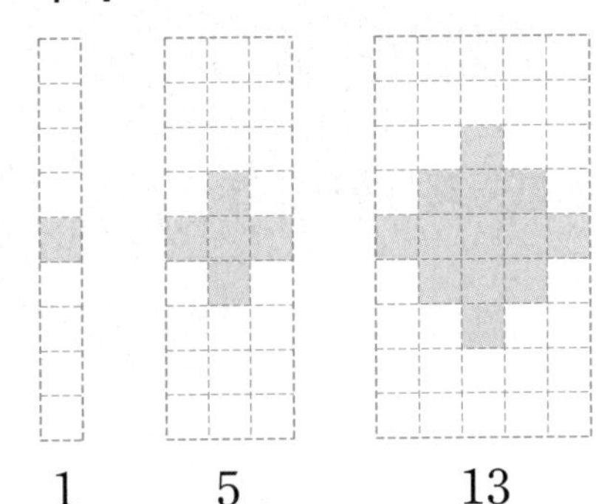

1　5　13

25　□

STEP 1 핵심 개념과 문제

3 계산식에서 규칙 찾기

● 덧셈식의 배열에서 규칙 찾기

순서	덧셈식
첫째	$1+2+1=4$ → 2×2
둘째	$1+2+3+2+1=9$ → 3×3
셋째	$1+2+3+4+3+2+1=16$ → 4×4
넷째	$1+2+3+4+5+4+3+2+1=25$ → 5×5

규칙 ▶ 덧셈식의 가운데 수가 1씩 커지고, 계산 결과는 덧셈식의 가운데 수를 두 번 곱한 것과 같습니다.

● 곱셈식의 배열에서 규칙 찾기

순서	곱셈식
첫째	$1\times1=1$
둘째	$11\times11=121$
셋째	$111\times111=12321$
넷째	$1111\times1111=1234321$

규칙 ▶ 단계가 올라갈수록 1이 1개씩 늘어나는 수를 두 번 곱하고, 계산 결과는 자릿수가 2개씩 늘어납니다.

개념 PLUS

★ 곱셈식의 배열에서 또 다른 규칙 찾기
- 계산 결과에서 가운데 오는 숫자는 그 단계의 숫자입니다.
- 계산 결과는 가운데를 중심으로 접으면 같은 숫자가 만납니다.

4 규칙적인 계산식 찾기

131	132	133	134	135	136	137
138	139	140	141	142	143	144
145	146	147	148	149	150	151

규칙적인 계산식 1

$131+139=132+138$
$132+140=133+139$
$133+141=134+140$
$134+142=135+141$
$135+143=136+142$
$136+144=137+143$
⋮

규칙적인 계산식 2

$131+139+147=133+139+145$
$132+140+148=134+140+146$
$133+141+149=135+141+147$
$134+142+150=136+142+148$
$135+143+151=137+143+149$

개념 PLUS

★ 수의 배열에서 또 다른 규칙적인 계산식 찾기
- 맨 아래의 가로줄의 수에서 맨 위의 가로줄의 수를 빼면 모두 14가 됩니다.

$145-131=14$
$146-132=14$
$147-133=14$
⋮

- 연결된 세 수의 합은 가운데 있는 수의 3배입니다.

$131+139+147=139\times3$
$132+140+148=140\times3$
$133+141+149=141\times3$
⋮

1 덧셈식의 규칙에 따라 □ 안에 알맞은 수를 써넣으시오.

$$2000 + 2000 = 4000$$
$$\square + 3000 = 6000$$
$$4000 + \square = 8000$$
$$5000 + 5000 = \square$$

2 계산식 배열의 규칙에 맞게 빈칸에 알맞은 식을 써넣으시오.

$$6 \times 107 = 642$$
$$6 \times 1007 = 6042$$
$$\square$$
$$6 \times 100007 = 600042$$
$$6 \times 1000007 = 6000042$$

3 수 배열에서 규칙적인 계산식을 찾아 빈칸에 알맞은 식을 써넣으시오.

710	720	730	740	750
810	820	830	840	850
910	920	930	940	950

$$710 + 820 + 930 = 730 + 820 + 910$$
$$720 + 830 + 940 = 740 + 830 + 920$$
$$\square$$

4 보기 의 규칙을 이용하여 나누는 수가 5일 때의 계산식을 2개 더 써 보시오.

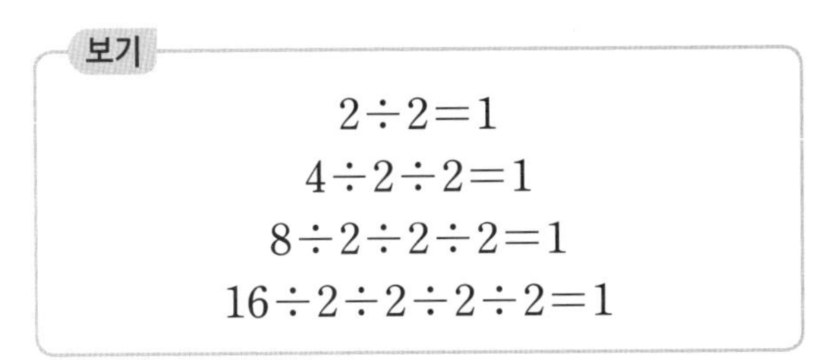
보기

$$2 \div 2 = 1$$
$$4 \div 2 \div 2 = 1$$
$$8 \div 2 \div 2 \div 2 = 1$$
$$16 \div 2 \div 2 \div 2 \div 2 = 1$$

계산식

$$5 \div 5 = 1$$
$$25 \div 5 \div 5 = 1$$
$$\square$$
$$\square$$

5 계산식에는 어떤 규칙이 있는지 써 보시오.

순서	계산식
첫째	$100+500-200=400$
둘째	$200+600-300=500$
셋째	$300+700-400=600$
넷째	$400+800-500=700$

규칙 ______________________________

____

6 곱셈식에서 규칙을 찾아 계산 결과가 11111111155555556이 나오는 곱셈식을 써 보시오.

순서	곱셈식
첫째	$34 \times 34 = 1156$
둘째	$334 \times 334 = 111556$
셋째	$3334 \times 3334 = 11115556$
넷째	$33334 \times 33334 = 1111155556$

식 ______________________________

상위권 문제

대표유형 1 수의 배열에서 규칙 찾기

수 배열의 규칙에 맞게 ■에 알맞은 수를 구해 보시오.

1220	1240	1260	1280	1300
2220	2240	2260	2280	2300
4220	4240	4260	4280	4300
7220	7240	7260	■	7300

(1) 규칙을 찾아 □ 안에 알맞은 수를 써넣으시오.

세로줄은 아래쪽으로 1000, □, □씩 커집니다.

(2) ■에 알맞은 수는 얼마입니까?

( )

비법 PLUS +

수 배열에서 어느 자리 수가 얼마만큼씩 커지는지 또는 작아지는지 규칙을 찾아봅니다.

유제 1 수 배열의 규칙에 맞게 빈칸에 알맞은 수를 써넣으시오.

33	36	39	42	45
2033	2036	2039	2042	2045
6033	6036		6042	6045
12033	12036	12039	12042	

유제 2 조건 을 만족하는 규칙적인 수의 배열을 찾아 색칠하고, ■에 알맞은 수를 구해 보시오.

■				
	55231	55241	55251	55261
	65231	65241	65251	65261
	75231	75241	75251	75261
	85231	85241	85251	85261

조건

- 가장 큰 수는 85261입니다.
- ↖ 방향으로 다음 수는 앞의 수보다 10010씩 작아집니다.

( )

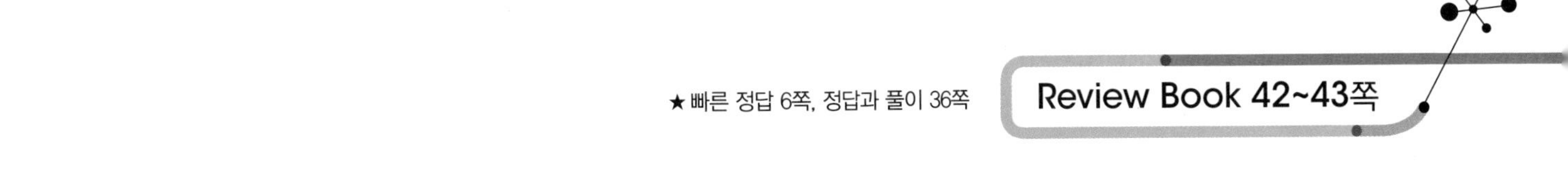

대표유형 2

계산식에서 규칙 찾기

덧셈식에서 규칙을 찾아 계산 결과가 100000001이 나오는 덧셈식을 써 보시오.

순서	덧셈식
첫째	$89+12=101$
둘째	$889+112=1001$
셋째	$8889+1112=10001$
넷째	$88889+11112=100001$

(1) 규칙을 찾아 □ 안에 알맞은 수를 써넣으시오.

- 더해지는 수는 8이 1개씩 늘어나고, 더하는 수는 1이 □개씩 늘어납니다.
- 계산 결과는 0이 □개씩 늘어납니다.

(2) 계산 결과가 100000001이 나오는 덧셈식을 써 보시오.

(　　　　　　　　　　　　　　　　)

비법 PLUS +

계산식에서 반복되는 숫자가 무엇인지 또는 늘어나는 숫자가 무엇인지 규칙을 찾아봅니다.

유제 3

나눗셈식에서 규칙을 찾아 81로 나누었을 때 값이 123456789가 되는 수를 구해 보시오.

순서	나눗셈식
첫째	$1111111101\div9=123456789$
둘째	$2222222202\div18=123456789$
셋째	$3333333303\div27=123456789$
넷째	$4444444404\div36=123456789$

(　　　　　　　　　　　　　　　　)

STEP 2 상위권 문제

대표유형 3 도형의 배열에서 규칙 찾기

규칙적인 도형의 배열을 보고 열째에 올 모형은 몇 개인지 구해 보시오.

첫째 둘째 셋째 넷째

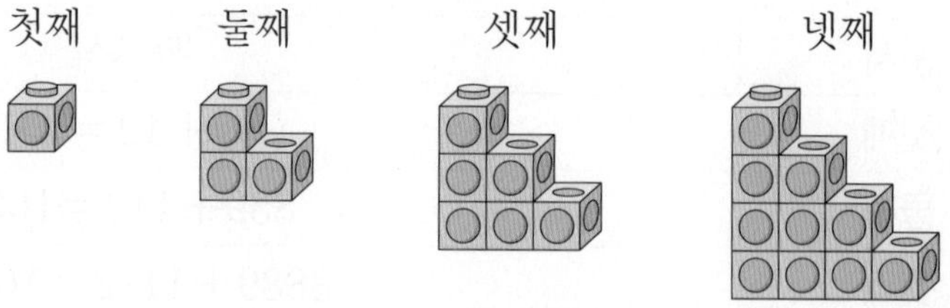

(1) 규칙을 찾아 □ 안에 알맞은 수를 써넣으시오.

모형의 수가 1개부터 시작하여 2개, □개, □개 ……씩 점점 더 늘어나는 모양입니다.

(2) 열째에 올 모형은 몇 개입니까?

( )

비법 PLUS +

■째에 올 모형의 수
⇨ (1+2+……+■)개

유제 4 규칙적인 도형의 배열을 보고 20째에 올 모형은 몇 개인지 구해 보시오.

첫째 둘째 셋째 넷째

( )

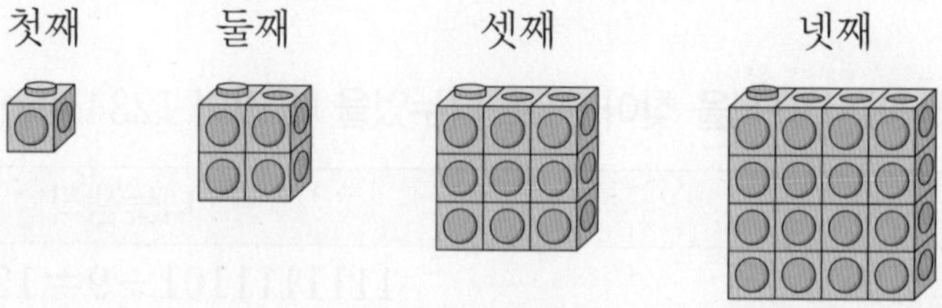

• 서술형 문제 •

유제 5 그림과 같이 규칙에 따라 바둑돌을 놓으려고 합니다. 열째까지 놓기 위해 필요한 바둑돌은 모두 몇 개인지 풀이 과정을 쓰고 답을 구해 보시오.

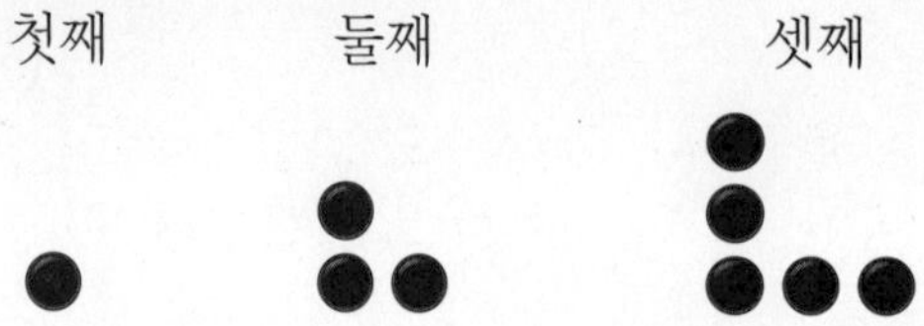

첫째 둘째 셋째

풀이

답

대표유형 4 규칙적인 계산식 찾기

수 배열에서 규칙적인 계산식을 찾아 ㉠에 알맞은 수를 구해 보시오.

1001	1003	1005	1007	1009	1011
1002	1004	1006	1008	1010	1012

$$1007+1009+1011=\boxed{㉠}\times 3$$

(1) □ 안에 알맞은 수를 써넣으시오.

$$1001+1003+1005=1003\times\square$$

$$1003+1005+1007=1005\times\square$$

$$1005+1007+1009=1007\times\square$$

(2) ㉠에 알맞은 수는 얼마입니까?

(　　　　　　　　)

비법 PLUS +

(연결된 세 수의 합)
=(가운데 있는 수)×3

유제 6 □ 안에 있는 수 배열에서 규칙적인 계산식을 찾아 ㉠에 알맞은 수를 구해 보시오.

일	월	화	수	목	금	토
1	2	3	4	5	6	7
8	9	10	11	12	13	14
15	16	17	18	19	20	21
22	23	24	25	26	27	28
29	30	31				

$$11+12+13+18+19+20+25+26+27=\boxed{㉠}\times 9$$

(　　　　　　　　)

유제 7 흰색, 검은색 바둑돌에 표시된 수의 배열에서 규칙적인 계산식을 찾아 ㉠에 알맞은 수를 구해 보시오.

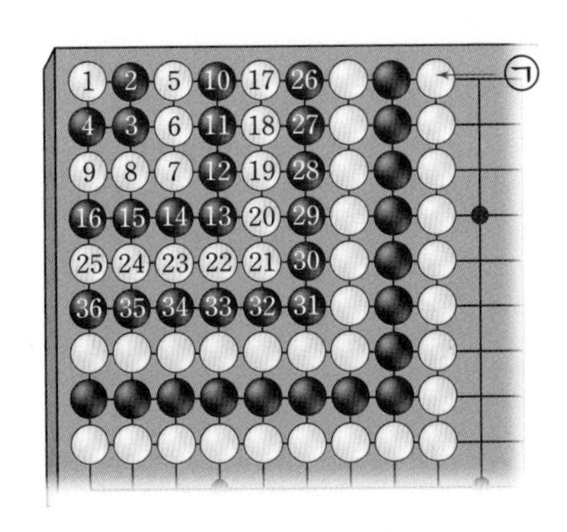

(　　　　　　　　)

대표유형 5 늘어놓은 바둑돌에서 규칙 찾기

그림과 같은 규칙으로 바둑돌을 늘어놓았습니다. 50째에 놓이는 바둑돌은 무슨 색인지 구해 보시오.

●○●●○●●●○●●○●●●○●●……

(1) 바둑돌이 반복되는 부분을 찾아 ○표 하시오.

●○●●○●●●　　　　●○●●○●●

(　　　　)　　　　(　　　　)

(2) 50째에 놓이는 바둑돌은 무슨 색입니까?

(　　　　　　)

비법 PLUS +

늘어놓은 바둑돌에서 반복되는 바둑돌 또는 늘어나는 바둑돌의 수를 살펴보아 규칙을 찾아봅니다.

유제 8

그림과 같은 규칙으로 바둑돌을 늘어놓았습니다. 60째에 놓이는 바둑돌은 무슨 색인지 구해 보시오.

●○○●●●○○○○●●●●●……

(　　　　　　)

유제 9

• 서술형 문제 •

그림과 같은 규칙으로 색종이를 늘어놓았습니다. 100째에 놓이는 모양과 색깔은 무엇인지 풀이 과정을 쓰고 답을 구해 보시오.

★▲●●★▲●●★▲●●★▲●……

풀이

답　　　　　　,

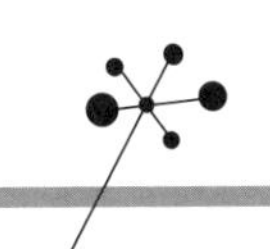

신유형 6 도형 속의 수를 보고 빈칸에 알맞은 수 찾기

도형 속의 수를 보고 빈칸에 알맞은 수를 써넣으시오.

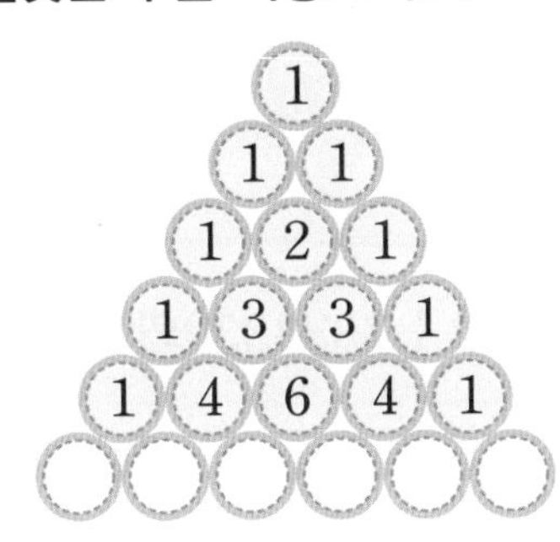

(1) 도형 속의 수에는 어떤 규칙이 있는지 써 보시오.

규칙 ______________________

(2) 빈칸에 알맞은 수를 써넣으시오.

신유형 PLUS +

파스칼의 삼각형
파스칼의 삼각형이란 자연수를 삼각형 모양으로 배열한 것을 말합니다. 이는 원래 중국인에 의해 만들어졌으나 수학자 파스칼이 체계적인 이론을 만들고 그 속에서 흥미로운 성질을 발견했기 때문에 파스칼의 삼각형이라고 부르게 되었습니다.

유제 10 도형 속의 수를 보고 ㉠과 ㉡에 알맞은 수의 합을 구해 보시오.

1 ← 첫째
1 1 ← 둘째
1 2 1 ← 셋째
1 3 3 1 ← 넷째
1 4 6 4 1 ← 다섯째
← 여섯째
㉠ ㉡ ← 일곱째

( )

유제 11 위 유제 ⑩의 도형 속의 수를 보고 여덟째 줄에 알맞은 수들의 합을 구해 보시오.

( )

상위권 문제 확인과 응용

비법 PLUS +

1 수 배열의 규칙에 맞게 ㉠과 ㉡에 알맞은 수의 차를 구해 보시오.

28672 — ㉠ — 1792 — ㉡ — 112 — 28

(　　　　　　　　)

2 덧셈식에서 규칙을 찾아 6666662＋3333339의 값을 구해 보시오.

- 더하는 두 수의 규칙과 계산 결과의 규칙을 찾으면 주어진 식을 계산하지 않고 답을 구할 수 있습니다.

62＋39＝101
662＋339＝□
6662＋3339＝□
66662＋33339＝□

(　　　　　　　　)

3 규칙에 따라 수를 배열한 것입니다. ■에 알맞은 수를 구해 보시오.

×	1	2	3	4	5	6	7	8	9	10
1	1	2	3	4	5	6	7	8	0	1
2	2	4	6	8	1	3	5	7	0	2
3	3	6	0	3	6	0	3	6	0	3
4	4	8	3	7	2	6	1	5	0	4
5	5	1	6	2	7	3	■	4	0	5

(　　　　　　　　)

• 서술형 문제 •

4 다음과 같이 규칙에 따라 수를 늘어놓을 때 열째에 올 수는 얼마인지 풀이 과정을 쓰고 답을 구해 보시오.

1　1　2　3　5　8　13　21……

풀이

답

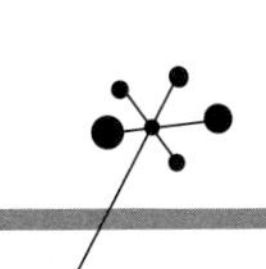

5 ㉮는 규칙에 따라 수를 써넣은 것입니다. 이와 같은 규칙으로 ㉯의 ●에 알맞은 수를 구해 보시오.

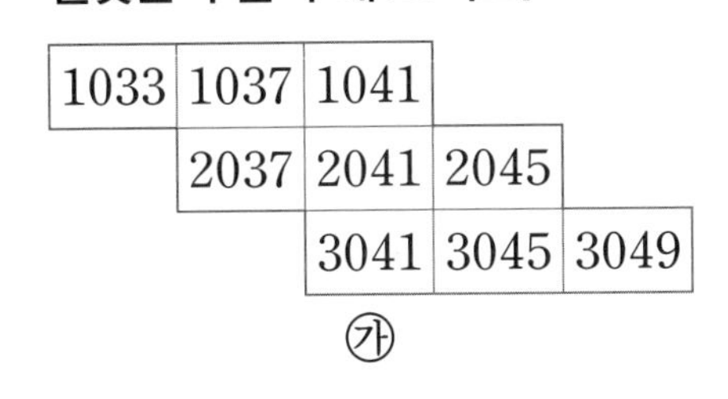

57812	57816	57820			
					●

㉯

( )

비법 PLUS +

- ㉮의 가로줄은 1033부터 시작하여 오른쪽으로 4씩 커지고, 세로줄은 1041부터 시작하여 아래쪽으로 1000씩 커지는 것을 이용하여 ↘ 방향으로 몇씩 커지는지 구해 봅니다.

6 그림과 같은 규칙으로 바둑돌을 100개 늘어놓을 때 흰색 바둑돌은 모두 몇 개인지 구해 보시오.

●○○●●○●○○●●○●○○●●○……

( )

• 서술형 문제 •

7 달력에서 어떤 주의 화요일부터 토요일까지 5일 동안의 날짜의 합이 45였습니다. 이 주의 월요일부터 3주 후의 날짜는 며칠인지 풀이 과정을 쓰고 답을 구해 보시오.

풀이 ________________

____

____

답 ________________

- 연결된 다섯 수의 합은 가운데 있는 수의 5배입니다.

8 그림과 같은 규칙으로 구슬을 놓았습니다. 빨간색 구슬이 19개일 때 파란색 구슬은 몇 개인지 구해 보시오.

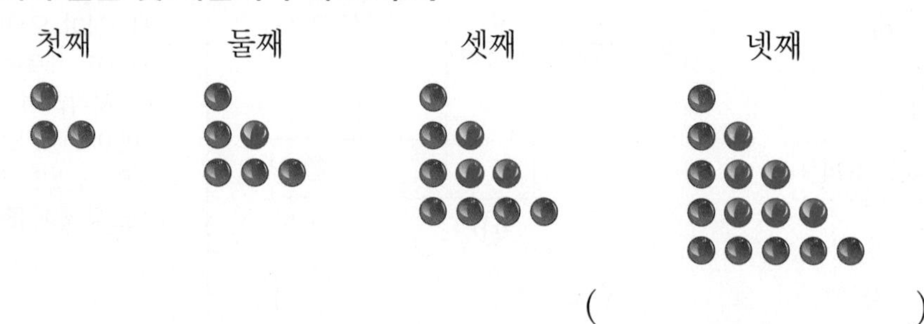

(　　　　　　　　　)

9 다음과 같은 규칙으로 수를 배열할 때 25째에는 15가 몇 개 있는지 구해 보시오.

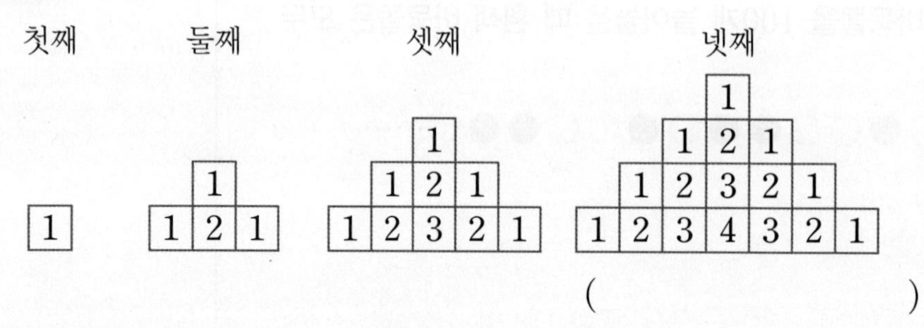

(　　　　　　　　　)

10 그림과 같은 규칙으로 성냥개비를 놓아 큰 삼각형 모양을 만들어갈 때 삼각형 ㄱㄴㄷ과 크기와 모양이 같은 삼각형이 둘째에는 4개, 셋째에는 9개가 됩니다. 삼각형 ㄱㄴㄷ과 크기와 모양이 같은 삼각형이 49개가 되는 큰 삼각형을 만들 때 필요한 성냥개비는 몇 개인지 구해 보시오.

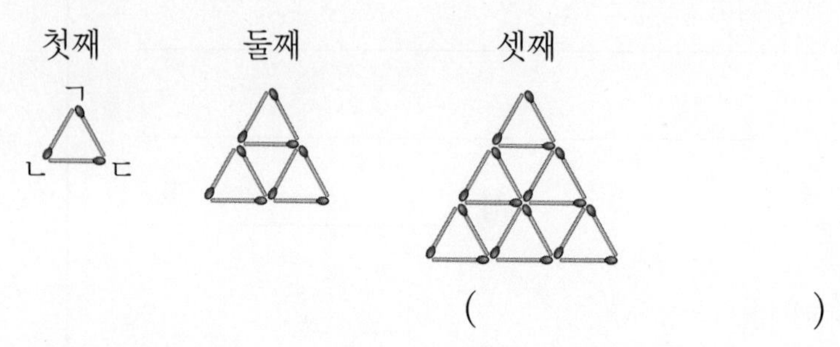

(　　　　　　　　　)

비법 PLUS +

- 빨간색 구슬이 19개일 때는 몇째인지 먼저 알아봅니다.

창의융합형 문제

11 독일의 수학자 로타르 콜라츠(1910∼1990)는 1937년에 아주 단순하면서도 재미있는 문제를 냈습니다. 그의 이름을 따서 '콜라츠의 추측'이라 불리는 '우박수' 문제는 다음과 같습니다.

콜라츠의 우박수 계산 방법

① 자연수를 하나 고릅니다.
② 짝수이면 2로 나누고 홀수이면 3을 곱하고 1을 더합니다.
③ 위 ②의 과정을 반복하면 그 결과는 항상 1이 됩니다.
예 5 → 16 → 8 → 4 → 2 → 1

우박수가 길어지려면 7과 12 중에서 어떤 수를 골라야 하는지 구해 보시오.

( )

12 오각수는 그림과 같이 점의 수를 늘려가면서 정오각형 모양의 배열을 계속해서 나타낼 수 있는 수입니다. 이때 각각의 정오각형 모양의 배열을 만드는 점의 수로 이루어진 수들 1, 5, 12, 22……에서 각각의 수가 오각수에 해당합니다. 여덟째에 만들어지는 오각수는 얼마인지 구해 보시오.

(정오각형: 5개의 변의 길이가 같은 오각형)

첫째	둘째	셋째	넷째
1	5	12	22

( )

창의융합 PLUS +

우박수 (hailstone number)
수가 커졌다 작아졌다를 반복하다가 어느 순간 계속 작아져서 1이 되는 모습이 마치 우박이 구름 속에서 오르내리며 자라다가 지상으로 떨어지는 것과 비슷하다는 뜻에서 '우박수'라고 부릅니다.

도형수 (figurate number)
도형수란 정다각형(변의 길이가 모두 같고 각의 크기가 모두 같은 선분으로만 둘러싸인 도형)과 그 내부에 점들을 일정한 간격으로 배열하였을 때, 그 점들의 개수로 나타나는 수들입니다.

최상위권 문제

• 문제 풀이 동영상 

1 보기 와 같이 십의 자리 수와 일의 자리 수를 곱하여 그 값이 한 자리 수가 될 때까지 계산합니다. 마지막 값이 6이 되는 두 자리 수는 모두 몇 개인지 구해 보시오.

보기

75 → 35 → 15 → 5

( )

2 다음과 같이 규칙적으로 수를 배열할 때 여섯째 줄의 여섯째 수를 구해 보시오.

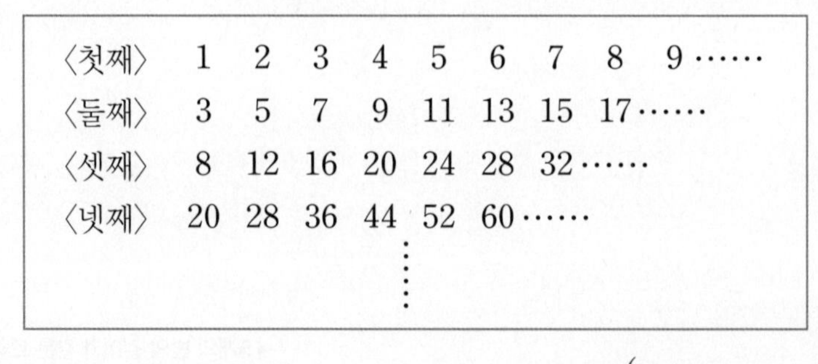

〈첫째〉	1	2	3	4	5	6	7	8	9 ······
〈둘째〉	3	5	7	9	11	13	15	17 ······	
〈셋째〉	8	12	16	20	24	28	32 ······		
〈넷째〉	20	28	36	44	52	60 ······			
				⋮					

( )

3 그림과 같은 규칙으로 바둑돌을 놓았습니다. 여섯째까지 놓인 검은색 바둑돌과 흰색 바둑돌의 수의 차는 몇 개인지 구해 보시오.

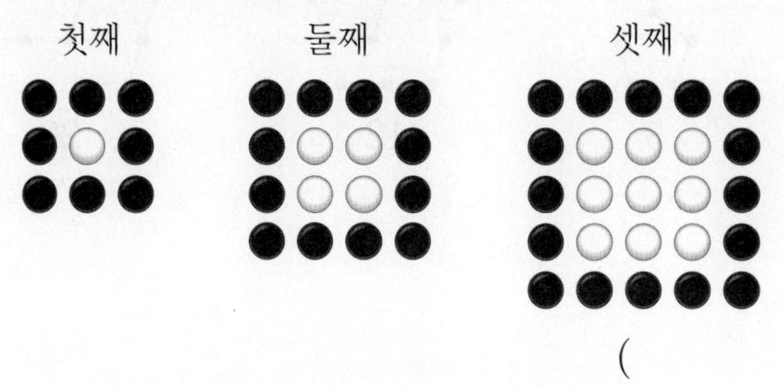

( )

4 그림과 같은 규칙으로 △과 □을 늘어놓았습니다. 모두 123개를 늘어놓을 때 △과 □의 수의 차는 몇 개인지 구해 보시오.

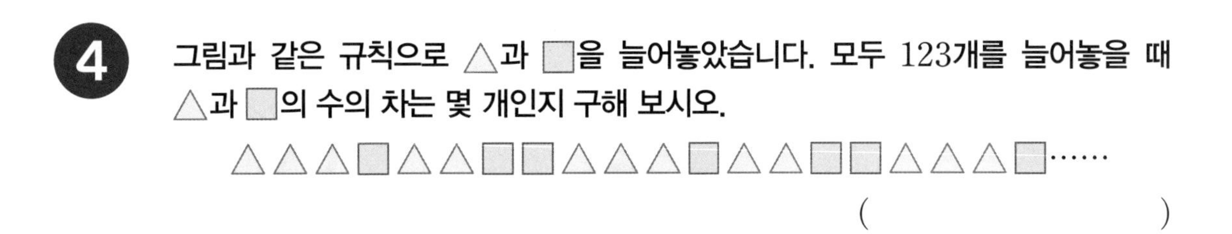

( )

5 다음은 1부터 400까지의 수를 배열한 것입니다. (1, 2)=4, (3, 3)=7로 나타낼 때 (15, 17)의 값은 얼마인지 구해 보시오.

	1	2	3	4	5	……	19	20
1	1	4	9	16	25			400
2	2	3	8	15	24			
3	5	6	7	14	23			
4	10	11	12	13	22			
5	17	18	19	20	21			
⋮						⋱		
19								
20								

( )

6 다음과 같이 규칙적으로 수를 배열할 때 네 개의 귀퉁이에 있는 1, 13, ㉠, ㉡의 수의 합은 366입니다. ㉠에 알맞은 수를 구해 보시오.

1	2	3	4	5	6	7	8	9	10	11	12	13
26	25	24	23	22	21	20	19	18	17	16	15	14
27	28	29	30	31	32	33	34	35	36	37	38	39
52	51	50	49	48	47	46	45	44	43	42	41	40
53	54	55	56……									
						⋮						
㉠												㉡

( )

카를 프리드리히 가우스 (Carl Friedrich Gauss)

- **출생~사망:** 1777~1855
- **국적:** 독일
- **업적:** 아르키메데스, 뉴턴과 함께 3대 수학자로 꼽히며 정17각형을 그리는 방법을 알아내어 수론(수의 성질에 대해 연구하는 학문)이 수학에서 중요한 자리를 차지하는데 큰 역할을 하였습니다. 1부터 100까지의 합을 규칙을 찾아 구한 이야기는 그의 천재성을 보여 줍니다.

개념+유형
최상위 탑

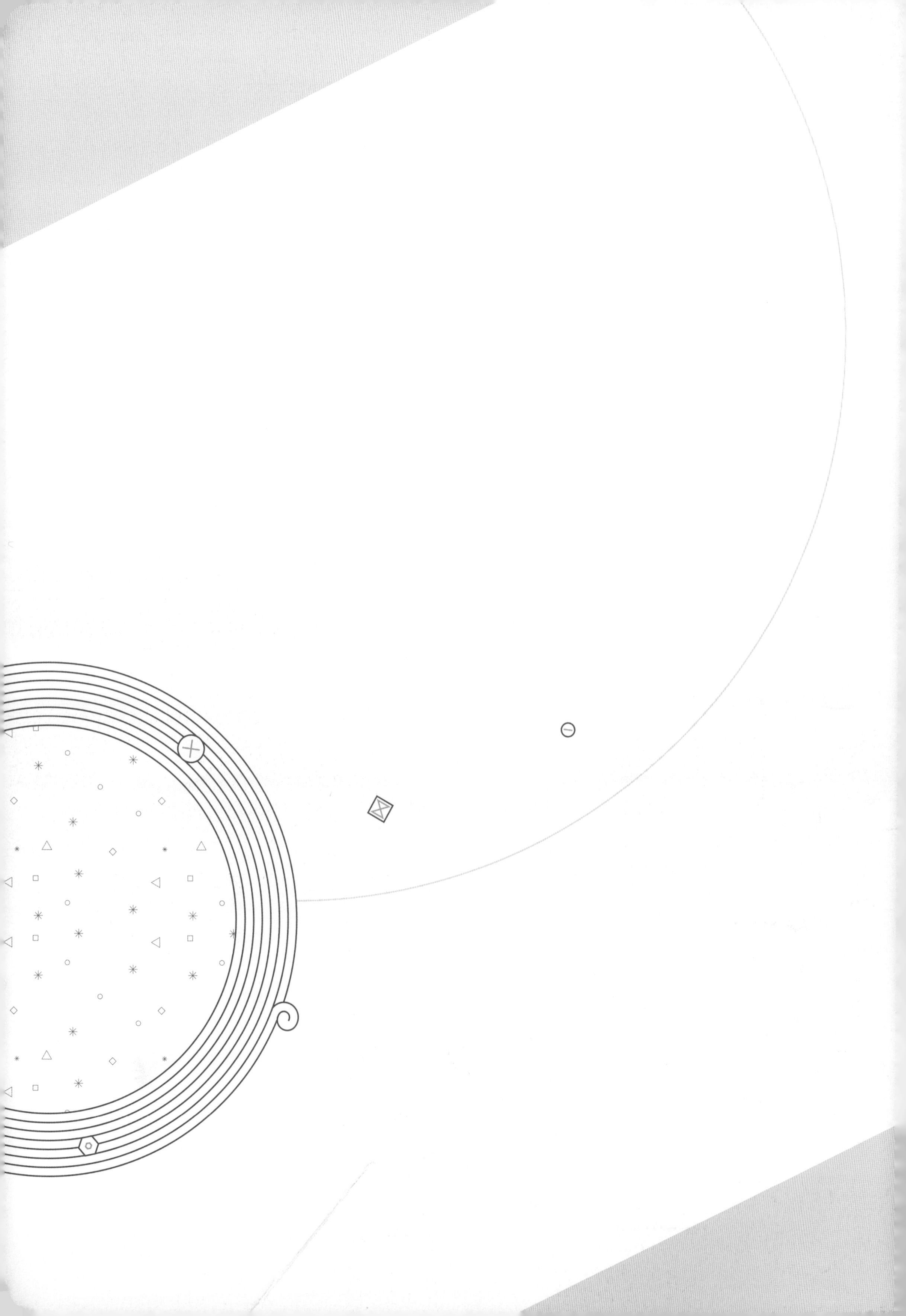

15개정 교육과정

개념+유형 최상위 탑

정답과 풀이

초등 수학

4·1

visang

ABOVE IMAGINATION

우리는 남다른 상상과 혁신으로
교육 문화의 새로운 전형을 만들어
모든 이의 행복한 경험과 성장에 기여한다

개념+유형 최상위 탑

정답과 풀이

4·1

Top Book

Review Book

빠른 정답

Top Book

1 큰 수

7쪽 핵심 개념과 문제

1 ㉢
2 ㉣
3 17920원
4 21690000 또는 2169만
5 만의 자리 숫자
6 40678

9쪽 핵심 개념과 문제

1 1조
2 ㉡
3 4억 1620만
4 700000000, 70000
5 0, 1, 2, 3
6 4730조

10~17쪽 상위권 문제

유형 1 (1) 603000724 (2) 4개
유제 1 5개
유제 2 상민
유형 2 (1) 500000000 / 5000000000 (2) 10배
유제 3 100배
유제 4 1000배
유형 3 (1) 160000, 34000, 5200, 100
(2) 199300원
유제 5 3861500원
유제 6 1021200000원
유형 4 (1) □□□7□□□□ (만, 일) (2) 96574310
유제 7 104236789
유제 8 2002955889
유형 5 (1) 600만 (2) 3억 6800만
유제 9 6조 5000억
유제 10 930억 / 2530억
유형 6 (1) 10, 10, 같습니다 (2) ㉠
유제 11 >
유제 12 ㉠, ㉢, ㉡
유형 7 (1) 9□□5□□□□ (만, 일) (2) 9405000
유제 13 1042375689
유제 14 3879465210
유형 8 (1) 3000만 원 (2) 2023년
유제 15 2022년
유제 16 2025년

18~21쪽 상위권 문제 | 확인과 응용

1 5
2 69장 / 7장
3 43
4 6조 3545억
5 3, 4, 5
6 554433221010 / 100122334545
7 4억 5440만
8 7조 100억
9 3개
10 약 300 cm
11 54145
12 수성, 금성, 지구, 화성, 목성, 토성, 천왕성, 해왕성

22~23쪽 최상위권 문제

1 46장
2 23쌍
3 8년 4개월
4 836932075
5 79988733110
6 5

2 각도

27쪽 핵심 개념과 문제

1 가
2 120 / 예 (ㄱ, ㄴ, ㄷ 각 그림)
3 4개
4 ③, ④
5 예 (그림)
6 90°

29쪽 핵심 개념과 문제

1 215° / 85°
2 45°
3 225°
4 35°
5 15°
6 15°

30~37쪽 상위권 문제

유형 1 (1) 55° (2) 35°
유제 1 25°
유제 2 20°
유형 2 (1) 85° (2) 95°
유제 3 45°
유제 4 65°
유형 3 (1) 45° (2) 105°
유제 5 105°
유제 6 165°
유형 4 (1) 720° (2) 120°
유제 7 108°
유제 8 45°

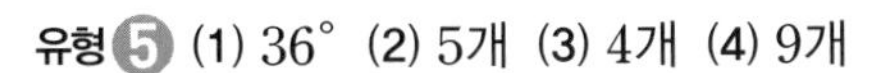

유형 5 (1) 36° (2) 5개 (3) 4개 (4) 9개

유제 9 5개 유제 10 18개

유형 6 (1) 90° / 15° (2) 105°

유제 11 135° 유제 12 100°

유형 7 (1) 55° (2) 125°

유제 13 125° 유제 14 110°

유형 8 (1) 60° (2) 120° (3) 60°

유제 15 20°

38~41쪽 상위권 문제 | 확인과 응용

1 둔각 2 360°

3 70° 4 105°

5 4개 / 4개 6 25°

7 72° 8 30°

9 70° 10 120°

11 25개 12 100°

42~43쪽 최상위권 문제

1 360° 2 27°

3 65° 4 115°

5 36° 6 18°

3 곱셈과 나눗셈

47쪽 핵심 개념과 문제

1 40×500

2 예
$$\begin{array}{r} 508 \\ \times \quad 47 \\ \hline 3556 \\ 2032 \\ \hline 23876 \end{array}$$

3 23000원 4 ㉠, ㉢, ㉡

5 8760번 6 346, 87, 30102

49쪽 핵심 개념과 문제

1 ㉠

2 ② $16)\overline{87}$ 몫 5, 80, 나머지 7 / ① $24)\overline{63}$ 몫 2, 48, 나머지 15 / ③ $22)\overline{90}$ 몫 4, 88, 나머지 2

3 7개, 11 cm 4 ③, ⑤

5 13일 6 143

50~57쪽 상위권 문제

유형 1 (1) 18 (2) 17

유제 1 25 유제 2 4

유형 2 (1) 8자루, 30자루 (2) 10자루

유제 3 26장 유제 4 3150원

유형 3 (1) 566 (2) 23, 14

유제 5 3, 16 유제 6 28455

유형 4 (1) 975 (2) 23 (3) 975, 23, 42, 9

유제 7 874, 13, 67, 3 유제 8 3

유형 5 (1) 45 (2) 46 (3) 46

유제 9 52 유제 10 48

유형 6 (1) 69 (2) 3, 40, 3, 69, 279 / 4, 20, 4, 69, 349 (3) 279

유제 11 454 유제 12 948

유형 7 (1) 4, 2 (2) 4, 6 (3) 16

유제 13 (위에서부터) 7, 9, 6, 4, 2, 4

유제 14 (위에서부터) 2, 6, 7, 5, 7, 1, 6

유형 8 (1) (위에서부터) 14, 168 / 7, 336 / 3, 672 / 1, 1344
(2) 2352

유제 15 2016

58~61쪽 상위권 문제 | 확인과 응용

1 645, 35, 15 2 4200원

3 140장 4 24

5 32 6 117 m

7 573 8 67

9 690번 10 154

11 7바퀴, 71일 12 식용유

62~63쪽 최상위권 문제

1 1 2 3

3 752, 94, 70688 4 30 cm

5 6개 6 1, 7, 8, 9

4 평면도형의 이동

67쪽 핵심 개념과 문제

1 1 cm 1 cm
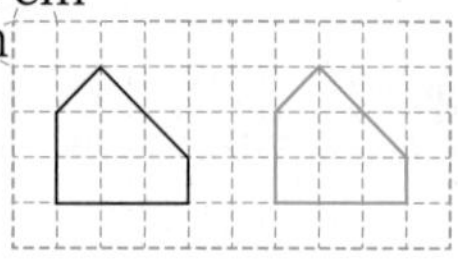

2 ⑤

3 예 왼쪽 모양을 시계 방향으로 90°만큼 돌리는 것을 반복해서 모양을 만들고, 그 모양을 오른쪽으로 밀어서 무늬를 만들었습니다.

4 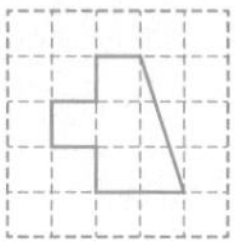

5 663

6 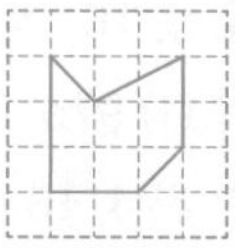

68~73쪽 상위권 문제

유형 1 (1) 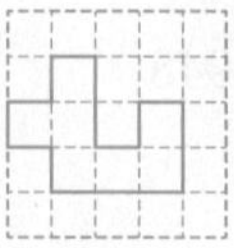 (2) 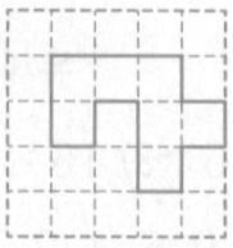

유제 1 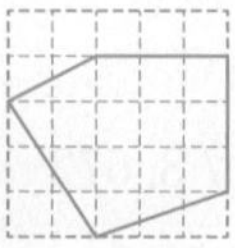

유제 2 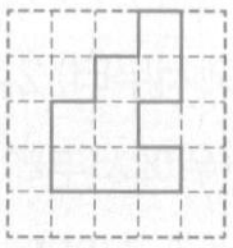

유형 2 (1) 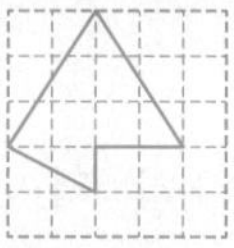 (2) 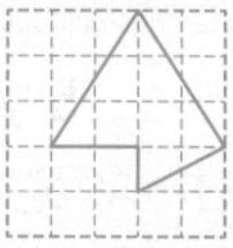

유제 3 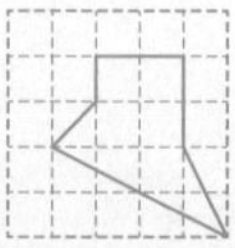

유제 4 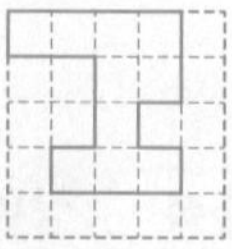

유형 3 (1) 652 (2) 259

유제 5 152

유제 6 99

유형 4 (1) 90 (2) 

유제 7 

유제 8 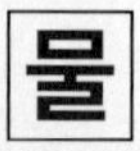

유형 5 (1) 오른쪽, 뒤집어서 (2) 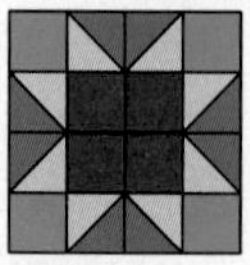

유제 9 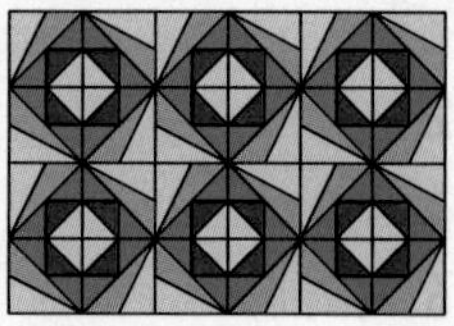

유형 6 (1) 예 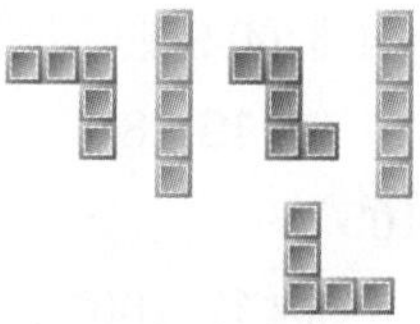

(2) 예 먼저 ⑧번 조각을 'ㄱ' 모양이 되도록 돌려놓고 ②번 조각을 ⑧번 조각의 오른쪽 옆으로 밀어서 '기'를 만듭니다. ⑫번 조각을 놓고 ②번 조각을 ⑫번 조각의 오른쪽 옆으로 밀고 ⑫번과 ②번 조각 밑으로 ⑧번 조각을 밀어서 '린'을 만듭니다.

유제 10 예 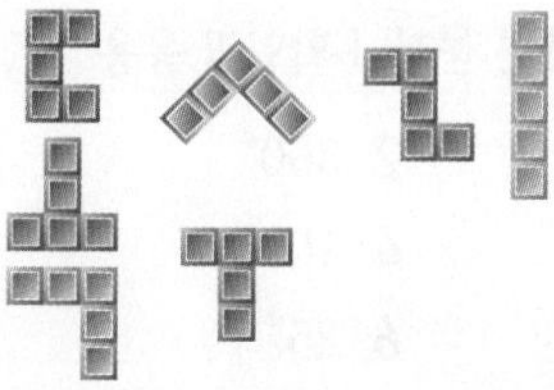

먼저 ⑦번 조각을 'ㄷ' 모양이 되도록 돌려놓고 ⑥번 조각을 위쪽으로 뒤집어서 ⑦번 조각 밑으로 밀고 ⑧번 조각을 'ㄱ' 모양이 되도록 돌려서 ⑥번 조각 아래로 밀어서 '독'을 만듭니다. ⑧번 조각을 'ㅅ' 모양이 되도록 돌려놓고 ⑥번 조각을 ⑧번 조각의 아래로 밀어서 '수'를 만듭니다. ⑫번 조각을 놓고 ②번 조각을 ⑫번 조각의 오른쪽 옆으로 밀어서 '리'를 만듭니다.

74~77쪽 상위권 문제 | 확인과 응용

1 ④

2 805

3 7개

4 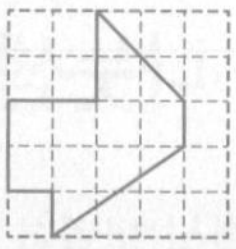

5 9시 25분

6 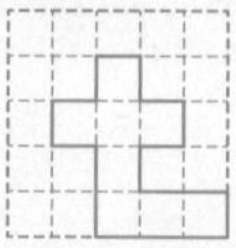

7 185

8 12시 55분

9 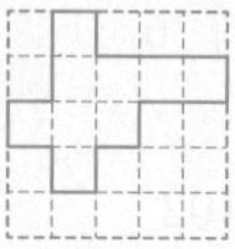

10 4개

11 8개

12 왼쪽 또는 오른쪽

78~79쪽 최상위권 문제

1 왼쪽 또는 오른쪽

2 17개

3 예 위쪽(아래쪽)으로 한 번 뒤집기

4 750

5 7개

6 6809, 9806

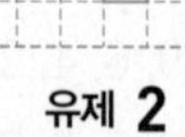

5 막대그래프

83쪽 핵심 개념과 문제

1 만화책, 과학책, 동화책, 위인전

2 막대그래프 **3** 9명

4 50상자

5 예 감은 70상자 팔았습니다.
/ 귤은 사과보다 30상자 더 적게 팔았습니다.

6 260상자

85쪽 핵심 개념과 문제

1 10 / 좋아하는 체육 활동별 학생 수

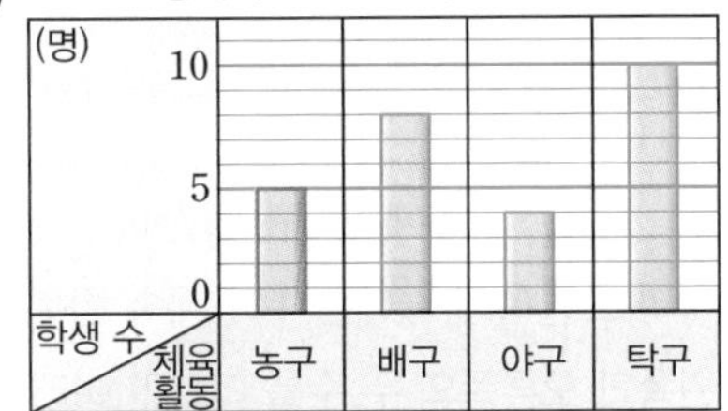

2 좋아하는 과목별 학생 수

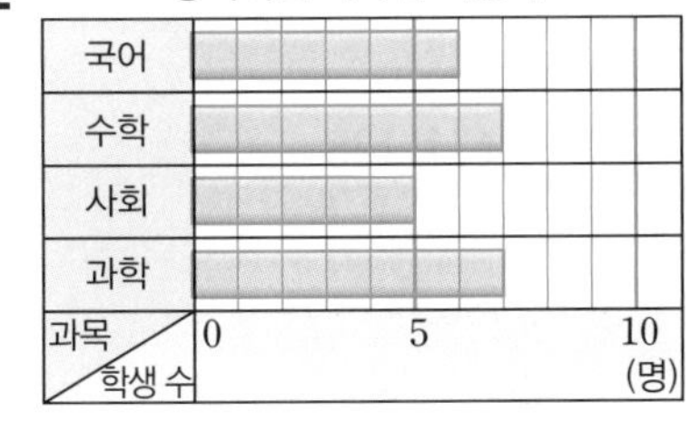

3 6세 **4** 알 수 없습니다.

5 예 83세일 것 같습니다. / 10년마다 평균 수명이 약 3세씩 늘어나고 있기 때문입니다.

86~91쪽 상위권 문제

유형 1 (1) 4명 (2) 8칸

유제 1 7상자 **유제 2** 7묶음

유형 2 (1) 120마리 (2) 100마리

유제 3 12명

유형 3 (1) 10개 (2) 80개

유제 4 125분 **유제 5** 16명

유형 4 (1) 4반 (2) 13명

유제 6 13명

유형 5 (1) 24명, 16명 (2) 40명

유제 7 140명 **유제 8** 8명

유형 6 (1) 54 킬로칼로리, 48 킬로칼로리, 30 킬로칼로리

(2) 운동 종류별 열량 소비량

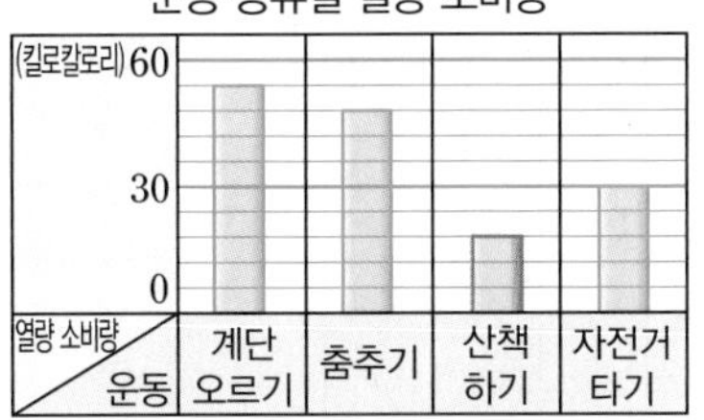

유제 9 가 보고 싶어 하는 도시별 학생 수

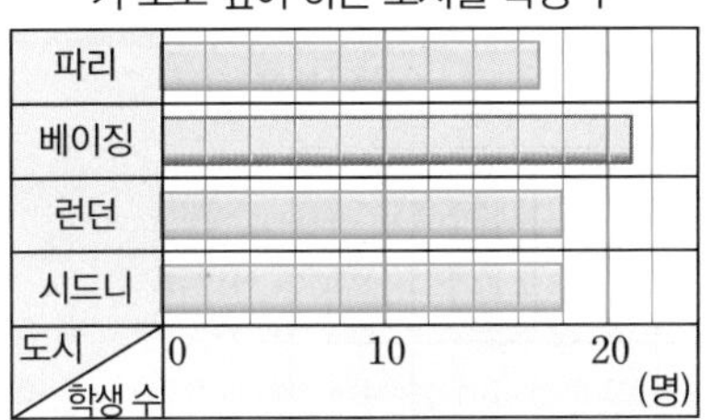

92~95쪽 상위권 문제 | 확인과 응용

1 5칸 **2** 2900원

3 좋아하는 계절별 학생 수

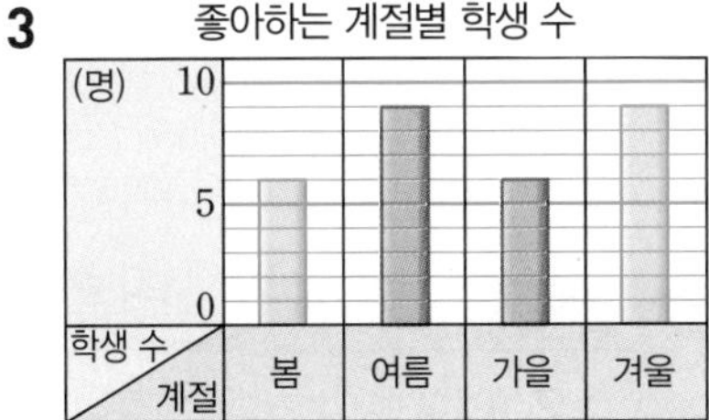

4 3칸 **5** 20분

6 예 기온이 오를수록 전기 사용량이 늘어납니다.

7 14명 **8** 14칸

9 11월 **10** 14명

11 나라별 획득한 금메달 수

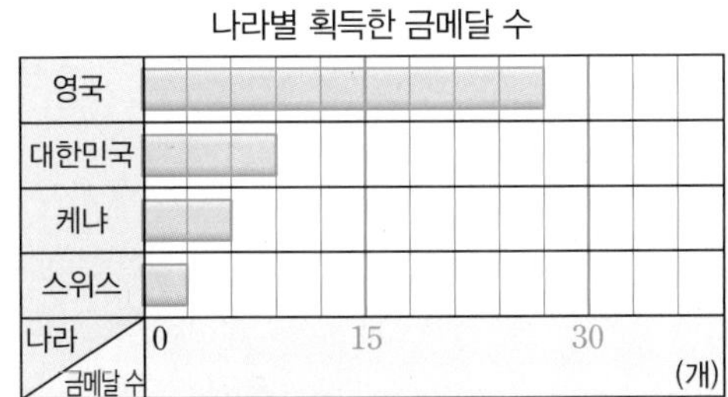

12 청소년기, 노년기, 성년기

96~97쪽 최상위권 문제

1 9칸 **2** 210마리

3 18000원

4 좋아하는 동물별 학생 수

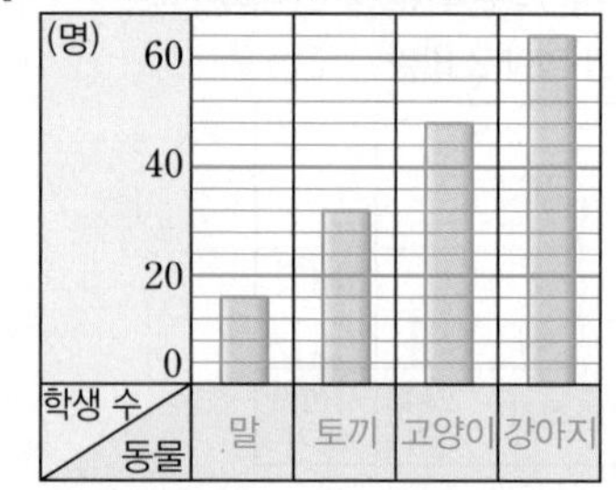

5 주황색, 8 m

6 구슬 수별 주머니 수

(개)
5
0
주머니 수
구슬 수
1개
2개
3개
4개

6 규칙 찾기

101쪽 핵심 개념과 문제

1 52003　　2 0 / 3

3 예 ↗ 방향에는 모두 같은 숫자가 있습니다.

4 15개　　5 300 / 12000

6 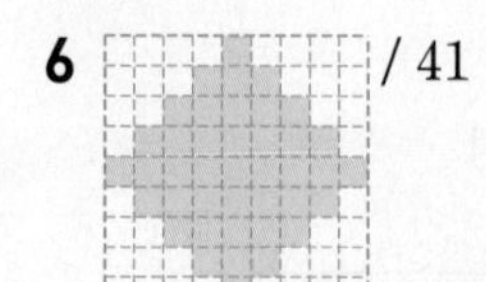 / 41

103쪽 핵심 개념과 문제

1 3000, 4000, 10000　　2 $6\times10007=60042$

3 $730+840+950=750+840+930$

4 예 $125\div5\div5\div5=1$, $625\div5\div5\div5\div5=1$

5 예 100씩 커지는 수에 각각 100씩 커지는 수를 더하고 각각 100씩 커지는 수를 빼면 계산 결과는 100씩 커집니다.

6 $333333334\times333333334=111111111555555556$

104~109쪽 상위권 문제

유형 1 (1) 2000, 3000 (2) 7280

유제 1 (위에서부터) 6039, 12045

유제 2 / 45221

55231	55241	55251	55261
65231	65241	65251	65261
75231	75241	75251	75261
85231	85241	85251	85261

유형 2 (1) 1, 1

(2) $88888889+11111112=100000001$

유제 3 9999999909

유형 3 (1) 3, 4 (2) 55개

유제 4 400개　　유제 5 100개

유형 4 (1) 3, 3, 3 (2) 1009

유제 6 19　　유제 7 65

유형 5 (1) ( )(○) (2) 검은색

유제 8 검은색　　유제 9 ●, 빨간색

유형 6 (1) 예 왼쪽과 오른쪽의 끝에는 1이 계속 반복되고, 윗줄의 왼쪽과 오른쪽의 두 수를 더하면 아래 수가 됩니다.

(2) 1, 5, 10, 10, 5, 1

유제 10 35　　유제 11 128

110~113쪽 상위권 문제 | 확인과 응용

1 6720　　2 10000001

3 8　　4 55

5 59828　　6 50개

7 27일　　8 36개

9 21개　　10 84개

11 7　　12 92

114~115쪽 최상위권 문제

1 13개　　2 272

3 17개　　4 33개

5 275　　6 182

Review Book

1 큰 수

2~3쪽 복습 · 상위권 문제

1 6개
2 10배
3 227720원
4 12536789
5 2조 4600억
6 ㉠
7 10030006
8 2022년

4~7쪽 복습 · 상위권 문제 | 확인과 응용

1 2
2 81장 / 4장
3 24
4 12억 7500만
5 5, 6
6 333222110100 / 100011223233
7 5조 8870억
8 10조 200억
9 4개
10 약 750 cm
11 24863
12 중국, 미국, 홍콩, 베트남, 일본, 싱가포르, 대만, 인도

8~9쪽 복습 · 최상위권 문제

1 11장
2 38쌍
3 8년 4개월
4 68294837
5 300223446699
6 4

2 각도

10~11쪽 복습 · 상위권 문제

1 30°
2 80°
3 120°
4 140°
5 5개
6 75°
7 70°
8 75°

12~15쪽 복습 · 상위권 문제 | 확인과 응용

1 둔각
2 540°
3 80°
4 135°
5 6개 / 7개
6 20°
7 135°
8 60°
9 105°
10 15°
11 5개
12 75°

16~17쪽 복습 · 최상위권 문제

1 360°
2 70°
3 140°
4 75°
5 60°
6 24°

3 곱셈과 나눗셈

18~19쪽 복습 · 상위권 문제

1 18
2 2개
3 14, 26
4 753, 12, 62, 9
5 63
6 622
7 (위에서부터) 6, 9, 1, 7, 2, 6, 5, 8, 6, 9, 3
8 2034

20~23쪽 복습 · 상위권 문제 | 확인과 응용

1 430, 18, 16
2 7000원
3 84장
4 9
5 21
6 52 m
7 473
8 56
9 1365번
10 996
11 21번
12 라 자동차

24~25쪽 복습 · 최상위권 문제

1 2
2 26
3 651, 93, 60543
4 15 cm
5 4개
6 6, 4

4 평면도형의 이동

26~27쪽 복습·상위권 문제

1

2 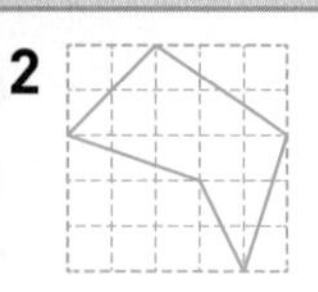

3 805

4 

5 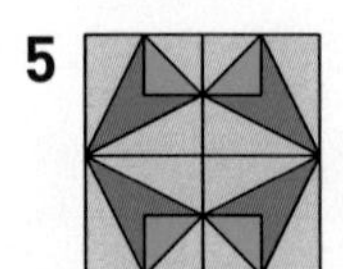

6 예 

먼저 ⑧번 조각을 놓고 ⑥번 조각을 아래쪽으로 뒤집어서 ⑧번 조각 밑으로 밀어서 '노'를 만듭니다. ⑫번 조각을 놓고 ⑪번 조각을 오른쪽으로 뒤집어서 ⑫번 조각 오른쪽으로 밀고 ②번 조각을 ⑪번 조각 오른쪽으로 밀어 붙여서 '래'를 만듭니다.

28~31쪽 복습·상위권 문제 | 확인과 응용

1 ④

2 823

3 8개

4

5 11시 32분

6

7 651

8 10시 1분

9

10 2개

11 9개

12 90

32~33쪽 복습·최상위권 문제

1 왼쪽 또는 오른쪽

2 16개

3 예 오른쪽(왼쪽)으로 한 번 뒤집기

4 954

5 8개

6 1825

5 막대그래프

34~35쪽 복습·상위권 문제

1 7칸

2 8개

3 90명

4 9명

5 34그릇

6 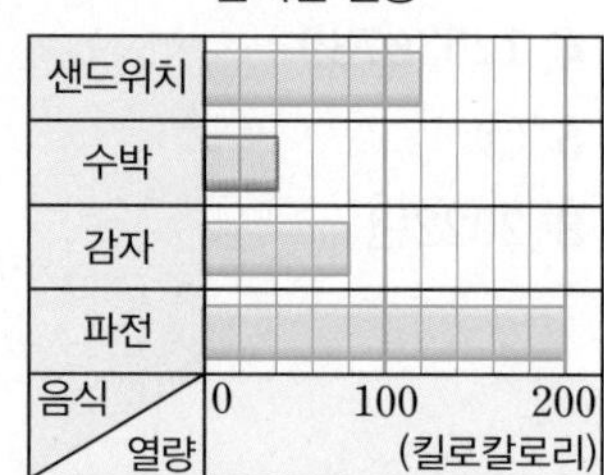

36~39쪽 복습·상위권 문제 | 확인과 응용

1 7칸

2 2700원

3 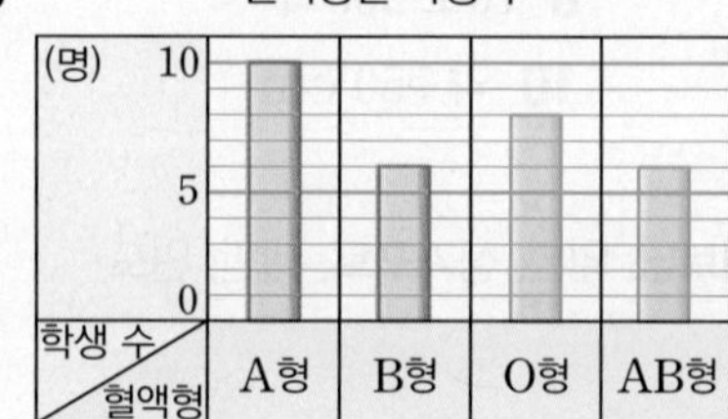

4 5칸

5 12분

6 예 기온이 오를수록 물 판매량이 늘어납니다.

7 27명

8 27칸

9 9월

10 20명

11 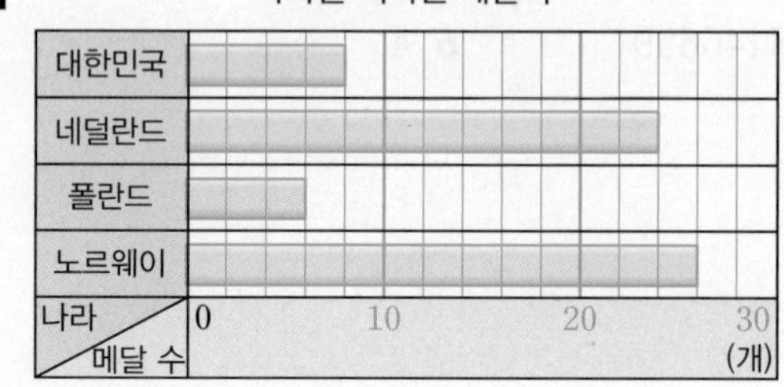

12 청소년기, 성년기, 노년기

40~41쪽 복습·최상위권 문제

1 3칸

2 280개

3 20000원

4 좋아하는 운동 종목별 학생 수

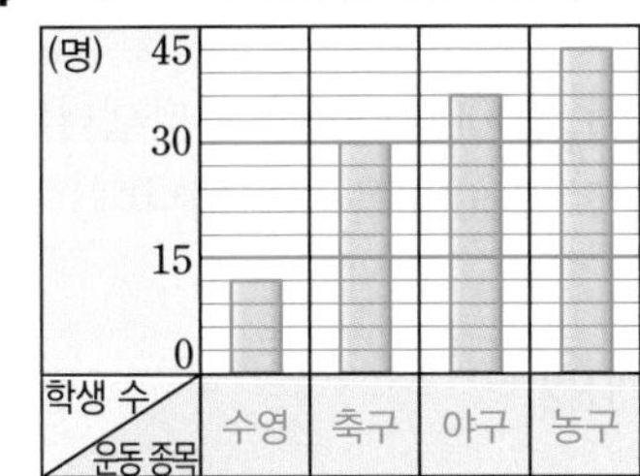

5 오렌지 맛, 6개

6 구슬 수별 주머니 수

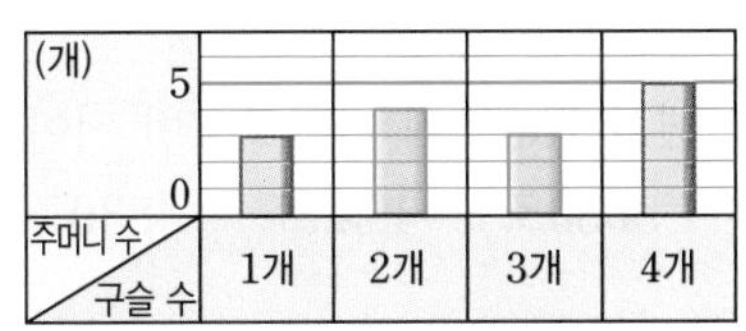

6 규칙 찾기

42~43쪽 복습 · 상위권 문제

1 7547

2 1111112＋9999999＝11111111

3 32개

4 3 / 1105

5 흰색

6 (위에서부터) 4, 10, 5

44~47쪽 복습 · 상위권 문제 | 확인과 응용

1 1728

2 10000001

3 5

4 67

5 21851

6 58개

7 29일

8 64개

9 30개

10 144개

11 13, 84, 85

12 105

48~49쪽 복습 · 최상위권 문제

1 9개

2 304

3 36개

4 20개

5 136

6 121

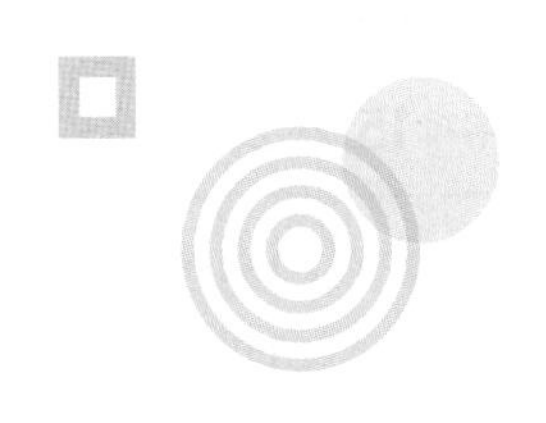

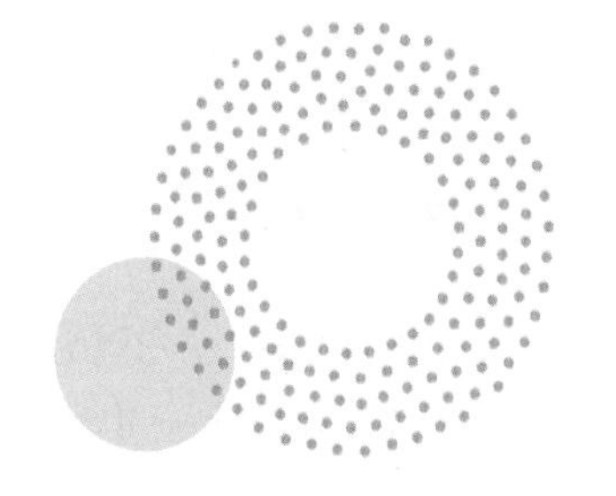

1 큰 수

핵심 개념과 문제 7쪽

1 ㉢ 2 ㉣
3 17920원
4 21690000 또는 2169만
5 만의 자리 숫자 6 40678

1 ㉠, ㉡, ㉣: 10000
㉢ 9000보다 100 큰 수: 9100

2 ㉠ 132467 ⇨ 30000 ㉡ 7386095 ⇨ 300000
㉢ 493720 ⇨ 3000 ㉣ 3968504 ⇨ 3000000

3 만 원짜리 지폐 1장 → 10000원
천 원짜리 지폐 7장 → 7000원
백 원짜리 동전 9개 → 900원
십 원짜리 동전 2개 → 20원
17920원

4 100만이 21개 → 2100만
10만이 6개 → 60만
1만이 9개 → 9만
2169만 ⇨ 21690000

5 512만 8304를 10배한 수는 5128만 3040이고 숫자 8은 만의 자리 숫자입니다.

6 높은 자리부터 작은 수를 차례대로 놓습니다. 이때 0은 가장 높은 자리에 올 수 없습니다. ⇨ 40678

핵심 개념과 문제 9쪽

1 1조 2 ㉡
3 4억 1620만 4 700000000, 70000
5 0, 1, 2, 3 6 4730조

1 10억 —10배→ 100억 —10배→ 1000억 —10배→ 1조

2 ㉠ 604|8320|0059(11자리 수)
㉡ 604|8320|5900(11자리 수)
⇨ 60483200059 < 60483205900 (0 < 5)

3 3억 6620만 — 3억 7620만 — 3억 8620만 — — 3억 9620만 — 4억 620만 — 4억 1620만입니다.

4 27|4917|8000 (억, 만, 일)
㉠ 억의 자리 숫자이므로 700000000을 나타냅니다.
㉡ 만의 자리 숫자이므로 70000을 나타냅니다.

5 49457182 > 49□87182 (같습니다, 5 < 8)
□ 안에는 4보다 작은 수 0, 1, 2, 3이 들어갈 수 있습니다.

6 어떤 수는 5130조에서 100조씩 거꾸로 4번 뛰어 센 수이므로 5130조 — 5030조 — 4930조 — 4830조 — — 4730조입니다.

상위권 문제 10~17쪽

유형 1 (1) 603000724 (2) 4개
유제 1 5개 유제 2 상민
유형 2 (1) 500000000 / 5000000000 (2) 10배
유제 3 100배 유제 4 풀이 참조, 1000배
유형 3 (1) 160000, 34000, 5200, 100
(2) 199300원
유제 5 3861500원 유제 6 1021200000원
유형 4 (1) □□□7□□□□ (만, 일) (2) 96574310
유제 7 104236789 유제 8 2002955889
유형 5 (1) 600만 (2) 3억 6800만
유제 9 6조 5000억
유제 10 풀이 참조, 930억 / 2530억
유형 6 (1) 10, 10, 같습니다 (2) ㉠
유제 11 > 유제 12 ㉠, ㉢, ㉡
유형 7 (1) 9□□5□□□□ (만, 일) (2) 9405000
유제 13 1042375689 유제 14 3879465210
유형 8 (1) 3000만 원 (2) 2023년
유제 15 2022년 유제 16 2025년

유형 1 (1) 1억이 6개 → 600000000
1만이 300개 → 3000000
일이 724개 → 724
603000724
(2) 603000724이므로 0은 모두 4개입니다.

유제 1 1억이 908개 → 90800000000
1만이 3005개 → 30050000
일이 22개 → 22
90830050022
⇨ 0의 개수: 5개

유제 2 1억이 6002개인 수: 6002억이므로
600200000000 ⇨ 0의 개수: 10개
10억이 488개인 수는 4880억이므로
488000000000 ⇨ 0의 개수: 9개
따라서 0의 개수는 각각 10개, 9개이므로 0의 개수가 더 많은 수를 말한 사람은 상민입니다.

유형 2 (1) ㉠은 일억의 자리 숫자이므로 500000000을, ㉡은 십억의 자리 숫자이므로 5000000000을 나타냅니다.
(2) 5000000000은 500000000의 10배입니다.

유제 3 ㉠은 일조의 자리 숫자이므로 8000000000000를, ㉡은 백조의 자리 숫자이므로 800000000000000를 나타냅니다.
따라서 ㉡이 나타내는 값은 ㉠이 나타내는 값의 100배입니다.

유제 4 예 ㉠과 ㉡을 수로 나타내면 ㉠은 361091997485, ㉡은 5380912400입니다.」 ❶
㉠의 숫자 3은 천억의 자리 숫자이므로 300000000000을, ㉡의 숫자 3은 일억의 자리 숫자이므로 300000000을 나타냅니다.」 ❷
따라서 ㉠의 숫자 3은 ㉡의 숫자 3의 1000배입니다.」 ❸

채점 기준
❶ ㉠과 ㉡이 나타내는 수 각각 구하기
❷ ㉠, ㉡에서 숫자 3이 나타내는 값 각각 구하기
❸ ㉠의 숫자 3이 나타내는 값은 ㉡의 숫자 3이 나타내는 값의 몇 배인지 구하기

유형 3 (2) 10000원짜리 지폐 16장 → 160000원
1000원짜리 지폐 34장 → 34000원
100원짜리 동전 52개 → 5200원
10원짜리 동전 10개 → 100원
199300원

유제 5 10만 원짜리 수표 32장 → 3200000원
만 원짜리 지폐 61장 → 610000원
천 원짜리 지폐 44장 → 44000원
백 원짜리 동전 75개 → 7500원
3861500원

유제 6 100만 원짜리 수표 1000장 → 1000000000원
10만 원짜리 수표 150장 → 15000000원
만 원짜리 지폐 620장 → 6200000원
1021200000원

유형 4 (2) 만의 자리에 7을 놓고 높은 자리부터 큰 수를 차례대로 놓습니다.
□□□[7]□□□□ (만, 일) ⇨ 96574310

유제 7 백만의 자리에 4를 놓고 0이 아닌 가장 작은 수를 억의 자리에 놓은 다음, 높은 자리부터 작은 수를 차례대로 놓습니다.
□□[4]□□□□□□ (억, 만, 일) ⇨ 104236789

유제 8 십만의 자리에 9를 놓고 0이 아닌 가장 작은 수를 십억의 자리에 놓은 다음, 높은 자리부터 작은 수를 차례대로 놓습니다.
□□□□[9]□□□□□ (억, 만, 일)
⇨ 2002955889

유형 5 (1) 눈금 5칸이
3억 8000만−3억 5000만=3000만을 나타내므로 눈금 한 칸은 600만을 나타냅니다.
(2) ㉠은 3억 5000만에서 600만씩 3번 뛰어 센 수이므로 3억 5000만 — 3억 5600만 — — 3억 6200만 — 3억 6800만입니다.
다른 풀이 ㉠은 3억 8000만에서 600만씩 거꾸로 2번 뛰어 센 수이므로 3억 8000만 — 3억 7400만 — — 3억 6800만입니다.

유제 9 눈금 4칸이 7조−5조=2조를 나타내므로 눈금 한 칸은 5000억을 나타냅니다.
따라서 ㉠은 5조에서 5000억씩 3번 뛰어 센 수이므로 5조 — 5조 5000억 — 6조 — 6조 5000억입니다.
다른 풀이 ㉠은 7조에서 5000억씩 거꾸로 1번 뛰어 센 수이므로 7조 — 6조 5000억입니다.

유제 10 예 눈금 5칸이 2130억−130억=2000억을 나타내므로 눈금 한 칸은 400억을 나타냅니다.」❶
따라서 ㉠은 130억에서 400억씩 2번 뛰어 센 수이므로 130억 − 530억 − 930억이고 ㉡은 2130억에서 400억씩 한 번 뛰어 센 수이므로 2130억 − 2530억입니다.」❷

채점 기준
❶ 눈금 한 칸의 크기 구하기
❷ ㉠과 ㉡이 나타내는 수 각각 구하기

유형 6 (1) 두 수는 모두 10자리 수입니다.
(2) ㉠의 □ 안에 9를 넣고 ㉡의 □ 안에 0을 넣어도 ㉠이 더 작습니다.
⇨ 5679163492＜5679304128
1＜3

유제 11 두 수는 모두 13자리 수입니다.
왼쪽 수의 □ 안에 0을 넣고 오른쪽 수의 □ 안에 9를 넣어도 왼쪽 수가 더 큽니다.
⇨ 8705716056049＞8705392739629
7＞3

유제 12 ㉠은 12자리 수이고 ㉡, ㉢은 11자리 수입니다.
㉡의 □ 안에 9를 넣고 ㉢의 □ 안에 0을 넣어도 ㉢이 더 큽니다.
→ 72049299837＜72099694000
4＜9
⇨ ㉠＞㉢＞㉡

유형 7 (1) 가장 큰 수를 구하는 것이므로 백만의 자리 숫자는 9이고, 천의 자리 숫자는 9−4=5입니다.
(2) 9□□5□□□에서 0이 4개 있으므로 낮은 자리부터 0을 4개 쓰고, ㉣을 만족해야 하므로 십만의 자리 숫자는 4입니다.
⇨ 9405000

유제 13 • 10자리 수이므로 □□□□□□□□□□입니다.
• 가장 작은 수를 구하는 것이므로 십억의 자리 숫자는 1, 천만의 자리 숫자는 4이고 억의 자리 숫자는 0, 만의 자리 숫자는 7입니다. →
104□□7□□□□
• 남은 숫자는 높은 자리부터 작은 수를 차례대로 씁니다.
⇨ 1042375689

유제 14 • 10자리 수이므로 □□□□□□□□□□입니다.
• 가장 큰 수를 구하는 것이므로 십억의 자리 숫자는 3, 백만의 자리 숫자는 9이고 십만의 자리 숫자는 4, 억의 자리 숫자는 8, 만의 자리 숫자는 6입니다.
→ 38□946□□□□
• 남은 숫자는 높은 자리부터 큰 수를 차례대로 씁니다.
⇨ 3879465210

유형 8 (1) 매출액이 5년 동안
7억 7500만−6억 2500만=1억 5000만(원)이 증가했으므로 해마다 3000만 원씩 증가하고 있습니다.
(2) 7억 7500만(2018년) − 8억 500만(2019년) −
− 8억 3500만(2020년) −
− 8억 6500만(2021년) −
− 8억 9500만(2022년) −
− 9억 2500만(2023년)

유제 15 수출액이 10년 동안 8000만−2500만=5500만(달러)가 증가했으므로 해마다 550만 달러씩 증가하고 있습니다.
8000만(2018년) − 8550만(2019년) −
− 9100만(2020년) − 9650만(2021년) −
− 1억 200만(2022년)

유제 16 수출액이 4년 동안
3억 7000만−2억 9000만=8000만(달러)가 증가했으므로 해마다 2000만 달러씩 증가하고 있습니다.
3억 7000만(2018년) − 3억 9000만(2019년) −
− 4억 1000만(2020년) − 4억 3000만(2021년) −
− 4억 5000만(2022년) − 4억 7000만(2023년) −
− 4억 9000만(2024년) − 5억 1000만(2025년)

상위권 문제 확인과 응용 18~21쪽

1 5
2 69장 / 7장
3 43
4 6조 3545억
5 3, 4, 5
6 554433221010 / 100122334545
7 풀이 참조, 4억 5440만
8 7조 100억
9 풀이 참조, 3개
10 약 300 cm
11 54145
12 수성, 금성, 지구, 화성, 목성, 토성, 천왕성, 해왕성

1 ㉠ 6450738491 → 10자리 수
㉡ 850912153의 100배: 85091215300
→ 11자리 수
⇨ ㉠<㉡이고 ㉡의 십억의 자리 숫자는 5입니다.

2 100만 원짜리 수표로 69장까지 찾으면
$69700000-69000000=700000$(원)이 남으므로
10만 원짜리 수표로 7장 찾을 수 있습니다.

3 1000000이 2개 → 2000000
10000이 18개 → 180000
1000이 17개 → 17000
100이 12개 → 1200
합: 2198200
따라서 $6498200-2198200=4300000$이고
4300000은 100000이 43개인 수입니다.

4 2번 뛰어 세어서 2400억이 커졌으므로 1200억씩 뛰어 세는 규칙입니다.
따라서 5조 7545억에서 1200억씩 5번 뛰어 세면
5조 7545억 — 5조 8745억 — 5조 9945억 — 6조 1145억 — 6조 2345억 — 6조 3545억입니다.

5 • 두 수는 모두 8자리 수입니다.
83493250<8□945164 (같습니다, 4<9)
→ □=3, 4, 5, 6, 7, 8, 9
• 두 수는 모두 10자리 수입니다.
1720645283>1720□64195 (같습니다, 4<6)
→ □=0, 1, 2, 3, 4, 5
⇨ □ 안에 공통으로 들어갈 수 있는 수는 3, 4, 5입니다.

6 • 가장 큰 수는 높은 자리부터 큰 수를 차례대로 두 번씩 사용하여 만듭니다. → 554433221100
따라서 두 번째로 큰 수는 554433221010입니다.
• 가장 작은 수는 높은 자리부터 작은 수를 두 번씩 사용하여 만듭니다. 이때 가장 높은 자리에 0은 올 수 없습니다. → 100122334455
따라서 두 번째로 작은 수는 100122334545입니다.

7 예 4억 8950만에서 1300만씩 거꾸로 3번 뛰어 세면
4억 8950만 — 4억 7650만 — 4억 6350만 — 4억 5050만이므로 어떤 수는 4억 5050만입니다.」❶
따라서 4억 5050만에서 130만씩 큰 수로 3번 뛰어 세면 4억 5050만 — 4억 5180만 — 4억 5310만 — 4억 5440만입니다.」❷

채점 기준
❶ 어떤 수 구하기
❷ 바르게 뛰어 센 수 구하기

8 6조 8000억에서 300억씩 뛰어 세면
6조 8000억 — 6조 8300억 — 6조 8600억 — 6조 8900억 — 6조 9200억 — 6조 9500억 — 6조 9800억 — 7조 100억……입니다.
7조−6조 9800억=200억,
7조 100억−7조=100억이고 200억>100억이므로 7조와의 차가 더 작은 수는 7조 100억입니다.
따라서 7조에 가장 가까운 수는 7조 100억입니다.

9 예 만들 수 있는 10자리 수를 큰 수부터 차례대로 쓰면 9876543210, 9876543201, 9876543120, 9876543102……입니다.」❶
따라서 9876543102보다 큰 수는 9876543120, 9876543201, 9876543210으로 모두 3개입니다.」❷

채점 기준
❶ 만들 수 있는 10자리 수를 큰 수부터 차례대로 알아보기
❷ 조건을 만족하는 수의 개수 구하기

다른 풀이 만들 수 있는 수 중에서 가장 큰 수는 9876543210이므로 9876543102보다 큰 수는 9876543102보다 크고 9876543210과 같거나 작습니다.
즉, 구하려는 수의 개수는 0, 1, 2를 모두 한 번씩만 사용하여 만들 수 있는 세 자리 수 중에서 102보다 큰 수의 개수와 같으므로 120, 201, 210으로 모두 3개입니다.

10 만 원짜리 지폐로 3억 원을 쌓으려면 30000장을 쌓아야 하고, 30000장은 1000장의 30배이므로 만 원짜리 지폐로 3억 원을 쌓으면 높이는 약 $10\times30=300$(cm)가 됩니다.

11 𓂭𓂭𓆼𓍢𓎆𓎆𓎆𓎆𓏺𓏺𓏺𓏺𓏺: 21145,
𓂭𓂭𓂭𓆼𓆼𓍢𓎆𓎆𓎆𓎆𓏺𓏺𓏺𓏺𓏺: 32145,
𓂭𓂭𓂭𓂭𓆼𓆼𓆼𓍢𓎆𓎆𓎆𓎆𓏺𓏺𓏺𓏺𓏺: 43145이므로
21145 — 32145 — 43145로 11000씩 뛰어 세었습니다.
따라서 ㉠에 알맞은 수는 54145입니다.

12 지구: 149600000(9자리 수),
목성: 778340000(9자리 수),
해왕성: 4498400000(10자리 수),
화성: 227940000(9자리 수),
수성: 57910000(8자리 수),
토성: 1426670000(10자리 수),
천왕성: 2870660000(10자리 수),
금성: 108210000(9자리 수)

최상위권 문제 22~23쪽

1 46장	**2** 23쌍
3 8년 4개월	**4** 836932075
5 79988733110	**6** 5

1 비법 PLUS+ 1000만 원짜리 수표를 최대한 많이 바꿀 수 있는 경우부터 한 장씩 줄여 가며 알아봅니다.

1000만 원짜리 수표를 28장까지 바꿀 수 있으므로 28장부터 한 장씩 줄여 가며 알아봅니다.

1000만 원짜리 수표의 수(장)	28	27	26	25	24
100만 원짜리 수표의 수(장)	6	16	26	36	46
수표 수의 합(장)	34	43	52	61	70

따라서 은행에서 바꾼 100만 원짜리 수표는 46장입니다.

2 82|7593|6054 → 10자리 수,
억 만 일
82㉠593㉡051 → 10자리 수
억 만 일

(㉠, ㉡)
- (7, 7), (7, 8), (7, 9): 3쌍
- (8, 0), (8, 1) …… (8, 9): 10쌍
- (9, 0), (9, 1) …… (9, 9): 10쌍

⇨ 23쌍

3 100만 명의 한 달 저금액은 50000원의 100만 배이므로 500억 원이고 5조 원은 500억 원의 100배이므로 100개월 동안 모아야 합니다.
⇨ 100개월=8년 4개월

4 비법 PLUS+ 처음 수와 바꾼 수 중에서 어느 수가 더 큰 수인지 알고 두 수의 차를 계산할 때 받아내림에 주의합니다.

㉠㉡6932075 ← 처음 수
− ㉡㉠6932075 ← 바꾼 수
4 5 0000000

억의 자리 계산에서 ㉠−1−㉡=4, ㉠−㉡=5이므로 ㉠+㉡=11, ㉠−㉡=5를 만족하는 ㉠과 ㉡을 찾으면 ㉠=8, ㉡=3입니다.
따라서 처음 수는 836932075입니다.

5 백억의 자리 숫자가 7인 가장 큰 11자리 수를 만들면 79988733110이고 백억의 자리 숫자가 8인 가장 작은 11자리 수를 만들면 80011337789입니다.
80000000000−79988733110=11266890,
80011337789−80000000000=11337789이고
11266890 < 11337789이므로 800억과의 차가 더 작은 수는 79988733110입니다.
따라서 800억에 가장 가까운 수는 79988733110입니다.

6 비법 PLUS+ 가장 큰 수와 가장 작은 수의 차의 십조의 자리 숫자가 6이 되게 하는 숫자를 먼저 찾습니다.

서로 다른 숫자가 적힌 카드이므로 ㉠에 알맞은 숫자는 3, 5, 8, 9 중 하나입니다.
이 수 카드로 만들 수 있는 가장 작은 14자리 수는 100122□□□□□□□□이므로 가장 큰 수와 가장 작은 수의 차가 67653299664423이 되려면 가장 큰 수의 십조의 자리 숫자가 7이어야 합니다.
따라서 가장 큰 수가 7이므로 ㉠이 될 수 있는 숫자는 3 또는 5입니다.
⇨ ㉠=3인 경우:
77664433221100−10012233446677
=67652199774423(×)
㉠=5인 경우:
77665544221100−10012244556677
=67653299664423(○)

2 각도

핵심 개념과 문제 27쪽

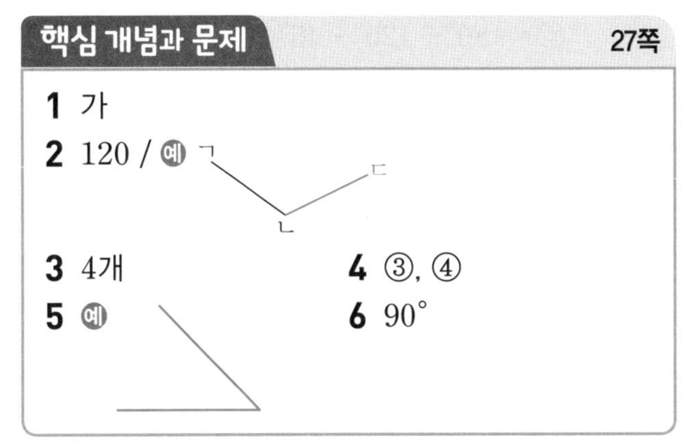

1 가
2 120 / 예 (그림)
3 4개　　4 ③, ④
5 예 (그림)　　6 90°

1 각도를 재어 보면 가는 110°, 나는 115°이므로 크기가 더 작은 각은 가입니다.

2 왼쪽 각의 크기는 120°이므로 점 ㄴ이 각의 꼭짓점이 되도록 크기가 120°인 각 ㄱㄴㄷ을 그립니다.

3 예각은 75°, 88°, 26°, 47°로 모두 4개입니다.

4
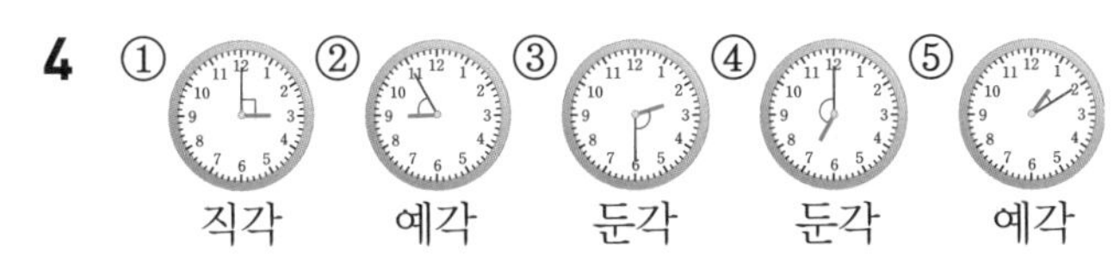

5 색종이를 두 번 접어서 만들어진 각은 90°이므로 세 번 접어서 만들어진 각은 90°의 반인 45°입니다.

6 직선 위의 한 점을 꼭짓점으로 하는 각의 크기는 180°이므로 그림에서 가장 작은 한 각의 크기는 180°÷6=30°입니다.
⇨ (각 ㄴㅇㅁ)=30°×3=90°

핵심 개념과 문제 29쪽

1 215° / 85°	2 45°
3 225°	4 35°
5 15°	6 15°

1 각도기를 이용하여 두 각의 크기를 각각 재어 보면 150°, 65°입니다.
• 합: 150°+65°=215°
• 차: 150°−65°=85°

2 95°+40°+㉠=180°
⇨ ㉠=180°−95°−40°=45°

3 ㉠+65°+㉡+70°=360°
⇨ ㉠+㉡=360°−65°−70°=225°

4 직선 위의 한 점을 꼭짓점으로 하는 각의 크기는 180°이므로 ㉠=180°−90°−55°=35°입니다.

5 ㉠=60°−45°=15°

6 • (왼쪽 케이크 조각의 각도)=360°÷6=60°
• (오른쪽 케이크 조각의 각도)=360°÷8=45°
⇨ 60°−45°=15°

상위권 문제 30~37쪽

유형 1 (1) 55° (2) 35°	
유제 1 25°	유제 2 20°
유형 2 (1) 85° (2) 95°	
유제 3 45°	유제 4 풀이 참조, 65°
유형 3 (1) 45° (2) 105°	
유제 5 105°	유제 6 165°
유형 4 (1) 720° (2) 120°	
유제 7 108°	유제 8 풀이 참조, 45°
유형 5 (1) 36° (2) 5개 (3) 4개 (4) 9개	
유제 9 5개	유제 10 18개
유형 6 (1) 90° / 15° (2) 105°	
유제 11 135°	유제 12 100°
유형 7 (1) 55° (2) 125°	
유제 13 125°	유제 14 110°
유형 8 (1) 60° (2) 120° (3) 60°	
유제 15 20°	

유형 1 (1) ㉡+125°=180°
⇨ ㉡=180°−125°=55°
(2) 55°+㉠+90°=180°
⇨ ㉠=180°−55°−90°=35°

유제 1
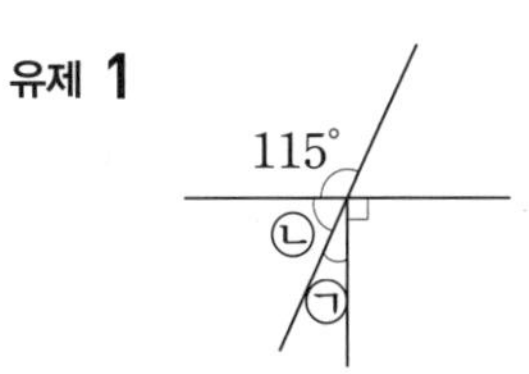

• ㉡+115°=180°, ㉡=180°−115°=65°
• 65°+㉠+90°=180°
⇨ ㉠=180°−65°−90°=25°

유제 2

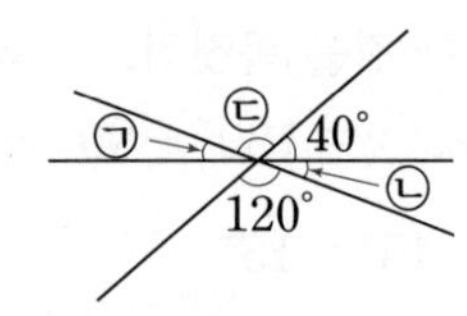

• 120°+㉡+40°=180°
⇨ ㉡=180°−120°−40°=20°
• ㉢+40°+20°=180°
⇨ ㉢=180°−40°−20°=120°
• ㉠+120°+40°=180°
⇨ ㉠=180°−120°−40°=20°

다른 풀이 120°+㉡+40°=180°
⇨ ㉡=180°−120°−40°=20°
두 직선이 한 점에서 만날 때 서로 마주 보는 두 각을 맞꼭지각이라 하고, 맞꼭지각의 크기는 서로 같습니다.
따라서 ㉠과 ㉡은 맞꼭지각으로 크기가 서로 같으므로 ㉠=㉡=20°입니다.

유형 2 (1) 60°+㉢+35°=180°
⇨ ㉢=180°−60°−35°=85°
(2) ㉠+85°+㉡=180°
⇨ ㉠+㉡=180°−85°=95°

다른 풀이 60°+㉢+35°=180°, ㉠+㉢+㉡=180°이므로 ㉠+㉡=60°+35°=95°입니다.

유제 3 • ㉠+85°=180°, ㉠=180°−85°=95°
• 70°+55°+95°+㉡=360°,
㉡=360°−70°−55°−95°=140°
⇨ ㉡−㉠=140°−95°=45°

유제 4 예 사각형 ㄱㄴㄹㅁ에서
(각 ㄴㄱㅁ)=360°−70°−90°−110°=90°이므로 (각 ㄴㄱㄷ)=(각 ㄷㄱㅁ)=90°÷2=45°입니다.」 ❶
따라서 삼각형 ㄱㄴㄷ에서
(각 ㄱㄷㄴ)=180°−45°−70°=65°입니다.」 ❷

채점 기준
❶ 각 ㄴㄱㄷ의 크기 구하기
❷ 각 ㄱㄷㄴ의 크기 구하기

유형 3 (1) 90°−45°=45°
(2) 30°+㉠+45°=180°
⇨ ㉠=180°−30°−45°=105°

유제 5 • ㉡=90°−45°=45°
• 60°+45°+㉢=180°,
㉢=180°−60°−45°=75°
⇨ ㉠=180°−75°=105°

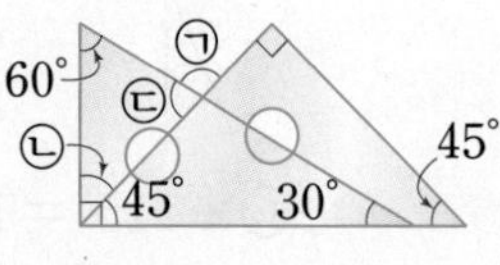

유제 6 • ㉡=180°−60°=120°
• ㉢+120°+45°=180°,
㉢=180°−120°−45°=15°
⇨ ㉠=180°−15°=165°

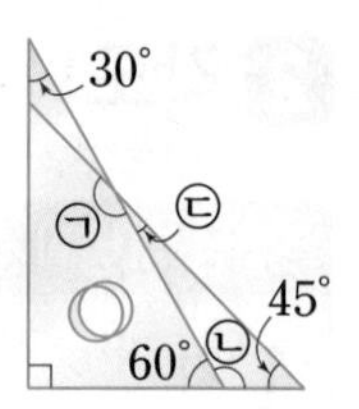

유형 4 (1) 도형은 삼각형 4개로 나눌 수 있습니다.

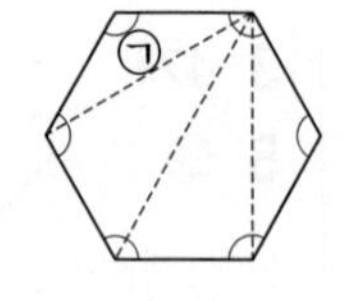

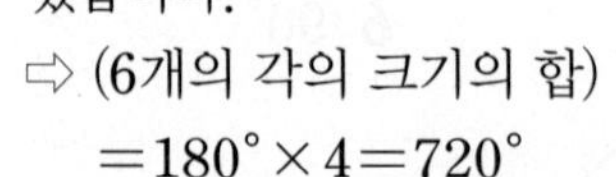

⇨ (6개의 각의 크기의 합)
=180°×4=720°
(2) 6개의 각의 크기가 모두 같으므로
㉠=720°÷6=120°입니다.

유제 7 도형은 삼각형 3개로 나눌 수 있습니다.

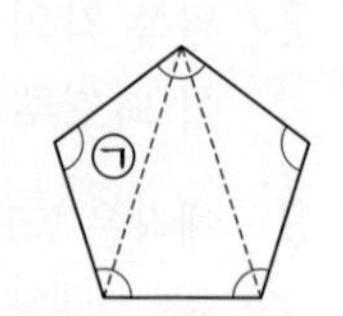

⇨ (5개의 각의 크기의 합)
=180°×3=540°
따라서 5개의 각의 크기가 모두 같으므로
㉠=540°÷5=108°입니다.

다른 풀이 도형은 삼각형 1개와 사각형 1개로 나눌 수 있습니다.
⇨ (5개의 각의 크기의 합)=180°+360°=540°
따라서 5개의 각의 크기가 모두 같으므로
㉠=540°÷5=108°입니다.

유제 8 예 도형은 삼각형 6개로 나눌 수 있으므로 8개의 각의 크기의 합은 180°×6=1080°입니다.」 ❶
8개의 각의 크기가 모두 같으므로 한 각의 크기는 1080°÷8=135°입니다.」 ❷
따라서 직선 위의 한 점을 꼭짓점으로 하는 각의 크기는 180°이므로 ㉠=180°−135°=45°입니다.」 ❸

채점 기준
❶ 8개의 각의 크기의 합 구하기
❷ 한 각의 크기 구하기
❸ ㉠의 각도 구하기

다른 풀이 도형은 사각형 3개로 나눌 수 있으므로 8개의 각의 크기의 합은 360°×3=1080°입니다.
8개의 각의 크기가 모두 같으므로 한 각의 크기는 1080°÷8=135°입니다.
따라서 직선 위의 한 점을 꼭짓점으로 하는 각의 크기는 180°이므로 ㉠=180°−135°=45°입니다.

유형 5 (1) $180^\circ \div 5 = 36^\circ$

(4) $5+4=9$(개)

유제 9 가장 작은 각의 크기는 $180^\circ \div 6 = 30^\circ$이므로 가장 작은 각 4개, 5개로 이루어진 각이 둔각입니다.

- 가장 작은 각 4개로 이루어진 둔각: 3개

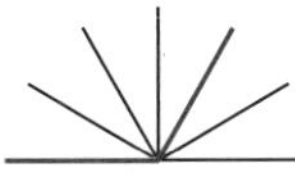

- 가장 작은 각 5개로 이루어진 둔각: 2개

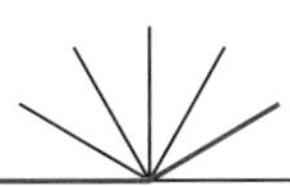

⇨ $3+2=5$(개)

유제 10 가장 작은 각 1개, 2개, 3개로 이루어진 각이 예각입니다.

- 가장 작은 각 1개로 이루어진 예각: 7개

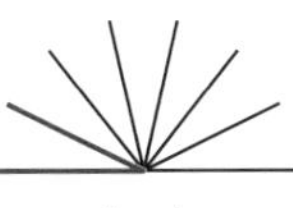

- 가장 작은 각 2개로 이루어진 예각: 6개

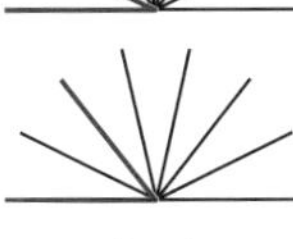

- 가장 작은 각 3개로 이루어진 예각: 5개

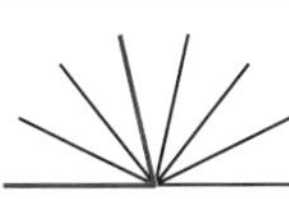

⇨ $7+6+5=18$(개)

유형 6 (1) • 시계의 큰 눈금 한 칸의 각도는 $180^\circ \div 6 = 30^\circ$이므로 ㉠$=30^\circ \times 3 = 90^\circ$입니다.

• 짧은바늘은 한 시간 동안 30°를 움직이므로 30분 동안 $30^\circ \div 2 = 15^\circ$를 움직입니다.

⇨ ㉡$=15^\circ$

(2) $90^\circ + 15^\circ = 105^\circ$

유제 11 • 시계의 큰 눈금 한 칸의 각도는 $180^\circ \div 6 = 30^\circ$이므로 ㉠$=30^\circ \times 4 = 120^\circ$입니다.

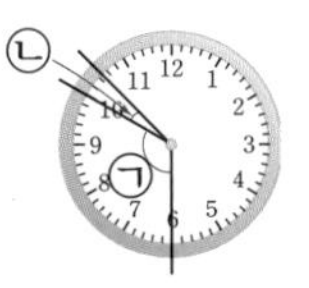

• 짧은바늘은 한 시간 동안 30°를 움직이므로 30분 동안 $30^\circ \div 2 = 15^\circ$를 움직입니다.

⇨ ㉡$=15^\circ$

따라서 시계의 긴바늘과 짧은바늘이 이루는 작은 쪽의 각도는 $120^\circ + 15^\circ = 135^\circ$입니다.

유제 12 • 시계의 큰 눈금 한 칸의 각도는 $180^\circ \div 6 = 30^\circ$이므로 ㉠$=30^\circ \times 3 = 90^\circ$입니다.

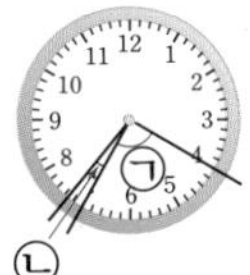

• 짧은바늘은 한 시간 동안 30°를 움직이므로 20분 동안 $30^\circ \div 3 = 10^\circ$를 움직입니다. ⇨ ㉡$=10^\circ$

따라서 시계의 긴바늘과 짧은바늘이 이루는 작은 쪽의 각도는 $90^\circ + 10^\circ = 100^\circ$입니다.

유형 7 (1) 큰 삼각형에서

$70^\circ + 25^\circ +$㉡$+$㉢$+30^\circ = 180^\circ$이므로

㉡$+$㉢$=180^\circ - 70^\circ - 25^\circ - 30^\circ = 55^\circ$입니다.

(2) 작은 삼각형에서 ㉠$+$㉡$+$㉢$=180^\circ$이므로

㉠$+55^\circ = 180^\circ$, ㉠$=180^\circ - 55^\circ = 125^\circ$입니다.

유제 13 • 도형에 선분을 그으면 사각형에서

$90^\circ + 65^\circ +$㉡$+$㉢$+60^\circ + 90^\circ$

$=360^\circ$이므로

㉡$+$㉢$=360^\circ - 90^\circ - 65^\circ - 60^\circ - 90^\circ$

$=55^\circ$입니다.

• 삼각형에서 ㉠$+$㉡$+$㉢$=180^\circ$이므로

㉠$+55^\circ = 180^\circ$, ㉠$=180^\circ - 55^\circ = 125^\circ$입니다.

유제 14 • 도형에 선분을 그으면 사각형에서

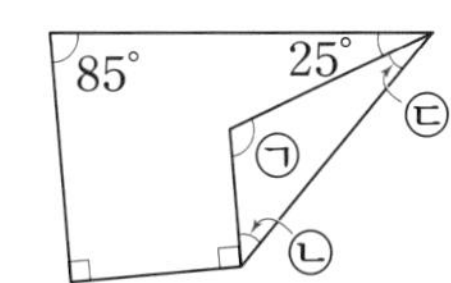

$85^\circ + 90^\circ + 90^\circ +$㉡$+$㉢$+25^\circ = 360^\circ$이므로

㉡$+$㉢$=360^\circ - 85^\circ - 90^\circ - 90^\circ - 25^\circ$

$=70^\circ$입니다.

• 삼각형에서 ㉠$+$㉡$+$㉢$=180^\circ$이므로

㉠$+70^\circ = 180^\circ$, ㉠$=180^\circ - 70^\circ = 110^\circ$입니다.

유형 8 (1) (각 ㄴㄹㄷ)$=$(각 ㄴㄹㄱ)$=60^\circ$

(2) (각 ㄱㄹㄷ)$=$(각 ㄴㄹㄱ)$+$(각 ㄴㄹㄷ)

$=60^\circ + 60^\circ = 120^\circ$

(3) 사각형 ㄱㄴㄷㄹ에서

(각 ㄴㄱㄹ)$=$(각 ㄴㄷㄹ)$=90^\circ$이므로

$90^\circ +$(각 ㄱㄴㄷ)$+90^\circ + 120^\circ = 360^\circ$입니다.

⇨ (각 ㄱㄴㄷ)$=360^\circ - 90^\circ - 90^\circ - 120^\circ$

$=60^\circ$

유제 15 (각 ㄴㄱㄷ)$=$(각 ㄹㄱㄷ)$=55^\circ$,

(각 ㄴㄱㄹ)$=$(각 ㄴㄱㄷ)$+$(각 ㄹㄱㄷ)

$=55^\circ + 55^\circ = 110^\circ$

사각형 ㄱㄴㄷㄹ에서

(각 ㄱㄴㄷ)$=$(각 ㄱㄹㄷ)$=90^\circ$이므로

$110^\circ + 90^\circ +$(각 ㄴㄷㄹ)$+90^\circ = 360^\circ$입니다.

⇨ (각 ㄴㄷㄹ)$=360^\circ - 110^\circ - 90^\circ - 90^\circ = 70^\circ$

따라서 정사각형의 한 각의 크기는 90°이므로

(각 ㄴㄷㅁ)$=90^\circ - 70^\circ = 20^\circ$입니다.

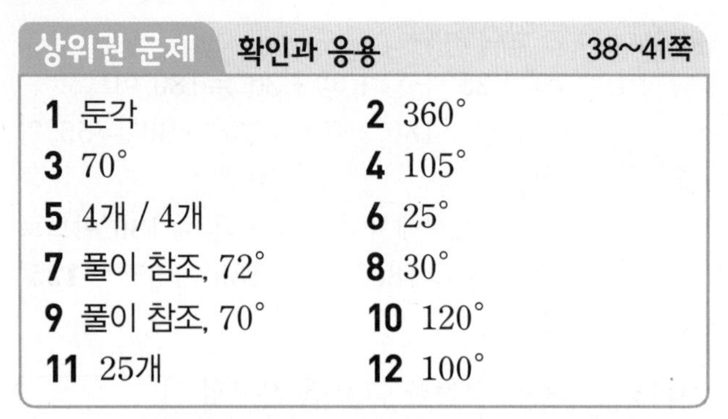

상위권 문제 확인과 응용 38~41쪽

1	둔각	**2**	360°
3	70°	**4**	105°
5	4개 / 4개	**6**	25°
7	풀이 참조, 72°	**8**	30°
9	풀이 참조, 70°	**10**	120°
11	25개	**12**	100°

1 2시 35분에서 4시간 20분 후는 6시 55분입니다.
6시 55분을 시계에 나타내면 오른쪽과 같으므로 둔각입니다.

2 ㉠+㉢+㉤은 삼각형의 세 각의 크기의 합이므로 180°이고 ㉡+㉣+㉥도 삼각형의 세 각의 크기의 합이므로 180°입니다.
⇨ ㉠+㉡+㉢+㉣+㉤+㉥
$=180°+180°=360°$

3 (각 ㄱㅁㄴ)$=180°-$(각 ㄴㅁㄹ)
$=180°-140°=40°$
(각 ㄴㅁㄷ)$=$(각 ㄱㅁㄷ)$-40°=110°-40°=70°$
다른 풀이 (각 ㄴㅁㄷ)$=$(각 ㄱㅁㄷ)$+$(각 ㄴㅁㄹ)$-180°$
$=110°+140°-180°=70°$

4

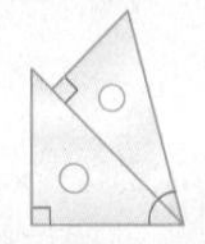
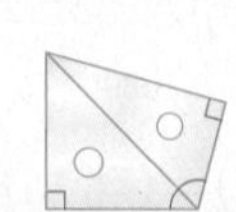
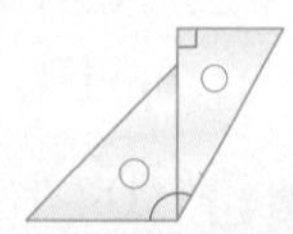

$45°+30°=75°$ $45°+60°=105°$ $90°+30°=120°$

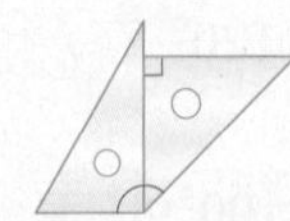
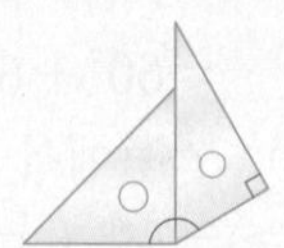
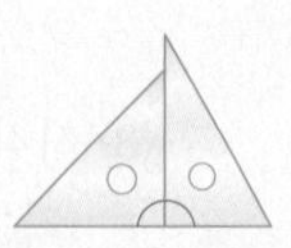

$90°+45°=135°$ $90°+60°=150°$ $90°+90°=180°$

5 • 예각: 각 ㄱㅂㄴ, 각 ㄴㅂㄷ, 각 ㄹㅂㅁ, 각 ㄱㅂㄷ ⇨ 4개
• 둔각: 각 ㄱㅂㄹ, 각 ㄴㅂㄹ, 각 ㄴㅂㅁ, 각 ㄷㅂㅁ ⇨ 4개

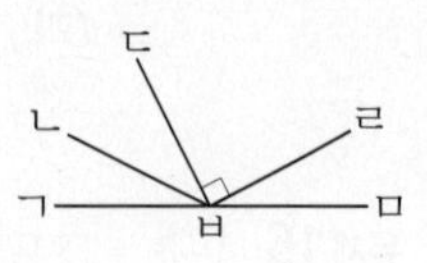

6

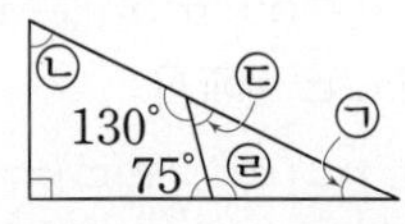

사각형에서 ㉡$+90°+75°+130°=360°$이므로
㉡$=360°-90°-75°-130°=65°$입니다.
따라서 큰 삼각형에서 $65°+90°+$㉠$=180°$이므로 ㉠$=180°-65°-90°=25°$입니다.

다른 풀이 ㉢$=180°-130°=50°$,
㉣$=180°-75°=105°$
따라서 작은 삼각형에서 $50°+105°+$㉠$=180°$이므로
㉠$=180°-50°-105°=25°$입니다.

7 예 ㉠=㉡×2이고 ㉠=㉢이므로 ㉢=㉡×2입니다.」❶
삼각형의 세 각의 크기의 합은 180°이므로
㉠+㉡+㉢$=180°$에서
㉡$\times5=180°$, ㉡$=180°\div5=36°$입니다.」❷
따라서 ㉠=㉡$\times2=36°\times2=72°$입니다.」❸

채점 기준

❶ ㉠과 ㉢을 ㉡을 이용한 식으로 나타내기
❷ ㉡의 각도 구하기
❸ ㉠의 각도 구하기

8 • ㉠$+30°+45°=180°$,
㉠$=180°-30°-45°$
$=105°$
• ㉢$+90°+45°=180°$,
㉢$=180°-90°-45°=45°$
• ㉡$=180°-45°=135°$
⇨ ㉡$-$㉠$=135°-105°=30°$

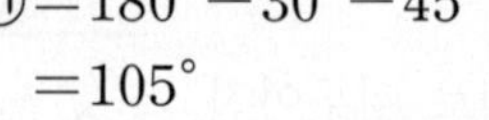

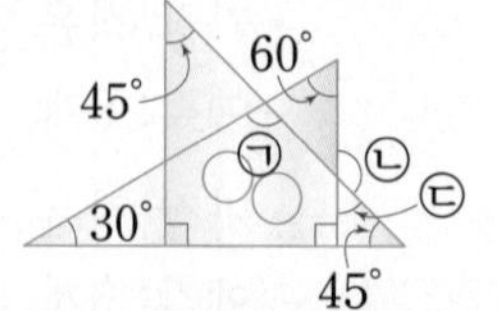

9 예 진주네 가족이 놀이공원에 가는 데 걸린 시간은 11시 20분−9시=2시간 20분입니다.」❶
시계의 큰 눈금 한 칸의 각도는 30°이므로 2시간 동안 짧은바늘은 $30°\times2=60°$를 움직이고, 20분 동안 $30°\div3=10°$를 움직입니다.」❷
따라서 진주네 가족이 놀이공원에 가는 동안 시계의 짧은바늘이 움직인 각도는 $60°+10°=70°$입니다.」❸

채점 기준

❶ 진주네 가족이 놀이공원에 가는 데 걸린 시간 구하기
❷ 짧은바늘이 2시간 동안 움직인 각도와 20분 동안 움직인 각도 각각 구하기
❸ 진주네 가족이 놀이공원에 가는 동안 시계의 짧은바늘이 움직인 각도 구하기

10 • 사각형 ㅁㅅㅇㅈ에서
$30°+90°+90°+$(각 ㅁㅈㅇ)$=360°$이므로
(각 ㅁㅈㅇ)$=360°-30°-90°-90°=150°$입니다.
• (각 ㅁㅈㄷ)$=$(각 ㅁㅈㅇ)$=150°$
• (각 ㅁㅈㅂ)$=180°-$(각 ㅁㅈㄷ)
$=180°-150°=30°$
⇨ (각 ㅂㅈㅇ)$=$(각 ㅁㅈㅇ)$-$(각 ㅁㅈㅂ)
$=150°-30°=120°$

11 한 점을 꼭짓점으로 하는 예각은 5개 만들 수 있습니다.

나머지 점을 꼭짓점으로 하는 예각도 5개씩 만들 수 있으므로 예각은 모두 $5\times5=25$(개) 만들 수 있습니다.

12

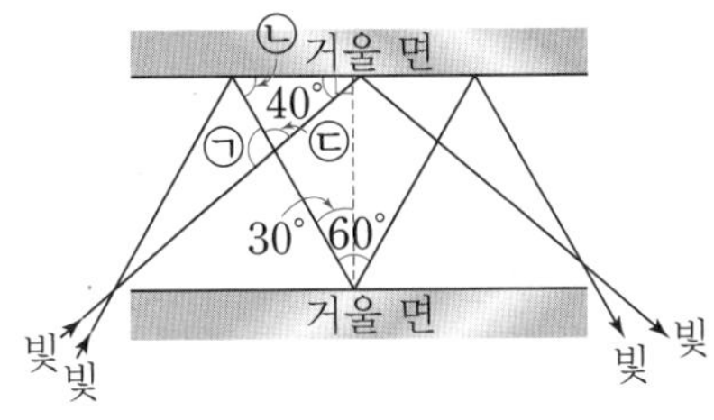

선분을 그어 각을 표시해 보면 위와 같습니다.

- ㉡$+30^\circ+90^\circ=180^\circ$,
  ㉡$=180^\circ-30^\circ-90^\circ=60^\circ$
- $60^\circ+$㉢$+40^\circ=180^\circ$,
  ㉢$=180^\circ-60^\circ-40^\circ=80^\circ$

⇨ ㉠$=180^\circ-80^\circ=100^\circ$

최상위권 문제 42~43쪽

1 360°	**2** 27°
3 65°	**4** 115°
5 36°	**6** 18°

1 ㉠$+$①$=180^\circ$, ㉡$+$②$=180^\circ$,
㉢$+$③$=180^\circ$, ㉣$+$④$=180^\circ$,
①$+$②$+$③$+$④$=360^\circ$

⇨ ㉠$+$㉡$+$㉢$+$㉣
$=($㉠$+$①$)+($㉡$+$②$)$
$+($㉢$+$③$)+($㉣$+$④$)-($①$+$②$+$③$+$④$)$
$=180^\circ+180^\circ+180^\circ+180^\circ-360^\circ=360^\circ$

2

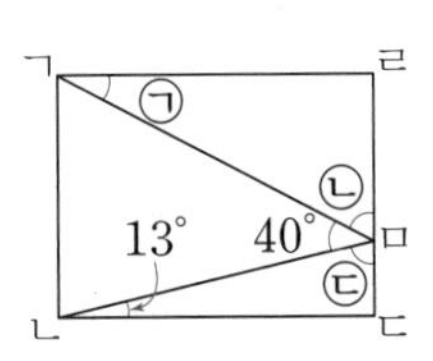

- 삼각형 ㅁㄴㄷ에서
  ㉢$+13^\circ+90^\circ=180^\circ$이므로
  ㉢$=180^\circ-13^\circ-90^\circ=77^\circ$
  입니다.
- ㉡$=180^\circ-40^\circ-77^\circ=63^\circ$
- 삼각형 ㄱㅁㄹ에서 ㉠$+63^\circ+90^\circ=180^\circ$이므로
  ㉠$=180^\circ-63^\circ-90^\circ=27^\circ$입니다.

3 **비법 PLUS+** 먼저 삼각형의 세 각의 크기의 합은 180°임을 이용하여 아래 그림에서 ①과 ②를 구합니다.

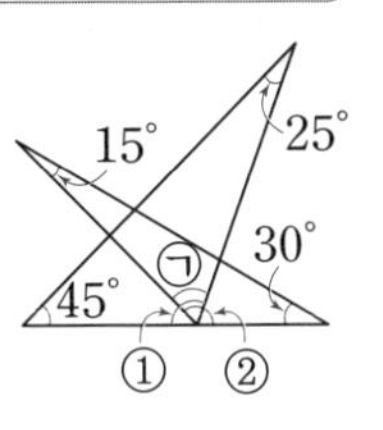

- $25^\circ+45^\circ+$①$=180^\circ$,
  ①$=180^\circ-25^\circ-45^\circ=110^\circ$
- $15^\circ+$②$+30^\circ=180^\circ$,
  ②$=180^\circ-15^\circ-30^\circ=135^\circ$

⇨ ㉠$=$①$+$②-180°,
$=110^\circ+135^\circ-180^\circ=65^\circ$

4 **비법 PLUS+** (각 ㄱㄴㅁ)=(각 ㅁㄴㄷ)=●, (각 ㄹㄷㅁ)=(각 ㅁㄷㄴ)=▲라 하면 $150^\circ+$●$+$●$+$▲$+$▲$+80^\circ=360^\circ$임을 이용하여 ㉠의 각도를 구합니다.

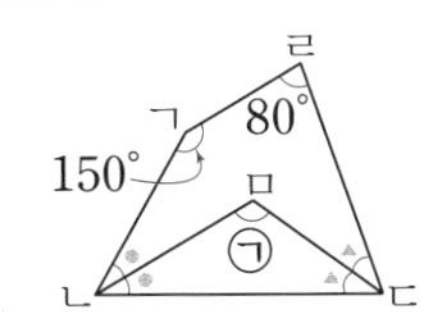

$150^\circ+$●$+$●$+$▲$+$▲$+80^\circ$
$=360^\circ$,
●$+$●$+$▲$+$▲
$=360^\circ-150^\circ-80^\circ=130^\circ$

⇨ ●$+$▲$=130^\circ\div2=65^\circ$

따라서 ㉠$+$●$+$▲$=180^\circ$이므로
㉠$+65^\circ=180^\circ$,
㉠$=180^\circ-65^\circ=115^\circ$입니다.

5 **비법 PLUS+** ㉡은 도형의 한 각의 크기이고, 종이를 접은 부분과 접힌 부분의 각의 크기는 같습니다.

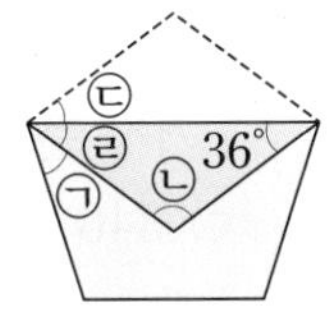

- 도형은 삼각형 3개로 나눌 수 있습니다.
  ⇨ (5개의 각의 크기의 합)
  $=180^\circ\times3=540^\circ$
- ㉡$=540^\circ\div5=108^\circ$
- ㉢$=$㉣$=180^\circ-108^\circ-36^\circ=36^\circ$
  ⇨ ㉠$=108^\circ-36^\circ-36^\circ=36^\circ$

6 **비법 PLUS+** 도형을 돌리기 전과 돌린 후의 모양과 크기는 같습니다.

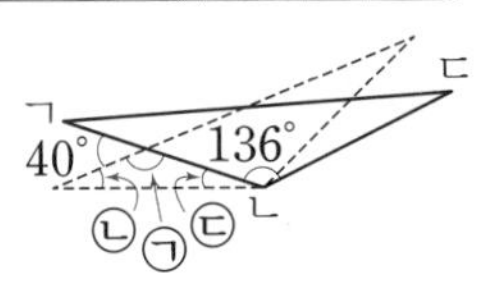

- $180^\circ-136^\circ=44^\circ$이므로
  (각 ㄷㄱㄴ)
  $=44^\circ\div2=22^\circ$입니다.
- ㉠$=180^\circ-40^\circ=140^\circ$
- ㉡$=$(각 ㄷㄱㄴ)$=22^\circ$
- ㉢$=180^\circ-140^\circ-22^\circ=18^\circ$

따라서 삼각형 ㄱㄴㄷ을 ㉢만큼 돌린 것이므로 18°만큼 돌렸습니다.

3 곱셈과 나눗셈

핵심 개념과 문제 47쪽

1 40×500
2 예
$$\begin{array}{r} 508 \\ \times\ \ 47 \\ \hline 3556 \\ 2032\ \ \\ \hline 23876 \end{array}$$
3 23000원
4 ㉠, ㉢, ㉡
5 8760번
6 346, 87, 30102

1 600×20=12000, 40×500=20000, 150×80=12000

2 508×40=20320이므로 2032를 왼쪽으로 한 칸 옮겨 쓰거나 20320이라고 써서 계산합니다.

3 460×50=23000(원)

4 ㉠ 382×70=26740
㉡ 924×14=12936
㉢ 492×36=17712
⇨ ㉠>㉢>㉡

5 하루는 24시간이므로 하루에 종은 24번 울리게 됩니다.
⇨ 365×24=8760(번)

6 • 가장 작은 세 자리 수: 346
• 가장 큰 두 자리 수: 87
⇨ 346×87=30102

핵심 개념과 문제 49쪽

1 ㉠
2 ② 16)87 → 몫 5, 80, 나머지 7
① 24)63 → 몫 2, 48, 나머지 15
③ 22)90 → 몫 4, 88, 나머지 2
3 7개, 11 cm
4 ③, ⑤
5 13일
6 143

1 ㉠ 270÷30=9 ㉡ 428÷50=8…28
⇨ 몫: 9>8

2 • 87÷16=5…7
• 63÷24=2…15
• 90÷22=4…2
⇨ 나머지: 15>7>2

3 165÷22=7…11
⇨ 리본을 7개까지 만들 수 있고, 11 cm가 남습니다.

4 ① 210÷30=7 ② 270÷45=6
③ 589÷19=31 ④ 532÷76=7
⑤ 902÷82=11
다른 풀이 ① 210÷30 ⇨ 21<30이므로 몫이 한 자리 수
② 270÷45 ⇨ 27<45이므로 몫이 한 자리 수
③ 589÷19 ⇨ 58>19이므로 몫이 두 자리 수
④ 532÷76 ⇨ 53<76이므로 몫이 한 자리 수
⑤ 902÷82 ⇨ 90>82이므로 몫이 두 자리 수

5 316÷25=12…16
⇨ 25쪽씩 12일 읽으면 16쪽이 남으므로 12+1=13(일) 안에 모두 읽을 수 있습니다.

6 □÷16=8…◆에서 나누어지는 수가 가장 크려면 ◆가 가장 커야 합니다.
◆가 가장 클 때는 16−1=15이므로 □÷16=8…15입니다.
따라서 16×8=128, 128+15=□이므로 □=143입니다.

상위권 문제 50~57쪽

유형 1 (1) 18 (2) 17
유제 1 25　유제 2 4
유형 2 (1) 8자루, 30자루 (2) 10자루
유제 3 26장　유제 4 3150원
유형 3 (1) 566 (2) 23, 14
유제 5 3, 16
유제 6 풀이 참조, 28455
유형 4 (1) 975 (2) 23 (3) 975, 23, 42, 9
유제 7 874, 13, 67, 3　유제 8 3
유형 5 (1) 45 (2) 46 (3) 46
유제 9 52　유제 10 48
유형 6 (1) 69
(2) 3, 40, 3, 69, 279 / 4, 20, 4, 69, 349
(3) 279
유제 11 454　유제 12 풀이 참조, 948
유형 7 (1) 4, 2 (2) 4, 6 (3) 16

유제 13 (위에서부터) 7, 9, 6, 4, 2, 4
유제 14 (위에서부터) 2, 6, 7, 5, 7, 1, 6
유형 8 (1) (위에서부터) 14, 168 / 7, 336 / 3, 672 / 1, 1344
(2) 2352
유제 15 2016

유형 1 (1) □×54=972 ⇨ □=972÷54=18
(2) □ 안에 들어갈 수 있는 자연수는 18보다 작은 수 중에서 가장 큰 수이므로 17입니다.

유제 1 □×36=864라고 하면 □=864÷36=24입니다.
따라서 □ 안에 들어갈 수 있는 자연수는 24보다 큰 수 중에서 가장 작은 수이므로 25입니다.

유제 2 63×□=291이라고 하면
291÷63=4⋯39입니다.
따라서 □ 안에 들어갈 수 있는 자연수는 4와 같거나 작은 수 중에서 가장 큰 수이므로 4입니다.

유형 2 (1) 350÷40=8⋯30이므로 8자루씩 나누어 줄 수 있고, 30자루가 남습니다.
(2) 학생이 40명이므로 연필은 적어도
40−30=10(자루) 더 필요합니다.

유제 3 429÷35=12⋯9이므로 12장씩 나누어 줄 수 있고, 9장이 남습니다.
따라서 학생이 35명이므로 색종이는 적어도
35−9=26(장) 더 필요합니다.

유제 4 269÷29=9⋯8이므로 9개씩 나누어 줄 수 있고, 8개가 남습니다.
⇨ 학생이 29명이므로 사탕은 적어도
29−8=21(개) 더 필요합니다.
따라서 모자란 사탕을 사려면 적어도
150×21=3150(원) 더 필요합니다.

유형 3 (1) 어떤 수를 □라 하면 □÷42=13⋯20입니다.
⇨ 42×13=546, 546+20=□, □=566
(2) 566÷24=23⋯14이므로 몫은 23이고, 나머지는 14입니다.

유제 5 어떤 수를 □라 하면 □÷12=6⋯7입니다.
⇨ 12×6=72, 72+7=□, □=79
따라서 바르게 계산하면 79÷21=3⋯16이므로 몫은 3이고, 나머지는 16입니다.

유제 6 예 어떤 수를 □라 하면 □÷35=23⋯8입니다.
35×23=805, 805+8=□, □=813이므로 어떤 수는 813입니다.」 ❶
따라서 바르게 계산하면 813×35=28455입니다.」 ❷

채점 기준

❶ 어떤 수 구하기
❷ 바르게 계산하기

유형 4 (1) 가장 큰 수부터 높은 자리에 쓰면 수 카드로 만들 수 있는 가장 큰 세 자리 수는 975입니다.
(2) 가장 작은 수부터 높은 자리에 쓰면 수 카드로 만들 수 있는 가장 작은 두 자리 수는 23입니다.

유제 7 몫이 가장 큰 나눗셈식을 만들려면 나누어지는 수를 가장 크게 하고, 나누는 수를 가장 작게 합니다.
수 카드로 만들 수 있는 가장 큰 세 자리 수는 874이고, 가장 작은 두 자리 수는 13입니다.
⇨ 874÷13=67⋯3

유제 8 몫이 가장 작은 나눗셈식을 만들려면 나누어지는 수를 가장 작게 하고, 나누는 수를 가장 크게 합니다.
수 카드로 만들 수 있는 가장 작은 세 자리 수는 346이고, 가장 큰 두 자리 수는 87입니다.
⇨ 346÷87=3⋯85이므로 가장 작은 몫은 3입니다.

유형 5 (1) 곱이 10000보다 작을 때, 곱이 가장 큰 곱셈식은 218×45=9810입니다.
(2) 곱이 10000보다 클 때, 곱이 가장 작은 곱셈식은 218×46=10028입니다.
(3) • □=45일 때 218×45=9810
⇨ 10000−9810=190입니다.
• □=46일 때 218×46=10028
⇨ 10028−10000=28입니다.
따라서 190>28이므로 □=46일 때 곱이 10000에 가장 가깝습니다.

유제 9 • □=52일 때 384×52=19968
⇨ 20000−19968=32입니다.
• □=53일 때 384×53=20352
⇨ 20352−20000=352입니다.
따라서 32<352이므로 □=52일 때 곱이 20000에 가장 가깝습니다.

유제 10 • □=47일 때 736×47=34592

⇨ 35000−34592=408입니다.

• □=48일 때 736×48=35328

⇨ 35328−35000=328입니다.

따라서 408>328이므로 □=48일 때 곱이 35000에 가장 가깝습니다.

유형 6 (1) 나누는 수가 70이므로 나머지가 될 수 있는 수 중에서 가장 큰 수는 70−1=69입니다.

(2) • 몫이 3이고 나머지가 69일 때 나누어지는 수는 70×3=210, 210+69=279입니다.

• 몫이 4이고 나머지가 69일 때 나누어지는 수는 70×4=280, 280+69=349입니다.

(3) 279와 349 중에서 250보다 크고 300보다 작은 수는 279입니다.

유제 11 나누는 수가 65이므로 나머지가 될 수 있는 수 중에서 가장 큰 수는 65−1=64입니다.

• 400÷65=6···10이므로 몫이 6이고 나머지가 가장 큰 수인 64일 때 나누어지는 수는 65×6=390, 390+64=454입니다.

• 500÷65=7···45이므로 몫이 7이고 나머지가 가장 큰 수인 64일 때 나누어지는 수는 65×7=455, 455+64=519입니다.

따라서 400보다 크고 500보다 작은 수 중에서 65로 나누었을 때 나머지가 가장 큰 수는 454입니다.

유제 12 예 나누는 수가 73이므로 나머지가 될 수 있는 수 중에서 가장 큰 수는 73−1=72입니다.」 ❶

900÷73=12···24이므로 몫이 12이고 나머지가 가장 큰 수인 72일 때 나누어지는 수는 73×12=876, 876+72=948이고,

999÷73=13···50이므로 몫이 13이고 나머지가 가장 큰 수인 72일 때 나누어지는 수는 73×13=949, 949+72=1021입니다.」 ❷

따라서 나눗셈식의 나머지가 가장 클 때 9□□는 948입니다.」 ❸

채점 기준

❶ 나머지가 될 수 있는 수 중에서 가장 큰 수 구하기
❷ 9□□가 900 또는 999일 때의 몫을 찾아 나머지가 가장 큰 나누어지는 수를 각각 구하기
❸ 나눗셈식의 나머지가 가장 클 때 9□□는 얼마인지 구하기

유형 7 (1) • 1+㉢+3=8 ⇨ ㉢=4

• 2+㉣=4 ⇨ ㉣=2

(2) • ㉠13×3=1239 ⇨ ㉠=4

• 413×㉡=2478 ⇨ ㉡=6

(3) ㉠+㉡+㉢+㉣=4+6+4+2=16

유제 13

```
    ㉠ 0 8
  ×   6 ㉡
  ㉢ 3 7 2
㉣㉤ 4 8
㉥ 8 8 5 2
```

• ㉠08×㉡=㉢372이므로 ㉡=4 또는 ㉡=9이고, 이 중에서 ㉡=9이므로 ㉠=7, ㉢=6입니다.

• 708×6=4248이므로 ㉣=4, ㉤=2입니다.

• 6372+42480=48852이므로 ㉥=4입니다.

유제 14

```
       ㉠ ㉡
27)㉢ 1 5
   ㉣ 4
    1 ㉤ 5
   ㉥ ㉦ 2
      1 3
```

• 27×㉠=㉣4이므로 ㉠=2이고, ㉣=5입니다.

• ㉢1−54=1㉤이므로 ㉢=7, ㉤=7입니다.

• 175÷27=6···13이므로 ㉡=6입니다.

• 27×6=162이므로 ㉥=1, ㉦=6입니다.

유형 8 (2) 336+672+1344=2352

유제 15

168 ×	12	
168	12	×2
84	24	×2
42	48	×2
21(홀수)	96	×2
10	192	×2
5(홀수)	384	×2
2	768	×2
1(홀수)	1536	

왼쪽의 수가 홀수인 경우 같은 줄에 있는 오른쪽의 수를 모두 더합니다.

⇨ 168×12

=96+384+1536

=2016

상위권 문제 확인과 응용 58~61쪽

1 645, 35, 15	**2** 4200원
3 140장	**4** 24
5 32	**6** 풀이 참조, 117 m
7 573	**8** 67
9 풀이 참조, 690번	**10** 154
11 7바퀴, 71일	**12** 식용유

1 $375 \div 18 = 20 \cdots 15$이므로 몫은 20보다 15 큰 수인 35이고, 나머지는 15인 나눗셈식을 만듭니다.
나누어지는 수를 □라 하면 $□ \div 18 = 35 \cdots 15$에서 $18 \times 35 = 630$, $630 + 15 = 645$이므로 $645 \div 18 = 35 \cdots 15$입니다.

2 • (선생님들의 입장료)$= 900 \times 12 = 10800$(원)
• (학생들의 입장료)$= 500 \times 90 = 45000$(원)
⇨ (선생님과 학생들의 입장료의 합)
$= 10800 + 45000 = 55800$(원)
따라서 거스름돈으로 받아야 하는 돈은 $60000 - 55800 = 4200$(원)입니다.

3 • 가로: $262 \div 18 = 14 \cdots 10 \rightarrow 14$장
• 세로: $185 \div 18 = 10 \cdots 5 \rightarrow 10$장
따라서 정사각형 모양의 종이는 모두 $14 \times 10 = 140$(장)까지 만들 수 있습니다.

4 어떤 수를 □라 하면 $□ \div 23 = 3 \cdots 17$입니다.
⇨ $23 \times 3 = 69$, $69 + 17 = □$, $□ = 86$
따라서 바르게 계산하면 $86 \div 32 = 2 \cdots 22$이므로 $2 + 22 = 24$입니다.

5 • $□ \times 29 = 901$이라고 하면 $901 \div 29 = 31 \cdots 2$이므로 □ 안에 들어갈 수 있는 자연수는 31보다 큰 수입니다.
• $13 \times □ = 514$라고 하면 $514 \div 13 = 39 \cdots 7$이므로 □ 안에 들어갈 수 있는 자연수는 39와 같거나 작은 수입니다.
따라서 □ 안에 공통으로 들어갈 수 있는 자연수는 31보다 크고 39와 같거나 작은 수이므로 □ 안에 공통으로 들어갈 수 있는 자연수 중에서 가장 작은 수는 32입니다.

6 예 코끼리 열차가 다리를 완전히 통과할 때까지 간 거리는 $275 \times 48 = 13200$(cm)$= 132$(m)입니다.」❶
따라서 다리의 길이는 코끼리 열차가 다리를 완전히 통과할 때까지 간 거리에서 코끼리 열차의 길이를 빼면 되므로 $132 - 15 = 117$(m)입니다.」❷

채점 기준
❶ 코끼리 열차가 다리를 완전히 통과할 때까지 간 거리 구하기
❷ 다리의 길이 구하기

7 나누는 수가 82이므로 나머지가 될 수 있는 수 중에서 가장 큰 수는 $82 - 1 = 81$입니다.
• $500 \div 82 = 6 \cdots 8$이므로 몫이 6이고 나머지가 가장 큰 수인 81일 때 나누어지는 수는 $82 \times 6 = 492$, $492 + 81 = 573$입니다.
• $600 \div 82 = 7 \cdots 26$이므로 몫이 7이고 나머지가 가장 큰 수인 81일 때 나누어지는 수는 $82 \times 7 = 574$, $574 + 81 = 655$입니다.
따라서 500보다 크고 600보다 작은 수 중에서 82로 나누었을 때 나머지가 가장 큰 수는 573입니다.

8 $450 \times 80 = 36000$이므로 $36000 > 537 \times □$에서 □ 안에 들어갈 수 있는 가장 큰 두 자리 수를 찾습니다. $537 \times 60 = 32220$, $537 \times 70 = 37590$이므로 □ 안에 들어갈 수 있는 가장 큰 두 자리 수의 십의 자리 숫자는 6입니다.
$□ = 66$일 때 $537 \times 66 = 35442 < 36000$
$□ = 67$일 때 $537 \times 67 = 35979 < 36000$
$□ = 68$일 때 $537 \times 68 = 36516 > 36000$
따라서 종이가 찢어진 부분에 들어갈 수 있는 가장 큰 두 자리 수는 67입니다.

9 예 1분 16초는 76초이므로 가 톱니바퀴가 1초 동안 회전한 횟수는 $912 \div 76 = 12$(번)이고, 나 톱니바퀴가 1초 동안 회전한 횟수는 $833 \div 49 = 17$(번)입니다.」❶
2분 18초는 138초이므로 가 톱니바퀴가 2분 18초 동안 회전한 횟수는 $12 \times 138 = 1656$(번)이고, 나 톱니바퀴가 2분 18초 동안 회전한 횟수는 $17 \times 138 = 2346$(번)입니다.」❷
따라서 가와 나 톱니바퀴가 2분 18초 동안 회전한 횟수의 차는 $2346 - 1656 = 690$(번)입니다.」❸

채점 기준
❶ 가와 나 톱니바퀴가 1초 동안 회전한 횟수 각각 구하기
❷ 가와 나 톱니바퀴가 2분 18초 동안 회전한 횟수 각각 구하기
❸ 가와 나 톱니바퀴가 2분 18초 동안 회전한 횟수의 차 구하기

10 $100 \div 76 = 1 \cdots 24$, $300 \div 76 = 3 \cdots 72$이므로 300보다 작은 세 자리 수 중에서 76으로 나누었을 때 몫과 나머지가 같은 경우는 다음의 두 가지 경우입니다.
• $■ \div 76 = 2 \cdots 2$
⇨ $76 \times 2 = 152$, $152 + 2 = ■$, $■ = 154$
• $▲ \div 76 = 3 \cdots 3$
⇨ $76 \times 3 = 228$, $228 + 3 = ▲$, $▲ = 231$
따라서 154와 231 중에서 각 자리 수의 합이 10인 수는 154입니다.

11 (화성이 태양 주위를 한 바퀴 도는 데 걸리는 시간)
$= 98 \times 7 + 1 = 687$(일)
⇨ $687 \div 88 = 7 \cdots 71$이므로 7바퀴 돌고 71일이 남게 됩니다.

12 • (된장찌개 1 mL를 정화하는 데 필요한 물의 양)
$=225\div15=15$(L)
• (식용유 1 mL를 정화하는 데 필요한 물의 양)
$=900\div30=30$(L)
• (요구르트 1 mL를 정화하는 데 필요한 물의 양)
$=900\div50=18$(L)
• (우유 1 mL를 정화하는 데 필요한 물의 양)
$=400\div20=20$(L)
⇨ $30>20>18>15$
따라서 그림의 음식물이 쓰레기로 버려졌을 때 1 mL를 정화하는 데 가장 많은 양의 물이 필요한 것은 식용유입니다.

최상위권 문제 62~63쪽

1 1	**2** 3
3 752, 94, 70688	**4** 30 cm
5 6개	**6** 1, 7, 8, 9

1 $377\times77=29029$이므로 3㉠9×91=29029입니다.

```
    3 ㉠ 9
 ×     9 1
 ----------
    3 ㉠ 9    ⇨ ㉠+1=2이므로 ㉠=1입니다.
㉡㉢㉣ 1
 ----------
 2 9 0 2 9
```

2 • 47★16의 계산: $47\div16=2\cdots15$이므로 47★16=15입니다.
⇨ 78★(47★16)=78★15
• 78★15의 계산: $78\div15=5\cdots3$이므로 78★15=3입니다.

3 비법 PLUS+ (세 자리 수)×(두 자리 수)의 곱이 가장 크려면 수 카드의 수 중에서 가장 큰 수와 두 번째로 큰 수가 각각 곱하는 두 수의 맨 앞자리에 와야 합니다.

㉠㉡㉢×㉣㉤의 곱이 가장 크려면 ㉠과 ㉣에 가장 큰 두 수인 9 또는 7이 들어가야 하고, ㉢에 가장 작은 수인 2가 들어가야 합니다.
⇨ $952\times74=70448$, $942\times75=70650$,
$752\times94=70688$, $742\times95=70490$
따라서 곱이 가장 큰 경우는 $752\times94=70688$입니다.

4 비법 PLUS+ 만든 도형의 모든 변의 길이의 합은 가장 작은 정사각형의 한 변의 길이의 몇 배로 늘어나는 규칙인지 찾습니다.

만든 도형의 모든 변의 길이의 합은 가장 작은 정사각형의 한 변의 길이의 4배, 8배, 12배, 16배로 늘어나는 규칙입니다.
(일곱째에 만든 도형의 모든 변의 길이의 합)
=(가장 작은 정사각형의 한 변)×28
⇨ (가장 작은 정사각형의 한 변)
=(일곱째에 만든 도형의 모든 변의 길이의 합)÷28
$=840\div28=30$(cm)

5 비법 PLUS+ 21로 나누었을 때 나머지가 될 수 있는 가장 작은 수는 1이고, 가장 큰 수는 20입니다.

만든 세 자리 수를 ■, 나머지를 ◆라 하면
■÷21=16⋯◆입니다.
◆가 될 수 있는 수는 1부터 20까지의 수이므로 ■가 될 수 있는 가장 작은 수는 $21\times16=336$, $336+1=337$이고, ■가 될 수 있는 가장 큰 수는 $21\times16=336$, $336+20=356$입니다.
따라서 1부터 5까지의 숫자를 한 번씩만 사용하여 만들 수 있는 세 자리 수 중에서 337과 같거나 크고 356과 같거나 작은 수는 341, 342, 345, 351, 352, 354로 모두 6개입니다.

6 ㄷ×ㄷ의 일의 자리 수가 1이므로 ㄷ=1 또는 ㄷ=9입니다.
• ㄷ=1인 경우
ㄷ×ㄴ의 일의 자리 수가 4이므로 ㄴ=4입니다.
ㄱ41×14에서 곱의 만의 자리 수가 1이므로 ㄱ에 9, 8, 7, 6……을 넣어 보면
$941\times14=13174$,
$841\times14=11774$,
$741\times14=10374$, $641\times14=8974$……
입니다.
⇨ ㄱ이 될 수 있는 수는 7, 8, 9입니다.

```
      ㄱ 4 1
  ×      1 4
  -----------
    □ □ 6 4
    ㄱ 4 1
  -----------
  1 □ □ 7 4
```

• ㄷ=9인 경우
ㄷ×ㄴ의 일의 자리 수가 4이므로 ㄴ=6입니다.
ㄱ69×96에서 곱의 만의 자리 수가 1이므로 ㄱ에 1, 2……를 넣어 보면 $169\times96=16224$,
$269\times96=25824$……입니다.
⇨ ㄱ이 될 수 있는 수는 1입니다.

```
      ㄱ 6 9
  ×      9 6
  -----------
    □ □ 1 4
  □ □ 2 1
  -----------
  1 □ □ 2 4
```

따라서 ㄱ이 될 수 있는 수는 1, 7, 8, 9입니다.

4 평면도형의 이동

핵심 개념과 문제 67쪽

1 1 cm 1 cm

2 ⑤

3 예 왼쪽 모양을 시계 방향으로 90°만큼 돌리는 것을 반복해서 모양을 만들고, 그 모양을 오른쪽으로 밀어서 무늬를 만들었습니다.

4

5 663

6

1 모눈종이 1칸이 1 cm이므로 오른쪽으로 5칸만큼 밀었을 때의 모양을 그립니다.

2 모양 조각을 오른쪽으로 뒤집으면 ③번 모양이 되고 다시 위쪽으로 뒤집으면 ⑤번 모양이 됩니다.

4

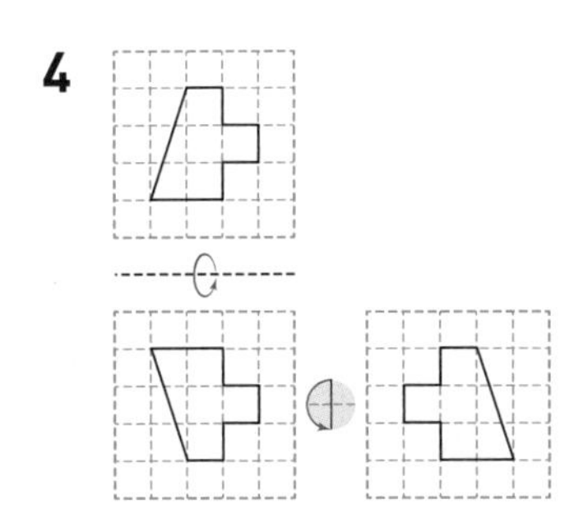

5 861 198

⇨ $861-198=663$

6 오른쪽 도형을 시계 반대 방향으로 270°만큼 돌린 모양을 그립니다.

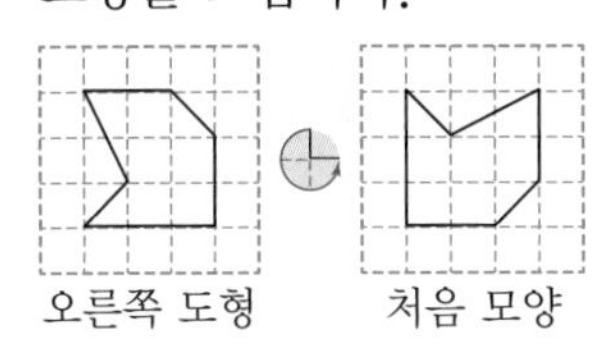

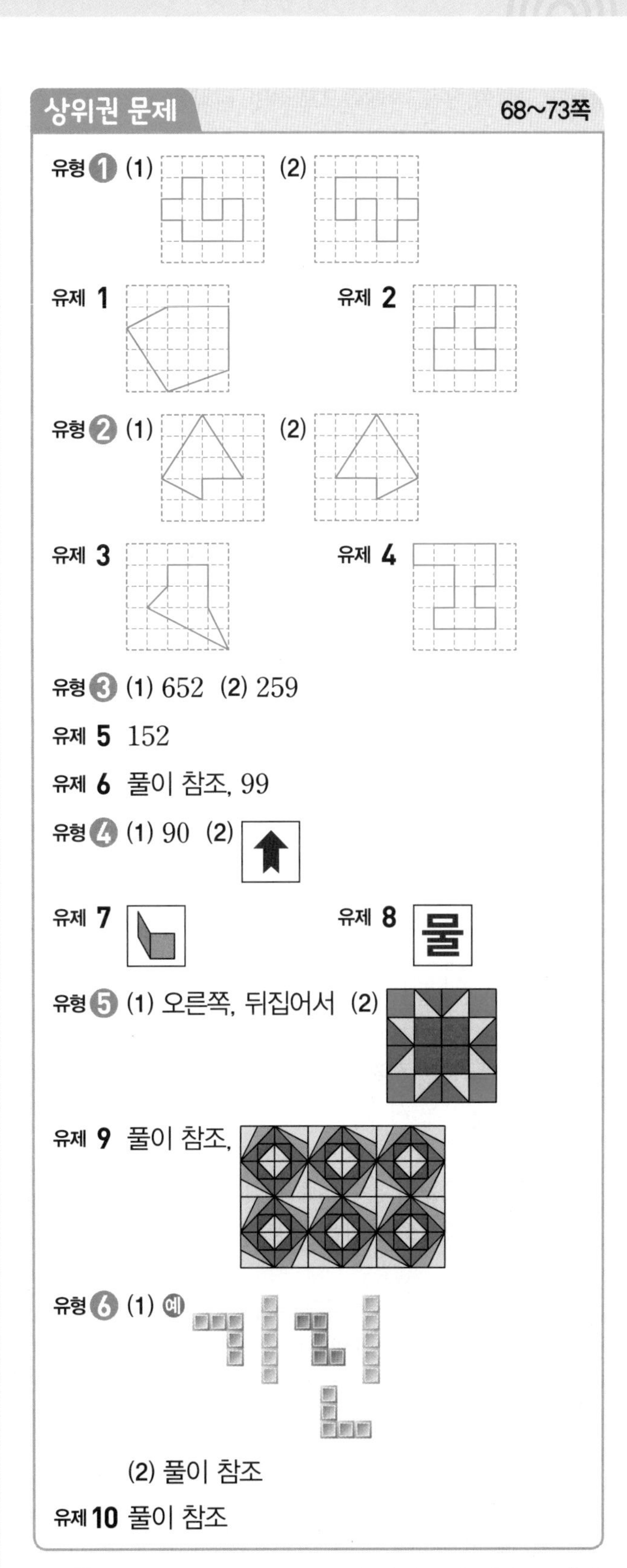

유형 1 (1) 도형을 왼쪽으로 4번 뒤집으면 처음 모양과 같으므로 왼쪽으로 5번 뒤집은 모양은 왼쪽으로 1번 뒤집은 모양과 같습니다.

(2) 도형을 시계 방향으로 180°만큼 8번 돌리면 처음 모양과 같으므로 시계 방향으로 180°만큼 9번 돌린 모양은 시계 방향으로 180°만큼 1번 돌린 모양과 같습니다.

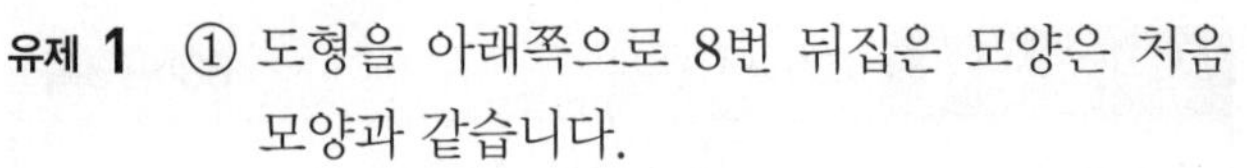

유제 1 ① 도형을 아래쪽으로 8번 뒤집은 모양은 처음 모양과 같습니다.

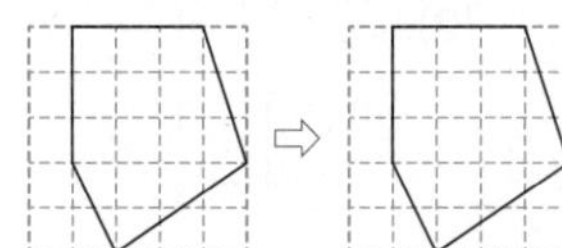

② 위 ①의 모양을 시계 반대 방향으로 90°만큼 7번 돌린 모양은 시계 반대 방향으로 90°만큼 3번 돌린 모양과 같습니다.

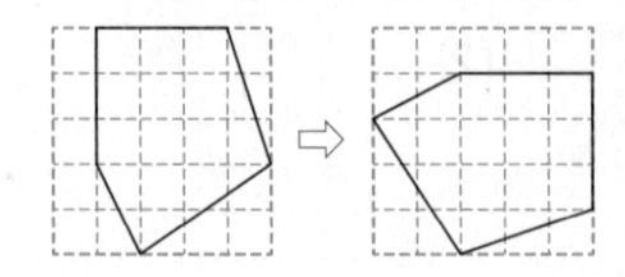

유제 2 ① 도형을 시계 방향으로 270°만큼 6번 돌린 모양은 시계 방향으로 270°만큼 2번 돌린 모양과 같습니다.

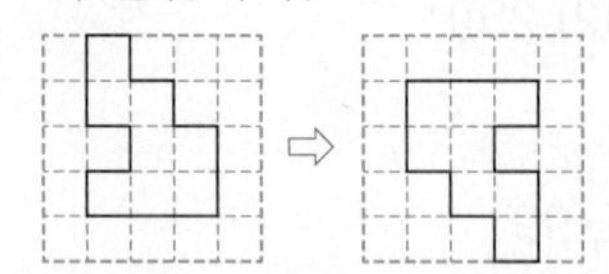

② 위 ①의 모양을 위쪽으로 11번 뒤집은 모양은 위쪽으로 1번 뒤집은 모양과 같습니다.

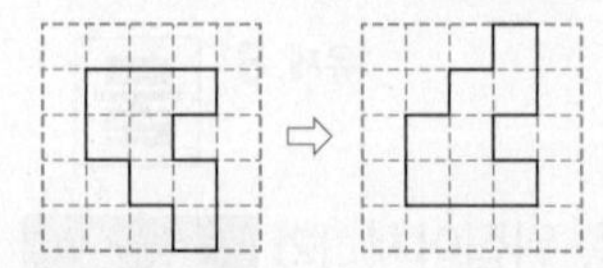

유형 2 (1) 도형을 시계 방향으로 90°만큼 돌리기 전의 모양은 시계 반대 방향으로 90°만큼 돌린 모양과 같습니다.

(2) 도형을 오른쪽으로 뒤집기 전의 처음 모양은 왼쪽으로 뒤집은 모양과 같습니다.

유제 3 (아래쪽으로 3번 뒤집은 모양)
=(아래쪽으로 1번 뒤집은 모양)
따라서 오른쪽 도형을 시계 방향으로 180°만큼 1번 돌리고 위쪽으로 1번 뒤집으면 처음 모양이 됩니다.

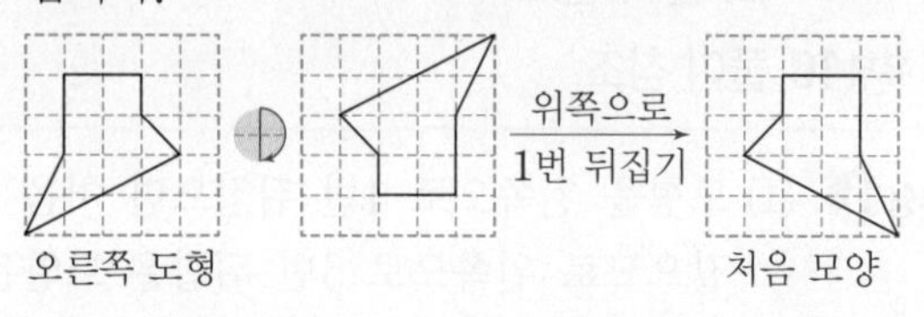

유제 4 • (시계 방향으로 90°만큼 2번 돌린 모양)
=(시계 방향으로 180°만큼 1번 돌린 모양)
• (왼쪽으로 5번 뒤집은 모양)
=(왼쪽으로 1번 뒤집은 모양)

따라서 오른쪽 도형을 오른쪽으로 1번 뒤집고 시계 반대 방향으로 180°만큼 1번 돌리면 처음 모양이 됩니다.

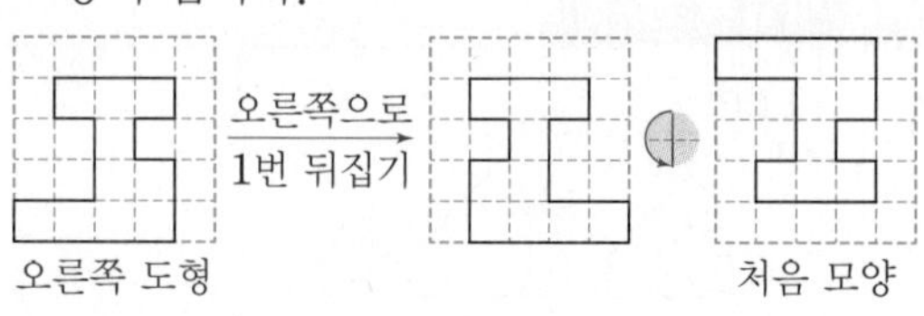

유형 3 (1) $6>5>2>1$이므로 만든 가장 큰 세 자리 수는 652입니다.

(2) 652 → 259

유제 5 $1<2<3<5$이므로 만든 가장 작은 세 자리 수는 123이고, 두 번째로 작은 세 자리 수는 125입니다.

⇨ 125 → 152

유제 6 예 $0<1<2<6<8$이고 0은 백의 자리에 올 수 없으므로 만든 가장 작은 세 자리 수는 102입니다.」❶ 만든 가장 작은 세 자리 수를 시계 반대 방향으로 180°만큼 돌리면 102 → 201입니다.」❷
따라서 움직여서 만들어지는 수와 처음 수의 차는 $201-102=99$입니다.」❸

채점 기준
❶ 만든 가장 작은 세 자리 수 구하기
❷ 위 ❶에서 만든 수를 시계 반대 방향으로 180°만큼 돌린 수 구하기
❸ 움직여서 만들어지는 수와 처음 수의 차 구하기

유형 4 (1) (2)

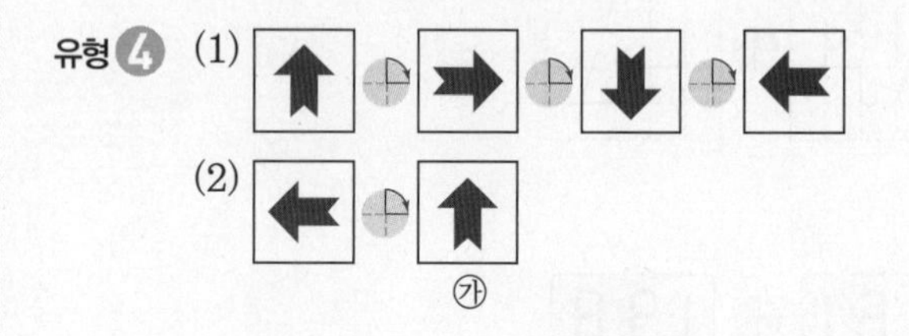

유제 7 모양 조각을 오른쪽(왼쪽)으로, 위쪽(아래쪽)으로 번갈아 가며 뒤집는 규칙입니다.

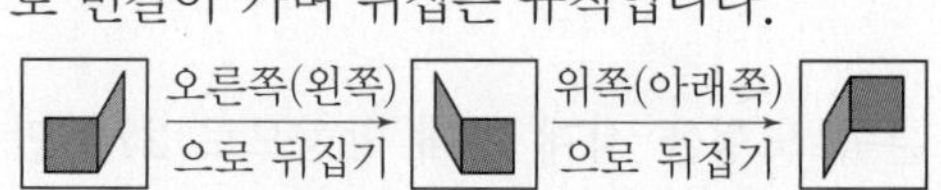

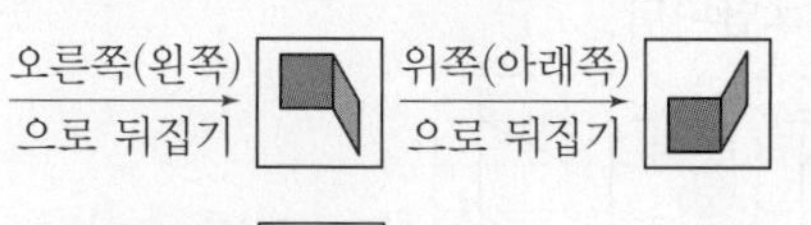

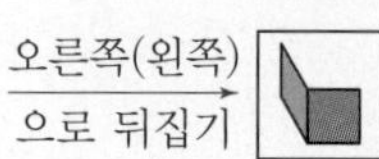

유제 8 글자를 시계 방향으로 180°만큼 돌리기, 위쪽(아래쪽)으로 뒤집기를 번갈아 가며 하는 규칙입니다.

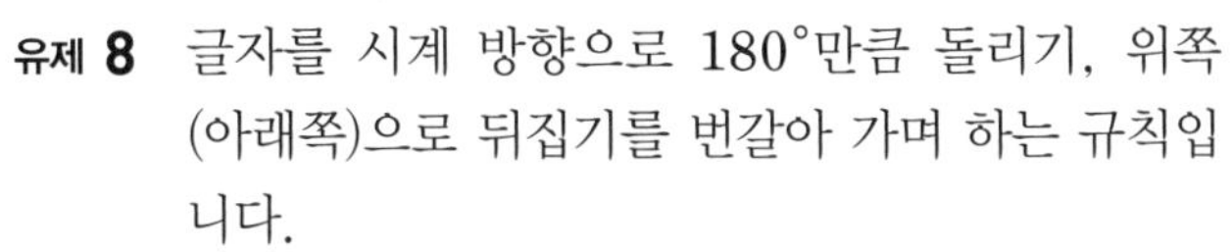

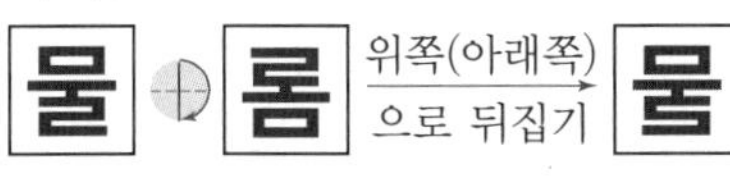

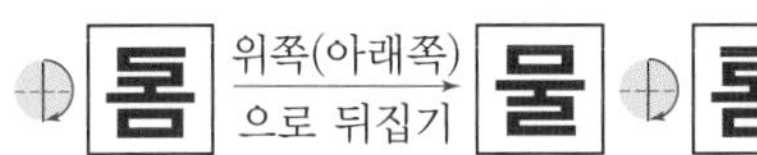

유제 9 예 모양을 시계 방향으로 90°만큼 돌리는 것을 반복해서 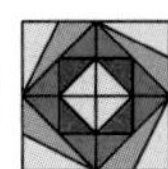 모양을 만들고, 그 모양을 오른쪽과 아래쪽으로 밀어서 무늬를 만들었습니다.」❶

따라서 빈칸에 알맞은 모양을 그리면

입니다.」❷

채점 기준
❶ 무늬가 만들어진 규칙 설명하기
❷ 빈칸에 알맞은 모양 그리기

유형 6 (2) 예 먼저 ⑧번 조각을 'ㄱ' 모양이 되도록 돌려놓고 ②번 조각을 ⑧번 조각의 오른쪽 옆으로 밀어서 '기'를 만듭니다. ⑫번 조각을 놓고 ②번 조각을 ⑫번 조각의 오른쪽 옆으로 밀고 ⑫번과 ②번 조각 밑으로 ⑧번 조각을 밀어서 '린'을 만듭니다.

유제 10 예

먼저 ⑦번 조각을 'ㄷ' 모양이 되도록 돌려놓고 ⑥번 조각을 위쪽으로 뒤집어서 ⑦번 조각 밑으로 밀고 ⑧번 조각을 'ㄱ' 모양이 되도록 돌려서 ⑥번 조각 아래로 밀어서 '독'을 만듭니다. ⑧번 조각을 'ㅅ' 모양이 되도록 돌려놓고 ⑥번 조각을 ⑧번 조각의 아래로 밀어서 '수'를 만듭니다. ⑫번 조각을 놓고 ②번 조각을 ⑫번 조각의 오른쪽 옆으로 밀어서 '리'를 만듭니다.

상위권 문제 확인과 응용 74~77쪽

1 ④
2 풀이 참조, 805
3 7개
4
5 9시 25분
6
7 185
8 12시 55분
9 풀이 참조,
10 4개
11 8개
12 왼쪽 또는 오른쪽

1 시계 반대 방향으로 90°만큼 13번 돌린 모양은 시계 반대 방향으로 90°만큼 1번 돌린 모양과 같습니다.

따라서 ⇩ → ⇨ 이므로 화살표는 ④번을 가리킵니다.

2 예 $0<2<8<9$이고 0은 백의 자리에 올 수 없으므로 만든 가장 작은 세 자리 수는 208입니다.」❶

따라서 208 → 805이므로 만든 가장 작은 세 자리 수를 오른쪽으로 뒤집으면 805입니다.」❷

채점 기준
❶ 만든 가장 작은 세 자리 수 구하기
❷ 위 ❶에서 만든 수를 오른쪽으로 뒤집은 수 구하기

3 왼쪽 모양을 돌려서 만들 수 있는 모양은 ▢, ▢, ▢, ▢이고 이 모양을 찾으면 모두 7개입니다.

4 보기 는 도형의 위쪽이 왼쪽으로 바뀌었으므로 도형을 시계 반대 방향으로 90°(시계 방향으로 270°)만큼 돌린 것입니다.

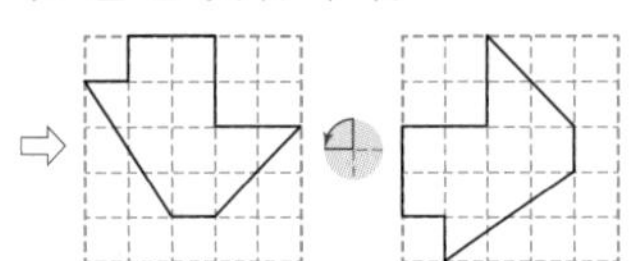

5 아래쪽에 거울을 놓았을 때 거울에 비친 모양은 아래쪽으로 뒤집은 모양과 같으므로 거울에 비친 모양을 위쪽으로 뒤집으면 실제 벽시계의 모양이 됩니다.

 위쪽으로 뒤집기 → 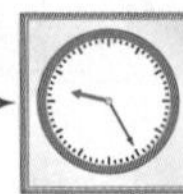 ⇨ 9시 25분

6 • (시계 방향으로 90°만큼 10번 돌린 모양)
$=$(시계 방향으로 90°만큼 2번 돌린 모양)
$=$(시계 방향으로 180°만큼 1번 돌린 모양)
• (위쪽으로 9번 뒤집은 모양)
$=$(위쪽으로 1번 뒤집은 모양)
따라서 오른쪽 도형을 아래쪽으로 1번 뒤집고 시계 반대 방향으로 180°만큼 1번 돌리면 처음 모양이 됩니다.

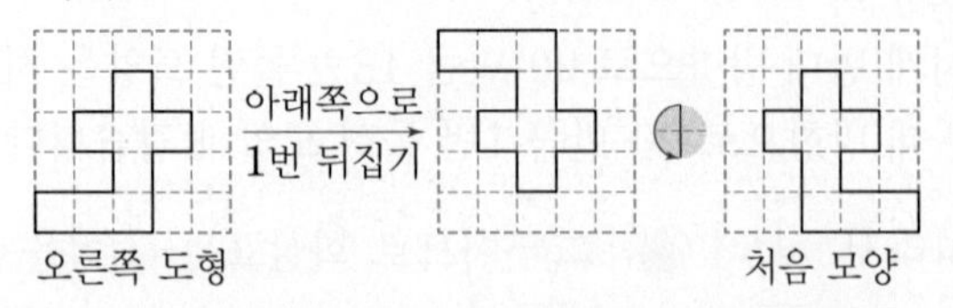

7 잘못 뺀 수를 구하면 561 ⊕ 195이므로 195입니다.
어떤 수를 □라 하면 □$-195=551$이므로
□$=551+195=746$입니다.
따라서 바르게 계산하면 $746-561=185$입니다.

8 철봉에 거꾸로 매달렸을 때 시계를 본 모양은 시계를 시계 방향으로 180°만큼 돌린 모양과 같습니다.
시계를 거꾸로 본 모양을 시계 반대 방향으로 180°만큼 돌리면 05:21 ⊕ 12:50이므로 실제 시각은 12시 50분입니다.
따라서 호준이가 철봉에서 내려온 시각은 5분 후이므로 12시 55분입니다.

9 예 잘못 움직인 모양을 시계 반대 방향으로 180°만큼 돌리면 처음 모양이 됩니다.

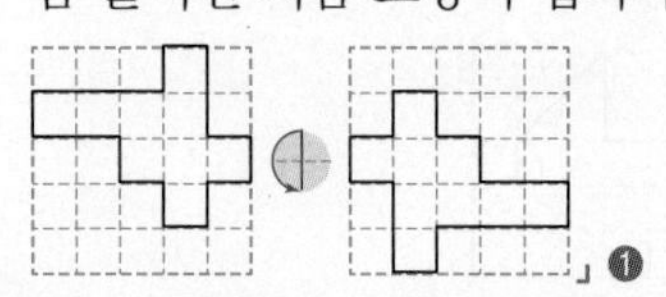 ❶

따라서 처음 모양을 위쪽으로 뒤집으면 바르게 움직인 모양이 됩니다.

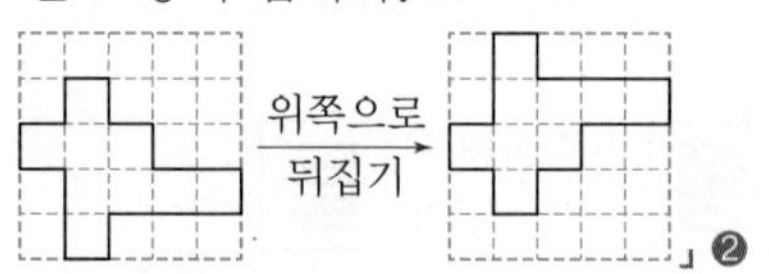

❷

채점 기준
❶ 처음 모양 알아보기
❷ 바르게 움직인 모양 그리기

10 모양을 시계 반대 방향으로 270°만큼 돌리고 왼쪽으로 뒤집어서 다시 시계 방향으로 180°만큼 돌리면 처음 모양이 됩니다.

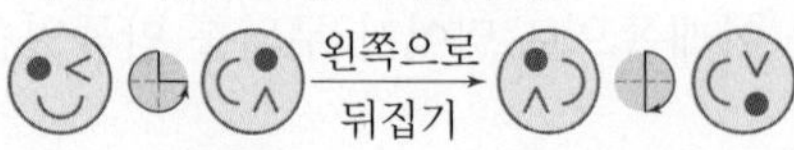

따라서 모양은 모두 4개입니다.

11 오른쪽으로 뒤집으면 왼쪽과 오른쪽이 서로 바뀌므로 처음 모양과 같으려면 왼쪽과 오른쪽의 모양이 같아야 합니다.
따라서 왼쪽과 오른쪽의 모양이 같은 자음을 모두 찾으면 ㅁ, ㅂ, ㅅ, ㅇ, ㅈ, ㅊ, ㅍ, ㅎ이므로 모두 8개입니다.

12 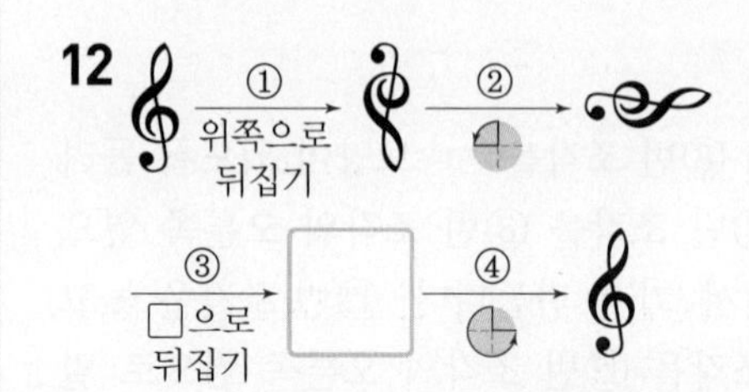

④를 거꾸로 움직이면 ⊕ 이고

③ □으로 뒤집기 → 이므로 ③은 왼쪽 또는 오른쪽으로 뒤집기입니다.

최상위권 문제 78~79쪽

1 왼쪽 또는 오른쪽 **2** 17개
3 예 위쪽(아래쪽)으로 한 번 뒤집기
4 750 **5** 7개
6 6809, 9806

1 비법 PLUS+ 거울을 왼쪽 또는 오른쪽에 세워 놓았을 때 생기는 모양은 왼쪽 또는 오른쪽으로 뒤집은 모양과 같습니다.

왼쪽 글자를 시계 방향으로 270°만큼 돌리기

• 거울을 왼쪽 또는 오른쪽에 세워 놓았을 때

거울에 비친 모양

• 거울을 위쪽 또는 아래쪽에 세워 놓았을 때

거울에 비친 모양

따라서 돌린 글자의 왼쪽 또는 오른쪽에 거울을 세워 놓은 것입니다.

2 비법 PLUS+ 뒤집은 횟수에 따라 만들어지는 원의 수가 늘어나는 규칙을 찾습니다.

뒤집은 횟수(번)	1	2	3	4	……
원의 수(개)	4	5	8	9	……

+1 +3 +1

따라서 만들어지는 원은 모두
$4+1+3+1+3+1+3+1=17$(개)입니다.

3 비법 PLUS+ 도형을 간단히 움직이는 방법을 찾아 도형을 움직여 보고 처음 모양과 비교합니다.

• (시계 방향으로 180°만큼 5번 돌린 모양)
=(시계 방향으로 180°만큼 1번 돌린 모양)
• (오른쪽으로 3번 뒤집은 모양)
=(오른쪽으로 1번 뒤집은 모양)

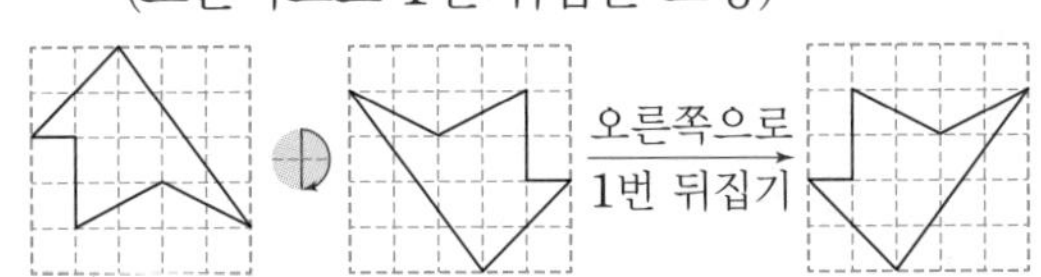

따라서 오른쪽 도형을 위쪽(아래쪽)으로 한 번 뒤집은 모양과 같습니다.

4 비법 PLUS+ 먼저 시계 반대 방향으로 270°만큼 2번 돌렸을 때 만들어지는 숫자가 처음 숫자와 같은 수 카드를 찾습니다.

(시계 반대 방향으로 270°만큼 2번 돌린 모양)
=(시계 방향으로 90°만큼 2번 돌린 모양)
=(시계 방향으로 180°만큼 1번 돌린 모양)

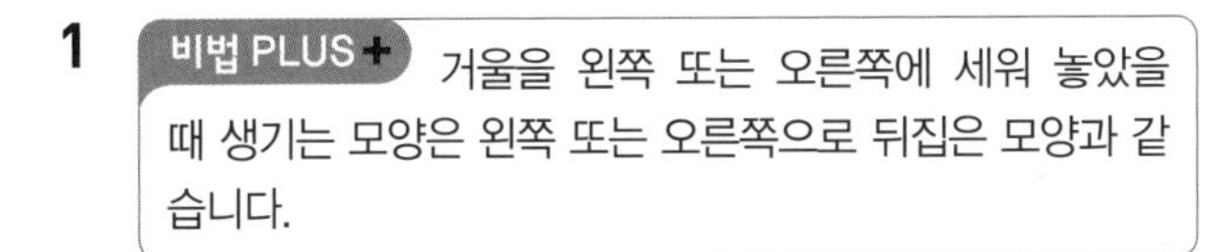

시계 방향으로 180°만큼 1번 돌렸을 때 만들어지는 숫자가 처음 숫자와 같은 수 카드는

0, 1, 2, 5, 8입니다.

따라서 이 수 카드로 만들 수 있는 가장 큰 세 자리 수는 852, 가장 작은 세 자리 수는 102이므로 차는 $852-102=750$입니다.

5 비법 PLUS+ 먼저 왼쪽 그림을 시계 반대 방향으로 270°만큼 돌리고 오른쪽으로 뒤집었을 때의 모양을 알아봅니다.

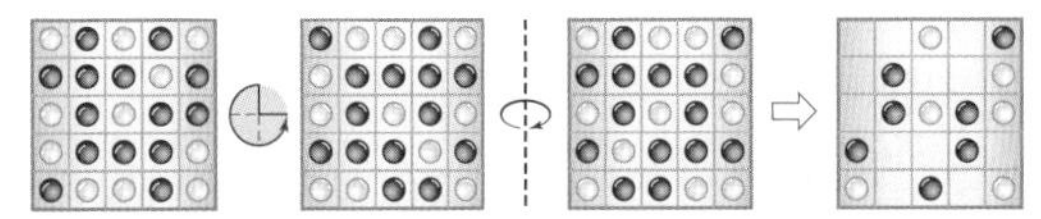

따라서 남은 바둑돌 중에서 검은색 바둑돌은 7개입니다.

6 비법 PLUS+ 먼저 시계 방향으로 180°만큼 돌렸을 때 숫자가 되는 수 카드를 찾습니다.

시계 방향으로 180°만큼 돌렸을 때 숫자가 되는 수 카드의 숫자는 0, 1, 2, 5, 6, 8, 9입니다.
처음 수와 돌렸을 때 만들어지는 수의 차에서 일의 자리 숫자가 0이므로 두 수의 일의 자리 숫자는 같습니다. 6을 시계 방향으로 180°만큼 돌리면 9이고, 9를 시계 방향으로 180°만큼 돌리면 6이므로 처음 수의 천의 자리 숫자와 일의 자리 숫자는 6 또는 9입니다. 돌려서 나온 네 자리 수는 6㉠㉡9 또는 9㉢㉣6이 될 수 있습니다.

```
  6 ㉠ ㉡ 9
+    7  2  0
  6 □ □ 9
```

백의 자리에서 받아올림이 없으므로 ㉠은 0, 1, 2가 될 수 있습니다.

㉠=0일 때 ㉡=8입니다.
㉠=1, ㉠=2일 때 조건에 맞는 ㉡은 없습니다.

```
  9 ㉢ ㉣ 6
+    7  2  0
  9 □ □ 6
```

위와 같은 방법으로 생각하면 ㉢=0, ㉣=8입니다.

따라서 처음 수가 될 수 있는 수는 6809, 9806입니다.

5 막대그래프

핵심 개념과 문제 83쪽

1 만화책, 과학책, 동화책, 위인전
2 막대그래프
3 9명　　4 50상자
5 예 감은 70상자 팔았습니다.
/ 귤은 사과보다 30상자 더 적게 팔았습니다.
6 260상자

1 막대의 길이가 긴 것부터 차례대로 쓰면 만화책, 과학책, 동화책, 위인전입니다.

3 포도 맛 사탕은 11명, 자두 맛 사탕은 7명이므로
(사과 맛 사탕을 먹고 싶어 하는 학생 수)
$=27-11-7=9$(명)입니다.

4 가로 눈금 한 칸이 $50\div5=10$(상자)를 나타내므로 사과는 90상자, 배는 40상자 팔았습니다.
따라서 사과를 배보다 $90-40=50$(상자) 더 많이 팔았습니다.

6 사과: 90상자, 배: 40상자, 귤: 60상자, 감: 70상자
⇨ (일주일 동안 판 과일의 수)
$=90+40+60+70=260$(상자)

핵심 개념과 문제 85쪽

1 10 /
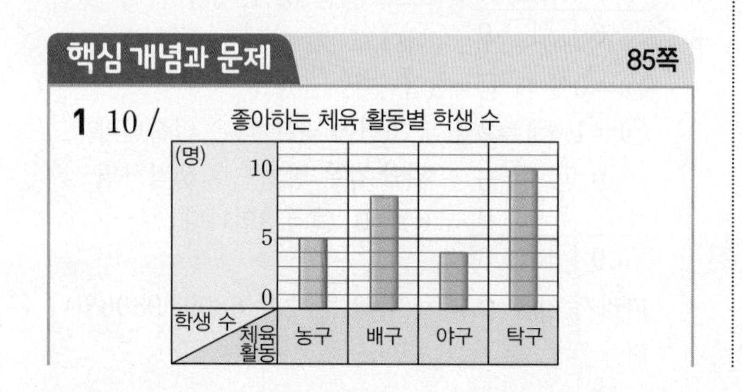

2
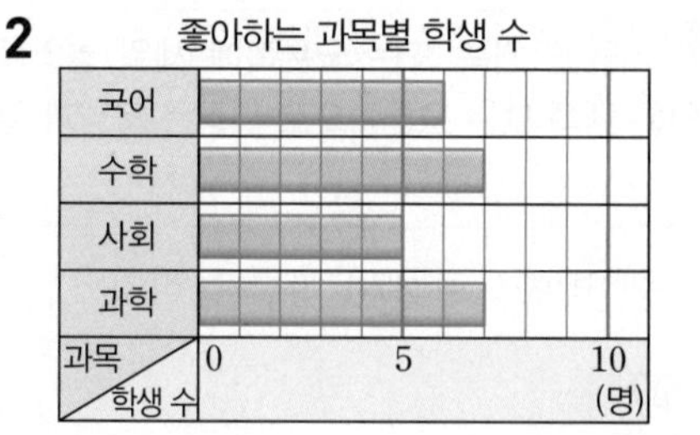

3 6세　　4 알 수 없습니다.
5 예 83세일 것 같습니다. / 10년마다 평균 수명이 약 3세씩 늘어나고 있기 때문입니다.

1 (탁구를 좋아하는 학생 수)
$=27-5-8-4=10$(명)
세로 눈금 한 칸이 1명을 나타내므로 배구는 8칸, 야구는 4칸, 탁구는 10칸으로 그립니다.

2 (수학을 좋아하는 학생 수)$=25-6-5-7=7$(명)
가로 눈금 한 칸이 1명을 나타내므로 국어는 6칸, 수학은 7칸, 사회는 5칸, 과학은 7칸으로 그립니다.

3 2000년: 77세, 1980년: 71세
⇨ $77-71=6$(세)

상위권 문제 86~91쪽

유형 1 (1) 4명 (2) 8칸
유제 1 7상자　　유제 2 7묶음
유형 2 (1) 120마리 (2) 100마리
유제 3 풀이 참조, 12명
유형 3 (1) 10개 (2) 80개
유제 4 125분　　유제 5 16명
유형 4 (1) 4반 (2) 13명
유제 6 풀이 참조, 13명
유형 5 (1) 24명, 16명 (2) 40명
유제 7 140명　　유제 8 8명

유형 6 (1) 54 킬로칼로리, 48 킬로칼로리, 30 킬로칼로리

(2) 운동 종류별 열량 소비량

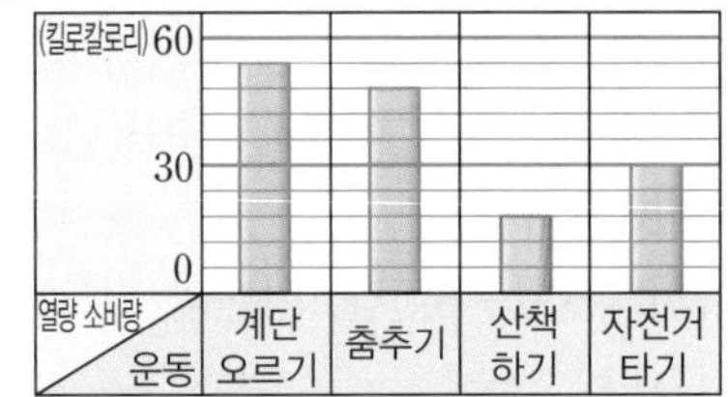

유제 9 가 보고 싶어 하는 도시별 학생 수

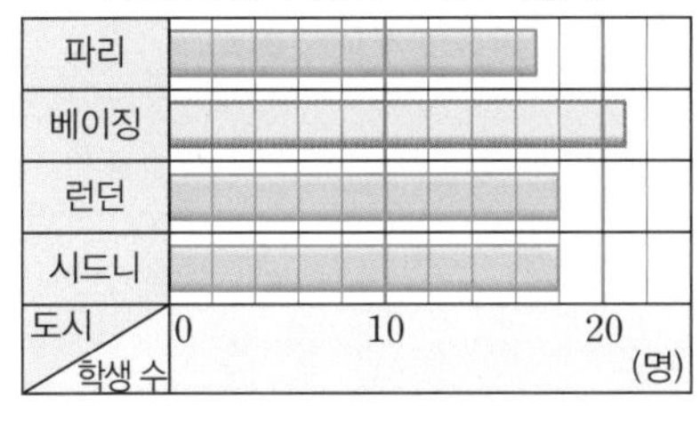

유형 1 (1) 세로 눈금 한 칸이 1명을 나타내므로 정글 보트는 한 칸에 4명씩 탈 수 있습니다.

(2) (필요한 정글 보트의 칸 수)$=32\div4=8$(칸)

유제 1 가로 눈금 한 칸이 1개를 나타내므로 지우개는 한 상자에 5개 들어 있습니다.

⇨ (필요한 상자 수)$=35\div5=7$(상자)

유제 2 세로 눈금 한 칸이 $10\div5=2$(권)을 나타내므로 ㉯ 공책은 한 묶음에 $2\times7=14$(권)입니다.

⇨ $85\div14=6\cdots1$이므로 6묶음이면 공책이 1권 부족하므로 적어도 7묶음 필요합니다.

유형 2 (1) 세로 눈금 한 칸이 $100\div5=20$(마리)를 나타냅니다.

⇨ (건강 목장의 젖소 수)
$=$(푸른 목장의 젖소 수)$=120$마리

(2) 행운 목장의 젖소는 160마리입니다.

⇨ (가람 목장의 젖소 수)
$=500-120-120-160=100$(마리)

유제 3 예 수영을 좋아하는 학생이 5명이므로 육상을 좋아하는 학생은 $5+4=9$(명)입니다.」 ❶
따라서 축구를 좋아하는 학생은 10명이므로 핸드볼을 좋아하는 학생은 $36-9-5-10=12$(명)입니다.」 ❷

채점 기준
❶ 육상을 좋아하는 학생 수 구하기
❷ 핸드볼을 좋아하는 학생 수 구하기

유형 3 (1) 초록색 바지의 세로 눈금 수를 세어 보면 6칸이므로 세로 눈금 한 칸은 $60\div6=10$(개)를 나타냅니다.

(2) 노란색 바지의 세로 눈금 수를 세어 보면 8칸이므로
(팔린 노란색 바지 수)$=10\times8=80$(개)입니다.

유제 4 현승이의 세로 눈금 수를 세어 보면 8칸이므로 세로 눈금 한 칸은 $40\div8=5$(분)을 나타냅니다.
우열이가 책을 읽은 시간은
$5\times6=30$(분), 정현이가 책을 읽은 시간은
$5\times7=35$(분), 지성이가 책을 읽은 시간은
$5\times4=20$(분)입니다.
따라서 (현승이네 모둠 학생들이 책을 읽은 시간)
$=40+30+35+20=125$(분)입니다.

유제 5 장소별로 가로 눈금 수를 각각 세어 보면 고궁 4칸, 과학관 6칸, 놀이공원 8칸, 박물관 7칸으로 모두 $4+6+8+7=25$(칸)이므로 가로 눈금 한 칸은 $50\div25=2$(명)을 나타냅니다.
따라서 (놀이공원에 가고 싶은 학생 수)
$=2\times8=16$(명)입니다.

유형 4 (1) 반별 두 막대의 길이를 비교하면 남학생과 여학생 수의 차가 가장 큰 반은 4반입니다.

(2) 4반의 남학생은 8명, 여학생은 5명입니다.
따라서 지각생은 모두 $8+5=13$(명)입니다.

유제 6 예 반별 두 막대의 길이를 비교하면 남자 어린이와 여자 어린이 수의 차가 가장 작은 반은 행복 반입니다.」 ❶
따라서 행복 반의 어린이는 모두 $6+7=13$(명)입니다.」 ❷

채점 기준
❶ 남자 어린이와 여자 어린이 수의 차가 가장 작은 반 찾기
❷ 위 ❶에서 찾은 반의 어린이는 모두 몇 명인지 구하기

유형 5 (1) 세로 눈금 한 칸이 $10 \div 5 = 2$(명)을 나타내므로 꽃 마을의 초등학생은 $2 \times 6 = 12$(명)입니다.
따라서 (해 마을의 초등학생 수)
$= 12 \times 2 = 24$(명)이고
(달 마을의 초등학생 수)
=(해 마을의 초등학생 수)-8
$= 24 - 8 = 16$(명)입니다.
(2) (해 마을과 달 마을의 초등학생 수의 합)
$= 24 + 16 = 40$(명)

유제 7 세로 눈금 한 칸이 $50 \div 5 = 10$(명)을 나타내므로 목요일의 관람객은 $10 \times 3 = 30$(명)입니다.
⇨ (토요일의 관람객 수)$= 30 \times 2 = 60$(명),
(일요일의 관람객 수)$= 60 + 20 = 80$(명)
따라서 (토요일과 일요일의 관람객 수의 합)
$= 60 + 80 = 140$(명)입니다.

유제 8 세로 눈금 한 칸이 $10 \div 5 = 2$(명)을 나타내므로 ㉰ 팀의 참가자는 $2 \times 6 = 12$(명)입니다.
⇨ (㉮ 팀의 참가자 수)$= 12 - 4 = 8$(명),
(㉯ 팀의 참가자 수)$= 8 \times 2 = 16$(명)
㉱ 팀의 참가자는 $2 \times 7 = 14$(명)이고 각 팀의 참가자 수를 비교하면 $16 > 14 > 12 > 8$이므로 (참가자 수가 가장 많은 팀과 가장 적은 팀의 참가자 수의 차)$= 16 - 8 = 8$(명)입니다.

유형 6 (1) 세로 눈금 한 칸이 $30 \div 5 = 6$(킬로칼로리)를 나타내므로 산책하기의 열량 소비량은 $6 \times 3 = 18$(킬로칼로리)입니다.
따라서 10분 동안 운동을 했을 때의 열량 소비량은
계단 오르기가 $18 \times 3 = 54$(킬로칼로리),
춤추기가 $18 + 30 = 48$(킬로칼로리),
자전거 타기가
$150 - 54 - 48 - 18 = 30$(킬로칼로리)입니다.
(2) 세로 눈금 한 칸이 6 킬로칼로리를 나타내므로 계단 오르기는 9칸, 춤추기는 8칸, 자전거 타기는 5칸으로 그립니다.

유제 9 베이징에 가 보고 싶어 하는 학생은 21명이므로 파리에 가 보고 싶어 하는 학생은
$21 - 4 = 17$(명)입니다. 런던과 시드니에 가 보고 싶어 하는 학생을 각각 □명이라 하면
$17 + 21 + □ + □ = 74$, $□ + □ = 36$,
$□ = 18$입니다.
따라서 파리는 8.5칸, 런던과 시드니는 9칸으로 그립니다.

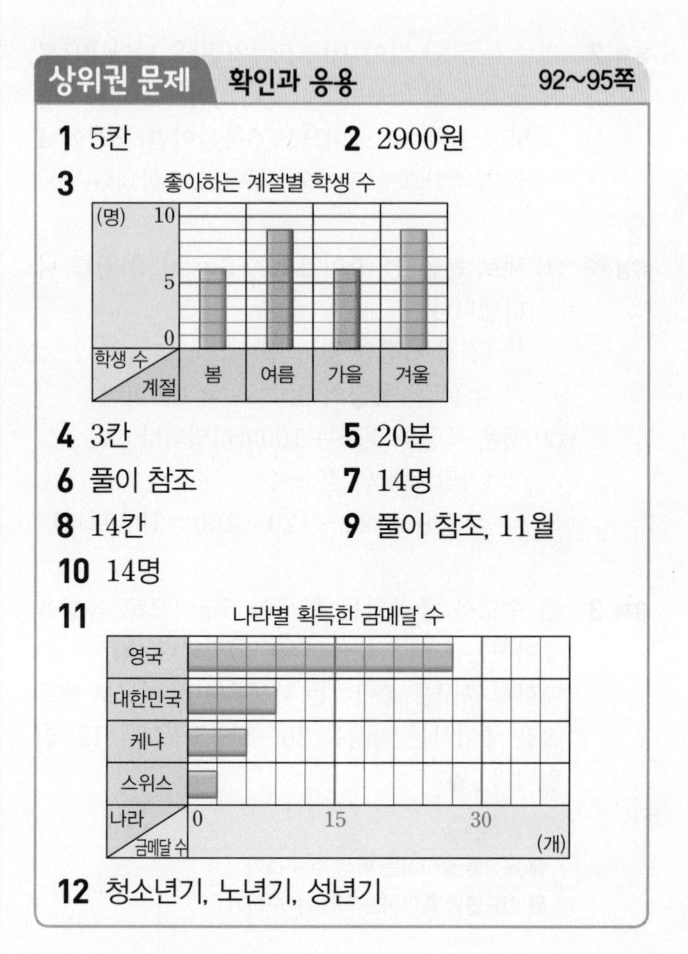

1 강아지를 키우는 학생이
34－8－6－6－4＝10(명)이므로 강아지를 키우는 학생이 가장 많습니다.
따라서 10명까지 나타낼 수 있어야 하고, 세로 눈금 한 칸이 2명을 나타내므로 적어도 10÷2＝5(칸) 있어야 합니다.

2 (혜지가 산 학용품 가격의 합)
＝700＋500＋900＝2100(원)입니다.
따라서 (거스름돈)＝5000－2100＝2900(원)입니다.

3 (봄을 좋아하는 학생 수)＋(겨울을 좋아하는 학생 수)
＝30－9－6＝15(명)
봄을 좋아하는 학생을 □명이라 하면 겨울을 좋아하는 학생은 (□＋3)명이고 □＋(□＋3)＝15,
□＋□＝12, □＝6이므로 봄을 좋아하는 학생은 6명, 겨울을 좋아하는 학생은 6＋3＝9(명)입니다.
따라서 봄은 6칸, 겨울은 9칸으로 그립니다.

4 세로 눈금 한 칸은 1명을 나타내므로 세로 눈금 한 칸이 3명을 나타내는 막대그래프로 바꿔서 그릴 때에는 주어진 막대그래프의 칸 수를 3으로 나누면 됩니다.
따라서 여름을 좋아하는 학생은 9÷3＝3(칸)으로 그려야 합니다.

5 집에서 가장 먼 가게는 거리가 1000 m인 ㉰ 가게입니다. 1000 m는 100 m의 10배이므로 주민이가 1000 m를 걷는 데 걸리는 시간은 2분의 10배입니다.
⇨ (㉰ 가게에 도착하는 데 걸리는 시간)
＝2×10＝20(분)

6 예 기온이 오를수록 전기 사용량이 늘어납니다.」❶

채점 기준
❶ 두 그래프 사이의 관계 쓰기

7 사과의 막대는 감의 막대보다 2칸 더 깁니다. 세로 눈금 2칸이 4명이므로 세로 눈금 한 칸은
4÷2＝2(명)을 나타냅니다.
따라서 사과는 세로 눈금 7칸이므로 사과를 좋아하는 학생은 2×7＝14(명)입니다.

8 1시간＝60분이므로 가로 눈금 한 칸은
60÷5＝12(분)을 나타냅니다. 버스의 소요 시간은 7칸이므로 12×7＝84(분)입니다.
따라서 막대그래프를 가로 눈금 한 칸이 6분을 나타내는 막대그래프로 바꿔 그린다면 버스의 소요 시간은 84÷6＝14(칸)으로 그려야 합니다.

9 예 세로 눈금 한 칸은 ㉮ 공장 그래프가 1만 톤, ㉯ 공장 그래프가 10÷5＝2(만 톤)을 나타냅니다.」❶
따라서 두 공장의 월별 과자 생산량의 차는 10월에 6－4＝2(만 톤), 11월에 14－8＝6(만 톤), 12월에 8－4＝4(만 톤)이므로 과자 생산량의 차가 가장 큰 달은 11월입니다.」❷

채점 기준
❶ ㉮ 공장과 ㉯ 공장의 막대그래프에서 세로 눈금 한 칸의 크기 각각 구하기
❷ 월별 과자 생산량의 차가 가장 큰 달은 언제인지 구하기

10 세로 눈금 한 칸이 10÷5＝2(명)을 나타내므로
(5일 동안 온 남자 환자 수)
＝6＋12＋14＋14＋12＝58(명)이고,
목요일에 온 여자 환자를 □명이라 하면
(5일 동안 온 여자 환자 수)
＝12＋14＋8＋□＋10＝44＋□이므로
58＝44＋□, □＝14입니다.

11 영국은 대한민국보다 획득한 금메달 수가
27－9＝18(개) 더 많습니다. 가로 눈금 6칸이 18개를 나타내어야 하므로 가로 눈금 한 칸은
18÷6＝3(개)를 나타내어야 합니다.
따라서 영국은 27÷3＝9(칸), 대한민국은
9÷3＝3(칸), 케냐는 6÷3＝2(칸), 스위스는
3÷3＝1(칸)으로 그립니다.

12 성년기의 칼슘 1일 권장량은 700 mg이므로
(청소년기의 칼슘 1일 권장량)
$=700+200=900$(mg)이고 노년기는 800 mg입니다.
따라서 $900>800>700$이므로 칼슘 1일 권장량이 많은 시기부터 차례대로 쓰면 청소년기, 노년기, 성년기입니다.

최상위권 문제 96~97쪽

1 9칸 **2** 210마리
3 18000원
4 좋아하는 동물별 학생 수 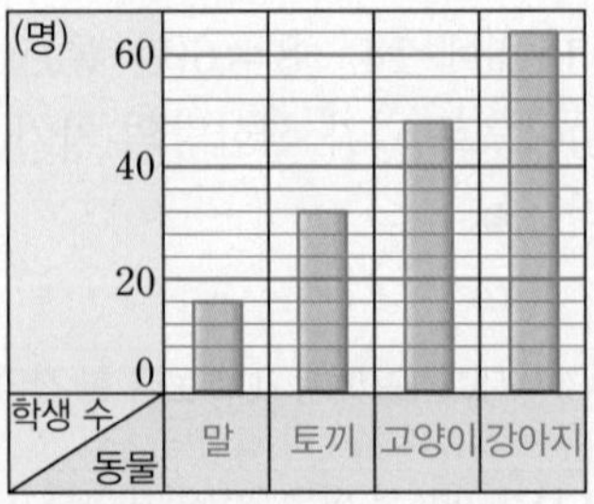
(명) 60, 40, 20, 0
학생 수 / 동물: 말, 토끼, 고양이, 강아지
5 주황색, 8 m
6 구슬 수별 주머니 수
(개) 5, 0
주머니 수 / 구슬 수: 1개, 2개, 3개, 4개

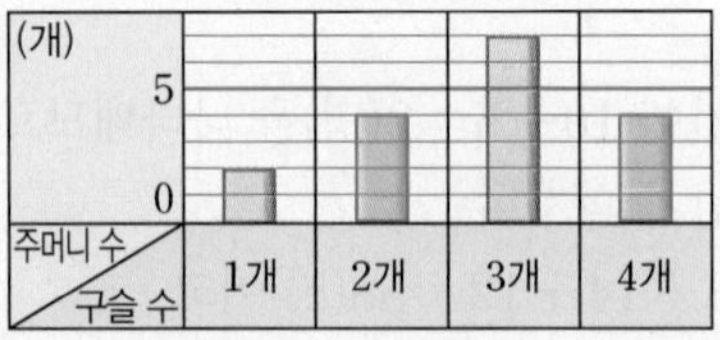

1 비법 PLUS+ (세로 눈금 한 칸의 크기)
=(1반의 학급 문고 수)
÷(1반의 세로 눈금 수)

1반의 학급 문고 30권이 세로 눈금 6칸이므로 세로 눈금 한 칸은 $30\div6=5$(권)을 나타냅니다.
⇨ 2반은 $5\times5=25$(권), 3반은 $8\times5=40$(권)이 있습니다.
4반의 학급 문고를 □권이라 하면
$30+25+40+□=140$, $95+□=140$,
$□=45$입니다.
따라서 4반의 학급 문고 수는
$45\div5=9$(칸)으로 그려야 합니다.

2 비법 PLUS+ 먼저 하루에 남는 생선이 모두 몇 마리인지 구해 봅니다.

(하루에 들이는 생선 수)
$=90+50+70=210$(마리)
(하루에 판매하는 생선 수)
$=80+30+70=180$(마리)
→ (하루에 남는 생선 수)
$=210-180=30$(마리)
⇨ (일주일 후 남는 생선 수)
$=30\times7=210$(마리)

다른 풀이 • (하루에 남는 갈치 수)$=90-80=10$(마리)
• (하루에 남는 고등어 수)$=50-30=20$(마리)
• (하루에 남는 삼치 수)$=70-70=0$(마리)
→ (하루에 남는 생선 수)$=10+20+0=30$(마리)
⇨ (일주일 후 남는 생선 수)$=30\times7=210$(마리)

3 비법 PLUS+ (월별 저금한 돈)=(월별 받은 용돈)÷3

4월에 받은 용돈이 12000원이므로 4월에 저금한 돈은 $12000\div3=4000$(원)입니다.
따라서 3월에 저금한 돈이 $10000-4000=6000$(원)이므로 3월에 받은 용돈은 $6000\times3=18000$(원)입니다.

4 비법 PLUS+ 왼쪽 막대그래프의 세로 눈금 한 칸과 오른쪽 막대그래프의 세로 눈금 한 칸은 각각 몇 명을 나타내는지 구해 봅니다.

왼쪽 막대그래프의 세로 눈금 수의 합이
$8+6+2+4=20$(칸)이므로 세로 눈금 한 칸은 $160\div20=8$(명)을 나타냅니다.
오른쪽 막대그래프는 세로 눈금 한 칸이
$20\div5=4$(명)을 나타내므로 왼쪽 막대그래프의 세로 눈금 한 칸의 크기의 절반입니다.
따라서 오른쪽 막대그래프에 차례대로
말은 $2\times2=4$(칸),
토끼는 $4\times2=8$(칸),
고양이는 $6\times2=12$(칸),
강아지는 $8\times2=16$(칸)으로 그립니다.

5 비법 PLUS+ 가장 긴 리본이 될 수 있는 리본은 빨간색과 주황색입니다.

세로 눈금 한 칸은 $10 \div 5 = 2$(m)를 나타내므로 빨간색 리본은 22 m, 노란색 리본은 10 m, 초록색 리본은 12 m입니다.

- 가장 긴 리본이 빨간색일 때: 가장 짧은 리본은 $22 - 14 = 8$(m)이므로 주황색 리본이고, 8 m입니다.
- 가장 긴 리본이 주황색일 때: 가장 짧은 리본은 노란색 리본이고, 주황색 리본은 $10 + 14 = 24$(m)입니다.
  하지만 각 리본의 길이는 24 m보다 짧아야 하므로 알맞지 않습니다.

따라서 가장 짧은 리본의 색깔은 주황색이고 8 m입니다.

6 비법 PLUS+ 구슬이 1개, 3개씩 들어 있는 주머니의 전체 구슬 수를 구하여 구슬이 2개, 4개씩 들어 있는 주머니의 전체 구슬 수를 구합니다.

(구슬이 1개씩 들어 있는 주머니의 구슬 수)
$= 1 \times 2 = 2$(개)
(구슬이 3개씩 들어 있는 주머니의 구슬 수)
$= 3 \times 7 = 21$(개)
(구슬이 각각 2개씩, 4개씩 들어 있는 주머니에 들어 있는 구슬 수의 합)$= 47 - 2 - 21 = 24$(개)
(구슬이 각각 2개씩, 4개씩 들어 있는 주머니 수의 합)$= 17 - 2 - 7 = 8$(개)

구슬이 2개씩 들어 있는 주머니의 수	1	2	3	4
구슬이 4개씩 들어 있는 주머니의 수	7	6	5	4
구슬 수의 합	30	28	26	24

따라서 구슬이 2개 들어 있는 주머니와 4개 들어 있는 주머니는 각각 4칸을 나타내도록 막대를 그립니다.

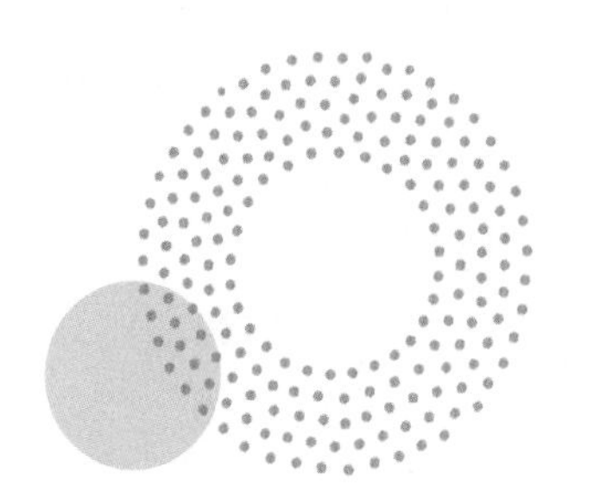

6 규칙 찾기

핵심 개념과 문제 101쪽

1 52003 **2** 0 / 3

3 예 ↗ 방향에는 모두 같은 숫자가 있습니다.

4 15개 **5** 300 / 12000

6 / 41

1 세로줄은 12003부터 시작하여 아래쪽으로 10000씩 커지는 규칙입니다.
따라서 ■에 알맞은 수는 42003보다 10000 큰 수인 52003입니다.

2 두 수의 덧셈의 결과에서 일의 자리 숫자를 쓴 규칙입니다.
따라서 $205+15=220$이므로 ■에 알맞은 수는 일의 자리 숫자인 0이고, $209+14=223$이므로 ●에 알맞은 수는 일의 자리 숫자인 3입니다.

4 ○ 표시된 모양을 중심으로 1개부터 시작하여 시계 방향으로 2개씩 늘어나는 규칙입니다.
따라서 여덟째에 올 도형에서 모양은
$1+2+2+2+2+2+2+2=15$(개)입니다.

5 가로줄은 왼쪽의 수를 2로 나눈 몫이 오른쪽에 있는 규칙입니다.
⇨ ■$=600\div2=300$, ●$=24000\div2=12000$

6 1개부터 시작하여 4개, 8개, 12개……씩 늘어나는 규칙입니다.
따라서 □ 안에 알맞은 수는 $25+16=41$입니다.

핵심 개념과 문제 103쪽

1 3000, 4000, 10000 **2** $6\times10007=60042$

3 $730+840+950=750+840+930$

4 예 $125\div5\div5\div5=1$,
$625\div5\div5\div5\div5=1$

5 예 100씩 커지는 수에 각각 100씩 커지는 수를 더하고 각각 100씩 커지는 수를 빼면 계산 결과는 100씩 커집니다.

6 333333334×333333334
$=111111111555555556$

1 더하는 두 수가 각각 1000씩 커지면 그 합은 2000씩 커지는 규칙입니다.

2 곱하는 수는 0이 1개씩 늘어나고 계산 결과도 0이 1개씩 늘어나는 규칙입니다.

3 각 덧셈식의 수들은 십의 자리 수가 1씩 커지고 있습니다.

6 단계가 올라갈수록 3이 1개씩 늘어나는 수를 두 번 곱하고, 계산 결과는 자릿수가 2개씩 늘어나는 규칙입니다. 111111111555555556에서 5가 8개이므로 곱셈식은 여덟째 단계입니다.
⇨ 333333334×333333334
$=111111111555555556$

상위권 문제 104~109쪽

유형 1 (1) 2000, 3000 (2) 7280

유제 1 (위에서부터) 6039, 12045

유제 2 ■ / 45221

55231	55241	55251	55261
65231	65241	65251	65261
75231	75241	75251	75261
85231	85241	85251	85261

유형 2 (1) 1, 1
(2) $88888889+11111112=100000001$

유제 3 9999999909

유형 3 (1) 3, 4 (2) 55개

유제 4 400개

유제 5 풀이 참조, 100개

유형 4 (1) 3, 3, 3 (2) 1009

유제 6 19 유제 7 65

유형 5 (1) ( ) (○) (2) 검은색

유제 8 검은색

유제 9 풀이 참조, ●, 빨간색

유형 6 (1) 예 왼쪽과 오른쪽의 끝에는 1이 계속 반복되고, 윗줄의 왼쪽과 오른쪽의 두 수를 더하면 아래 수가 됩니다.
(2) 1, 5, 10, 10, 5, 1

유제 10 35 유제 11 128

유형 1 (2) ■에 알맞은 수는 4280보다 3000 큰 수인 7280입니다.

유제 1 가로줄은 오른쪽으로 3씩, 세로줄은 아래쪽으로 2000, 4000, 6000씩 커지는 규칙입니다.
따라서 셋째 줄에 알맞은 수는 6036보다 3 큰 수인 6039이고, 넷째 줄에 알맞은 수는 6045보다 6000 큰 수인 12045입니다.

유제 2 85261부터 시작하여 ↖ 방향으로 10010씩 작아지는 규칙입니다. 따라서 ■에 알맞은 수는 55231보다 10010 작은 수인 45221입니다.

유형 2 (2) 100000001에서 0이 7개이므로 계산 결과가 100000001이 나오는 덧셈식은 일곱째 단계입니다.

유제 3 나누어지는 수는 십의 자리 숫자가 0이고 나머지 자리는 같은 숫자인데 단계가 올라갈수록 1씩 커집니다. 나누는 수는 9의 단 곱셈구구의 값과 같습니다. 계산 결과는 123456789로 모두 같습니다. 81로 나누므로 아홉째 단계입니다. 따라서 아홉째의 나누어지는 수는 9999999909입니다.

유형 3 (1)

첫째	둘째	셋째	넷째
1개	3개	6개	10개
	+2	+3	+4

(2) (열째에 올 모형의 수)
$=1+2+3+4+5+6+7+8+9+10$
$=55$(개)

유제 4 모형의 수가 1개부터 시작하여 가로와 세로에 각각 1개씩 더 늘어나서 이루어진 정사각형 모양입니다.
⇨ (20째에 올 모형의 수)$=20\times20=400$(개)

유제 5 예 바둑돌의 수가 1개, 3개, 5개……로 2개씩 늘어나는 규칙입니다.」❶ 따라서 열째까지 놓기 위해 필요한 바둑돌은 모두 $1+3+5+7+9+11+13+15+17+19=100$(개)입니다.」❷

채점 기준
❶ 늘어나는 바둑돌의 수의 규칙 찾기
❷ 열째까지 놓기 위해 필요한 바둑돌의 수 구하기

유형 4 (1) $1001+1003+1005=3009=1003\times3$,
$1003+1005+1007=3015=1005\times3$,
$1005+1007+1009=3021=1007\times3$
(2) 연결된 세 수의 합은 가운데 있는 수의 3배이므로 ㉠에 알맞은 수는 1009입니다.

유제 6 가운데 있는 수를 ■라고 하면

■−8	■−7	■−6
■−1	■	■+1
■+6	■+7	■+8

이므로 □ 안에 있는 9개의 수의 합은 가운데 있는 수의 9배입니다.
따라서 ㉠에 알맞은 수는 19입니다.

유제 7 맨 위의 가로줄의 수들은 1부터 시작하여 더하는 수가 1, 3, 5, 7……로 점점 커집니다.
$1+1=2$, $2+3=5$, $5+5=10$, $10+7=17$, $17+9=26$, $26+11=37$, $37+13=50$, $50+15=65$……
따라서 ㉠에 알맞은 수는 65입니다.

유형 5 (2) $50\div7=7\cdots1$이므로 50째에 놓이는 바둑돌은 첫째에 놓이는 바둑돌과 같은 검은색입니다.

유제 8 검은색 바둑돌과 흰색 바둑돌이 번갈아 가며 1개씩 늘어나는 규칙입니다.
$1+2+3+4+5+6+7+8+9+10=55$이므로 56째부터 검은색 바둑돌이 11개 놓입니다.
따라서 60째에 놓이는 바둑돌은 검은색입니다.

유제 9 예 모양은 ★ ▲ ● ●이 반복되는 규칙이고 $100\div4=25$이므로 100째에 놓이는 모양은 ●입니다.」❶
색깔은 빨간색, 파란색, 노란색이 반복되는 규칙이고 $100\div3=33\cdots1$이므로 100째에 놓이는 색깔은 빨간색입니다.
따라서 100째에 놓이는 모양은 ●이고, 색깔은 빨간색입니다.」❷

채점 기준
❶ 100째에 놓이는 모양 구하기
❷ 100째에 놓이는 색깔 구하기

유제 10

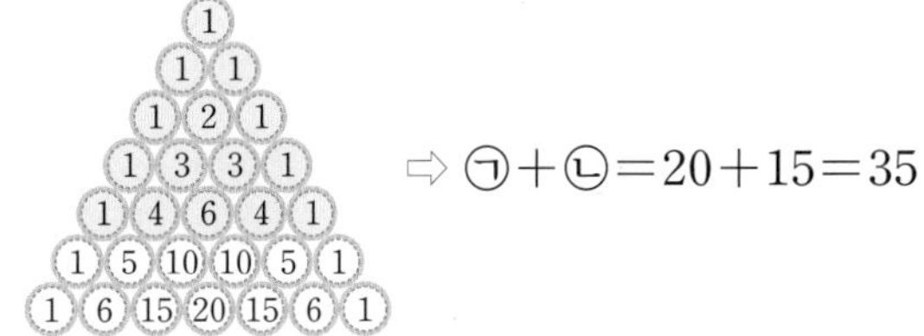

⇨ ㉠+㉡$=20+15=35$

유제 11 각 줄의 수들의 합을 구합니다.

- 첫째 줄: 1
- 둘째 줄: $1+1=2$
- 셋째 줄: $1+2+1=4=2\times2$
- 넷째 줄: $1+3+3+1=8=2\times2\times2$
- 다섯째 줄: $1+4+6+4+1$
  $=16=2\times2\times2\times2$

각 줄의 수들의 합은 2를 계속 곱했을 때 얻어지는 값과 같고, 다음 줄은 바로 윗줄의 합에 2를 곱한 값과 같습니다.
따라서 여덟째 줄에 알맞은 수들의 합은
$2\times2\times2\times2\times2\times2\times2=128$입니다.

상위권 문제 확인과 응용 110~113쪽

1	6720	**2**	10000001
3	8	**4**	풀이 참조, 55
5	59828	**6**	50개
7	풀이 참조, 27일	**8**	36개
9	21개	**10**	84개
11	7	**12**	92

1 28부터 시작하여 4씩 곱한 수가 왼쪽에 있는 규칙입니다.
㉡$=112\times4=448$, ㉠$=1792\times4=7168$
⇨ ㉠$-$㉡$=7168-448=6720$

2 $662+339=1001$, $6662+3339=10001$, $66662+33339=100001$입니다.
따라서 101, 1001, 10001, 100001……이므로
$6666662+3333339=10000001$입니다.

3 두 수의 곱셈의 결과를 9로 나누었을 때의 나머지를 쓴 규칙입니다.
따라서 $7\times5=35$이고 $35\div9=3\cdots8$이므로 ■에 알맞은 수는 8입니다.

4 예 $1+1=2$, $1+2=3$, $2+3=5$……이므로 앞의 두 수를 더하면 뒤의 수가 나오는 규칙입니다.」 ❶
따라서 $13+21=34$, $21+34=55$이므로 열째에 올 수는 55입니다.」 ❷

채점 기준
- ❶ 규칙 설명하기
- ❷ 열째에 올 수 구하기

5 ㉮는 1041부터 시작하여 ↘ 방향으로 1004씩 커지는 규칙입니다.
따라서 57820보다 1004 큰 수는 58824이고 58824보다 1004 큰 수는 59828이므로 ㉯의 ●에 알맞은 수는 59828입니다.

6 ●○○●●○이 반복되는 규칙입니다.
$100\div6=16\cdots4$이므로 100째까지
●○○●●○이 16번 반복되고, 그다음에
●○○●이 놓입니다.
따라서 100째까지 흰색 바둑돌은 $3\times16=48$(개) 놓이고 2개 더 놓이므로 모두 $48+2=50$(개)입니다.

7 예 화요일부터 토요일까지 5일 동안의 날짜의 합이 45이므로 가운데 있는 목요일은 $45\div5=9$(일)입니다.」 ❶ 이 주의 월요일은 $9-3=6$(일)입니다.」 ❷
따라서 6일부터 3주 후의 날짜는 $6+21=27$(일)입니다.」 ❸

채점 기준
- ❶ 이 주의 목요일인 날짜 구하기
- ❷ 이 주의 월요일인 날짜 구하기
- ❸ 이 주의 월요일부터 3주 후의 날짜 구하기

8 빨간색 구슬은 2개씩 늘어나는 규칙입니다.
$3+2+2+2+2+2+2+2+2=19$(개)이므로 빨간색 구슬이 19개일 때는 아홉째입니다.
파란색 구슬은 1개, 2개, 3개……씩 늘어나는 규칙이므로 아홉째에 놓이는 파란색 구슬은
$0+1+2+3+4+5+6+7+8=36$(개)입니다.

9 25째에 15는 위에서부터 15째 줄에 처음 1개가 나오고, 16째 줄부터 25째 줄까지는 2개씩 나오므로 $2\times10=20$(개) 있습니다.
따라서 25째에는 15가 $1+20=21$(개) 있습니다.

10

순서	삼각형의 수	늘어난 성냥개비의 수
첫째	1 (1×1)	3 (3×1)
둘째	4 (2×2)	6 (3×2)
셋째	9 (3×3)	9 (3×3)
넷째	16 (4×4)	12 (3×4)
다섯째	25 (5×5)	15 (3×5)
여섯째	36 (6×6)	18 (3×6)
일곱째	49 (7×7)	21 (3×7)

따라서 삼각형이 49개가 되는 큰 삼각형을 만들 때 필요한 성냥개비는
$3+6+9+12+15+18+21=84$(개)입니다.

11

7						
7	→	22	→	11	→	34
→	17	→	52	→	26	→
13	→	40	→	20	→	10
→	5	→	16	→	8	→
4	→	2	→	1		

12						
12	→	6	→	3	→	10
→	5	→	16	→	8	→
4	→	2	→	1		

따라서 우박수가 길어지려면 7을 골라야 합니다.

12 첫째 둘째 셋째 넷째

1 5 12 22

+4 +7 +10

수가 1부터 시작하여 4, 7, 10……씩 커지는 규칙입니다.

따라서 여덟째에 만들어지는 오각수는

$22+13+16+19+22=92$입니다.

(22: 넷째 오각수)

최상위권 문제 114~115쪽

1 13개	**2** 272
3 17개	**4** 33개
5 275	**6** 182

1 비법 PLUS+ 먼저 곱해서 6이 되는 두 수를 모두 찾아봅니다.

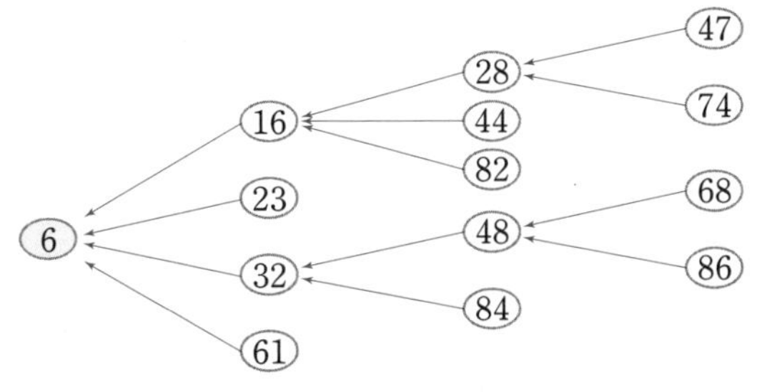

따라서 모두 13개입니다.

2 비법 PLUS+ 수를 배열한 규칙을 찾아 여섯째 줄의 첫째 수를 구한 다음 다시 여섯째 수를 구합니다.

윗줄의 두 수를 더하면 아랫줄의 수가 나오는 규칙입니다.

〈넷째〉 20 28 36 44 52 60

→ 8씩 커집니다.

〈다섯째〉 48 64 80 96 112

→ 16씩 커집니다.

〈여섯째〉 112 144 176 208 → 32씩 커집니다.

따라서 여섯째 줄의 여섯째 수는

$208+32+32=272$입니다.

3 비법 PLUS+ 검은색 바둑돌의 수의 규칙과 흰색 바둑돌의 수의 규칙을 각각 찾아 여섯째까지 각 바둑돌 수의 합을 구해 봅니다.

• 검은색 바둑돌의 수를 차례대로 써 보면 8개, 12개, 16개……이므로 4개씩 많아집니다.

⇨ 여섯째까지 놓인 검은색 바둑돌의 수의 합은 $8+12+16+20+24+28=108$(개)입니다.

• 흰색 바둑돌의 수를 차례대로 써 보면 $1\times1=1$(개), $2\times2=4$(개), $3\times3=9$(개)……입니다.

⇨ 여섯째까지 놓인 흰색 바둑돌의 수의 합은 $1+4+9+16+25+36=91$(개)입니다.

따라서 여섯째까지 놓인 검은색 바둑돌과 흰색 바둑돌의 수의 차는 $108-91=17$(개)입니다.

4 비법 PLUS+ 반복되는 부분을 찾고 반복되는 부분에서 △과 □의 수의 차를 구해 봅니다.

△△△□△△□□이 반복되는 규칙입니다.

$123\div8=15\cdots3$이므로 123째까지 △△△□△△□□이 15번 반복되고, 그다음에 △△△이 놓입니다. 한 묶음에는 △이 □보다 2개 더 많으므로 120째까지 △이 □보다 $2\times15=30$(개) 더 많습니다.

따라서 △과 □의 수의 차는 $30+3=33$(개)입니다.

5 비법 PLUS+ 먼저 맨 위의 가로줄의 수 배열에서 규칙적인 계산식을 찾아봅니다.

$(1, 1)=1=1\times1$, $(1, 2)=4=2\times2$,

$(1, 3)=9=3\times3$……$(1, 17)=289=17\times17$

따라서 (15, 17)의 값은 (1, 17)의 값보다 14칸 아래에 있으므로 $289-14=275$입니다.

6 비법 PLUS+ $13-1=12$이므로 ㉠과 ㉡의 차도 12이고 두 수 중 작은 수를 □라 하면 큰 수는 □+12입니다.

㉠과 ㉡ 두 수의 차는 12이고 합은 $366-1-13=352$이므로 두 수 중 작은 수를 □라 하면 큰 수는 □+12로 □+(□+12)=352, □+□=340, □=170입니다. 또한 맨 왼쪽 세로줄에 있는 수는 26으로 나누었을 때 나누어떨어지거나 나머지가 1인 수입니다.

$170\div26=6\cdots14$, $182\div26=7$

따라서 ㉠에 알맞은 수는 170과 182 중에서 26으로 나누어떨어지는 182입니다.

1 큰 수

복습 상위권 문제 2~3쪽

1 6개	2 10배
3 227720원	4 12536789
5 2조 4600억	6 ㉠
7 10030006	8 2022년

1 1억이 70개 → 7000000000
1만이 30개 → 300000
일이 905개 → 905
7000300905 ⇨ 0의 개수: 6개

2 ㉠은 백억의 자리 숫자이므로 60000000000을, ㉡은 십억의 자리 숫자이므로 6000000000을 나타냅니다.
따라서 ㉠이 나타내는 값은 ㉡이 나타내는 값의 10배입니다.

3 10000원짜리 지폐 21장 → 210000원
1000원짜리 지폐 13장 → 13000원
100원짜리 동전 44개 → 4400원
10원짜리 동전 32개 → 320원
227720원

4 십만의 자리에 5를 놓고 높은 자리부터 작은 수를 차례대로 놓습니다.
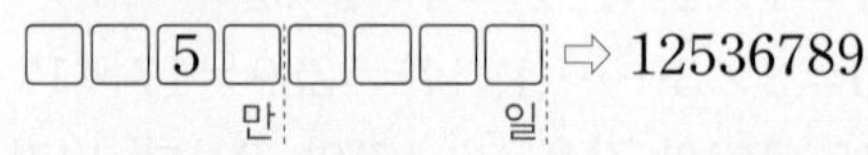

⇨ 12536789

5 눈금 5칸이 2조 7000억−2조 3000억=4000억을 나타내므로 눈금 한 칸은 800억을 나타냅니다.
따라서 ㉠은 2조 3000억에서 800억씩 2번 뛰어 센 수이므로 2조 3000억 — 2조 3800억 — 2조 4600억입니다.
다른 풀이 ㉠은 2조 7000억에서 800억씩 거꾸로 3번 뛰어 센 수이므로 2조 7000억 — 2조 6200억 — 2조 5400억 — 2조 4600억입니다.

6 두 수는 모두 12자리 수입니다.
㉠의 □ 안에 0을 넣고 ㉡의 □ 안에 9를 넣어도 ㉠이 더 큽니다.
⇨ 315025876196 > 315019794128 (2 > 1)

7 • 여덟 자리 수이므로 □□□□□□□□입니다.
• 가장 작은 수를 구하는 것이므로 만의 자리 숫자는 3, 천만의 자리 숫자는 1입니다.
• 1□□3□□□□에서 0이 5개 있으므로 높은 자리부터 0을 5개 쓰고, 각 자리의 수의 합은 10이므로 일의 자리 숫자는 6입니다.
⇨ 10030006

8 매출액이 4년 동안
3억 7200만−2억 1200만=1억 6000만 (원)이 증가했으므로 해마다 4000만 원씩 증가하고 있습니다.
3억 7200만(2018년) — 4억 1200만(2019년) — — 4억 5200만(2020년) — 4억 9200만(2021년) — — 5억 3200만(2022년)

복습 상위권 문제 확인과 응용 4~7쪽

1 2	2 81장 / 4장
3 24	4 12억 7500만
5 5, 6	
6 333222110100 / 100011223233	
7 5조 8870억	8 10조 200억
9 4개	10 약 750 cm
11 24863	
12 중국, 미국, 홍콩, 베트남, 일본, 싱가포르, 대만, 인도	

1 ㉠ 84136503697 → 11자리 수
㉡ 91276045의 100배: 9127604500
→ 10자리 수
⇨ ㉠>㉡이고 ㉡의 천만의 자리 숫자는 2입니다.

2 수표의 수를 가장 적게 하려면 1000만 원짜리 수표로 최대한 많이 찾아야 합니다.
따라서 1000만 원짜리 수표로 81장, 100만 원짜리 수표로 4장을 찾아야 합니다.

3 1000000이 14개 → 14000000
100000이 55개 → 5500000
1000이 22개 → 22000
100이 15개 → 1500
―――――――――――――
19523500
따라서 19763500－19523500＝240000이고 240000은 10000이 24개인 수입니다.

4 2번 뛰어 세어서
7억 9650만－7억 3450만＝6200만이 커졌으므로 3100만씩 뛰어 세는 규칙입니다.
따라서 11억 5100만에서 3100만씩 4번 뛰어 세면
11억 5100만 － 11억 8200만 － 12억 1300만 －
－ 12억 4400만 － 12억 7500만입니다.

5 • 두 수는 모두 9자리 수입니다.
(같습니다) 7916□4589＞791652314 (4＞2)
→ □＝5, 6, 7, 8, 9
• 두 수는 모두 10자리 수입니다.
(같습니다) 390□942054＜3907376431 (9＞3)
→ □＝0, 1, 2, 3, 4, 5, 6
⇨ □ 안에 공통으로 들어갈 수 있는 수는 5, 6입니다.

6 • 가장 큰 수: 333222111000,
두 번째로 큰 수: 333222110100
• 가장 작은 수: 100011222333,
두 번째로 작은 수: 100011223233

7 6조 4540억에서 2100억씩 거꾸로 3번 뛰어 세면
6조 4540억 － 6조 2440억 － 6조 340억 －
－ 5조 8240억이므로 어떤 수는 5조 8240억입니다.
따라서 5조 8240억에서 210억씩 큰 수로 3번 뛰어 세면 5조 8240억 － 5조 8450억 － 5조 8660억 －
－ 5조 8870억입니다.

8 9조 6000억에서 700억씩 뛰어 세면
9조 6000억 － 9조 6700억 － 9조 7400억 －
－ 9조 8100억 － 9조 8800억 － 9조 9500억 －
－ 10조 200억……입니다.
10조－9조 9500억＝500억,
10조 200억－10조＝200억이고 500억＞200억이므로 10조와의 차가 더 작은 수는 10조 200억입니다.
따라서 10조에 가장 가까운 수는 10조 200억입니다.

9 만들 수 있는 10자리 수를 작은 수부터 차례대로 쓰면
1023456789, 1023456798, 1023456879, 1023456897, 1023456978……입니다.
따라서 1023456978보다 작은 수는 1023456789, 1023456798, 1023456879, 1023456897로 모두 4개입니다.
다른 풀이 만들 수 있는 수 중에서 가장 작은 수는 1023456789이므로 1023456978보다 작은 수는 1023456789와 같거나 크고 1023456978보다 작습니다.
즉, 구하려는 수의 개수는 7, 8, 9를 모두 한 번씩만 사용하여 만들 수 있는 세 자리 수 중에서 978보다 작은 수의 개수와 같으므로 789, 798, 879, 897로 모두 4개입니다.

10 10원짜리 동전으로 5만 원을 쌓으려면 5000개를 쌓아야 하고, 5000개는 100개의 50배이므로 10원짜리 동전으로 5만 원을 쌓으면 높이는 약 $15\times50=750$(cm)가 됩니다.

11 $\overline{\text{XX}}$MDLXIII: 21563, $\overline{\text{XX}}$MMDCLXIII: 22663, $\overline{\text{XX}}$MMMDCCLXIII: 23763이고
21563 － 22663 － 23763이므로 1100씩 뛰어 센 것입니다.
따라서 ㉠에 알맞은 수는 24863입니다.

12 인도: 11596290000(11자리 수),
베트남: 32630460000(11자리 수),
홍콩: 32782450000(11자리 수),
대만: 12220460000(11자리 수),
중국: 124432940000(12자리 수),
미국: 66462310000(11자리 수),
싱가포르: 12458890000(11자리 수),
일본: 24355040000(11자리 수)

복습 최상위권 문제 8~9쪽

1 11장	**2** 38쌍
3 8년 4개월	**4** 68294837
5 300223446699	**6** 4

1 비법 PLUS+ 100만 원짜리 수표를 최대한 많이 바꿀 수 있는 경우부터 한 장씩 줄여 가며 알아봅니다.

100만 원짜리 수표를 14장까지 바꿀 수 있으므로 14장부터 1장씩 줄여 가며 알아봅니다.

100만 원짜리 수표의 수(장)	14	13	12	11
10만 원짜리 수표의 수(장)	9	19	29	39
수표 수의 합(장)	23	32	41	50

따라서 은행에서 바꾼 100만 원짜리 수표는 11장입니다.

2 91㉠|026㉡|5270 → 11자리 수,
(억 | 만 | 일)

913|0268|3457 → 11자리 수
(억 | 만 | 일)

(㉠, ㉡)
- (3, 0), (3, 1) …… (3, 7): 8쌍
- (2, 0), (2, 1) …… (2, 9): 10쌍
- (1, 0), (1, 1) …… (1, 9): 10쌍
- (0, 0), (0, 1) …… (0, 9): 10쌍

⇨ 38쌍

3 1000만 명의 한 달 저금액은 30000원의 1000만 배이므로 3000억 원이고 30조 원은 3000억 원의 100배이므로 100개월 동안 모아야 합니다.
⇨ 100개월=8년 4개월

4 비법 PLUS+ 처음 수와 바꾼 수 중에서 어느 수가 더 큰 수인지 알고 두 수의 차를 계산할 때 받아내림에 주의합니다.

```
  ㉡㉠294837 ← 바꾼 수
- ㉠㉡294837 ← 처음 수
  1 8000000
```

천만의 자리 계산에서 ㉡−1−㉠=1, ㉡−㉠=2이므로 ㉠+㉡=14, ㉡−㉠=2를 만족하는 ㉠과 ㉡을 찾으면 ㉠=6, ㉡=8입니다.
따라서 처음 수는 68294837입니다.

5 비법 PLUS+ 3000억보다 작은 수 중에서 가장 큰 수와 3000억보다 큰 수 중에서 가장 작은 수를 만들어 비교합니다.

천억의 자리 숫자가 2인 가장 큰 12자리 수를 만들면 299664433200이고 천억의 자리 숫자가 3인 가장 작은 12자리 수를 만들면 300223446699입니다.
300000000000−299664433200=335566800,
300223446699−300000000000=223446699
이고 335566800 > 223446699이므로 3000억과의 차가 더 작은 수는 300223446699입니다.
따라서 3000억에 가장 가까운 수는
300223446699입니다.

6 비법 PLUS+ 가장 큰 수와 가장 작은 수의 차의 천조의 자리 숫자가 7이 되게 하는 숫자를 먼저 찾습니다.

서로 다른 숫자가 적힌 카드이므로 ㉠에 알맞은 숫자는 3, 4, 9 중 하나입니다.
이 수 카드로 만들 수 있는 가장 작은 16자리 수는 100122□□□□□□□□□□이므로 가장 큰 수와 가장 작은 수의 차가 7876441088553312가 되려면 가장 큰 수의 천조의 자리 숫자가 8이어야 합니다.
따라서 가장 큰 수가 8이므로 ㉠이 될 수 있는 숫자는 3 또는 4입니다.
⇨ ㉠=3인 경우:
8877665533221100−1001223355667788
=7876442177553312(×)
㉠=4인 경우:
8877665544221100−1001224455667788
=7876441088553312(○)

2 각도

복습 상위권 문제 10~11쪽

1	30°	**2**	80°
3	120°	**4**	140°
5	5개	**6**	75°
7	70°	**8**	75°

1

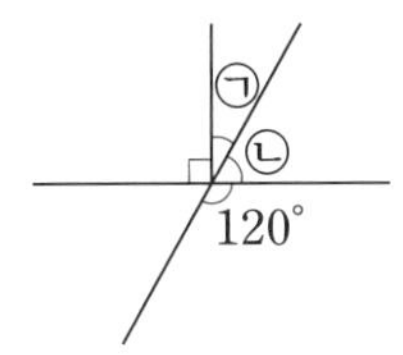

• $120^\circ+$㉡$=180^\circ$, ㉡$=180^\circ-120^\circ=60^\circ$

• $90^\circ+$㉠$+60^\circ=180^\circ$

⇨ ㉠$=180^\circ-90^\circ-60^\circ=30^\circ$

2

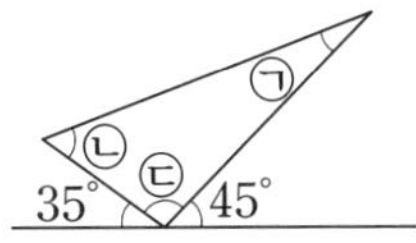

• $35^\circ+$㉢$+45^\circ=180^\circ$

⇨ ㉢$=180^\circ-35^\circ-45^\circ=100^\circ$

• ㉠+㉡$+100^\circ=180^\circ$

⇨ ㉠+㉡$=180^\circ-100^\circ=80^\circ$

3 ㉡$+90^\circ+30^\circ=180^\circ$,

㉡$=180^\circ-90^\circ-30^\circ=60^\circ$

⇨ ㉠$=180^\circ-60^\circ=120^\circ$

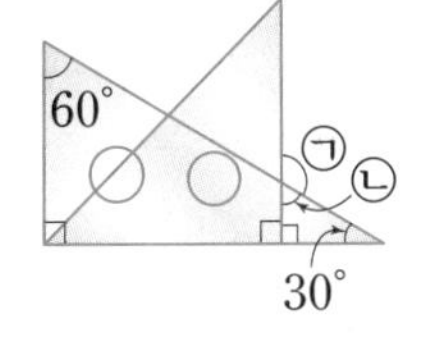

4 도형은 삼각형 7개로 나눌 수 있습니다.

⇨ (9개의 각의 크기의 합)

$=180^\circ\times7=1260^\circ$

따라서 9개의 각의 크기가 모두 같으므로

㉠$=1260^\circ\div9=140^\circ$입니다.

5 가장 작은 각의 크기는 $180^\circ\div5=36^\circ$이므로 가장 작은 각 3개, 4개로 이루어진 각이 둔각입니다.

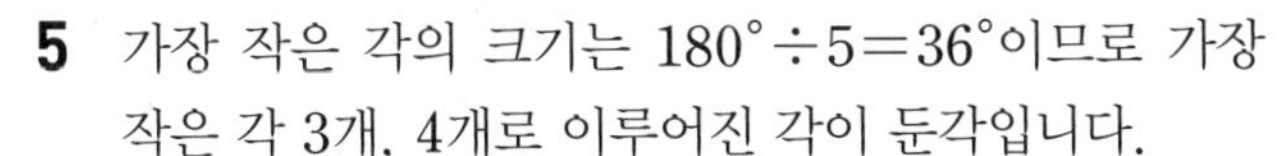

• 가장 작은 각 3개로 이루어진 둔각: 3개

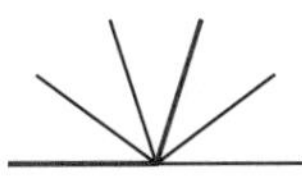

• 가장 작은 각 4개로 이루어진 둔각: 2개

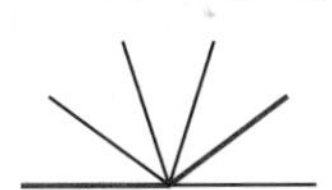

⇨ $3+2=5$(개)

6 • 시계의 큰 눈금 한 칸의 각도는 $180^\circ\div6=30^\circ$이므로 ㉠$=30^\circ\times2=60^\circ$입니다.

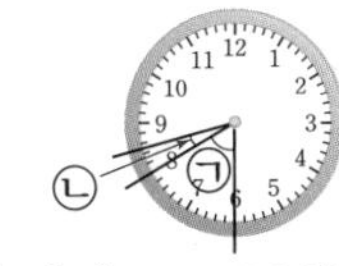

• 짧은바늘은 한 시간 동안 30°를 움직이므로 30분 동안 $30^\circ\div2=15^\circ$를 움직입니다. ⇨ ㉡$=15^\circ$

따라서 시계의 긴바늘과 짧은바늘이 이루는 작은 쪽의 각도는 $60^\circ+15^\circ=75^\circ$입니다.

7 • 도형에 선분을 그으면 사각형에서

$90^\circ+90^\circ+20^\circ+$㉡+㉢$+50^\circ$

$=360^\circ$이므로

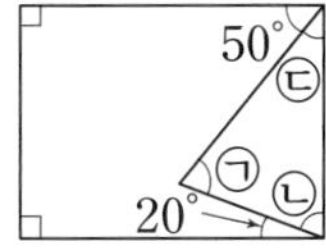

㉡+㉢$=360^\circ-90^\circ-90^\circ-20^\circ-50^\circ=110^\circ$ 입니다.

• 삼각형에서 ㉠+㉡+㉢$=180^\circ$이므로

㉠$+110^\circ=180^\circ$,

㉠$=180^\circ-110^\circ=70^\circ$입니다.

8 (각 ㅂㄷㅁ)=(각 ㄹㄷㅁ)$=60^\circ$,

(각 ㅂㄷㄴ)$=180^\circ-60^\circ-60^\circ=60^\circ$

(각 ㄱㄴㄷ)$=90^\circ\div2=45^\circ$

따라서 삼각형 ㅅㄴㄷ에서

(각 ㄴㅅㄷ)$+45^\circ+60^\circ=180^\circ$,

(각 ㄴㅅㄷ)$=180^\circ-45^\circ-60^\circ=75^\circ$입니다.

복습 상위권 문제 확인과 응용 12~15쪽

1	둔각	**2**	540°
3	80°	**4**	135°
5	6개 / 7개	**6**	20°
7	135°	**8**	60°
9	105°	**10**	15°
11	5개	**12**	75°

1 5시 20분에서 6시간 10분 후는 11시 30분입니다. 11시 30분을 시계에 나타내면 오른쪽과 같으므로 둔각입니다.

2 ㉠, ㉢, ㉤, ㉥은 사각형의 네 각의 크기의 합이므로 360°이고 ㉡, ㉣, ㉦은 삼각형의 세 각의 크기의 합이므로 180°입니다.

⇨ ㉠+㉡+㉢+㉣+㉤+㉥+㉦

$=360^\circ+180^\circ=540^\circ$

3 (각 ㄱㅁㄴ)$=180°-$(각 ㄴㅁㄹ)
$=180°-140°=40°$
(각 ㄴㅁㄷ)$=$(각 ㄱㅁㄷ)$-40°$
$=120°-40°=80°$
다른 풀이 (각 ㄴㅁㄷ)$=$(각 ㄱㅁㄷ)$+$(각 ㄴㅁㄹ)$-180°$
$=120°+140°-180°=80°$

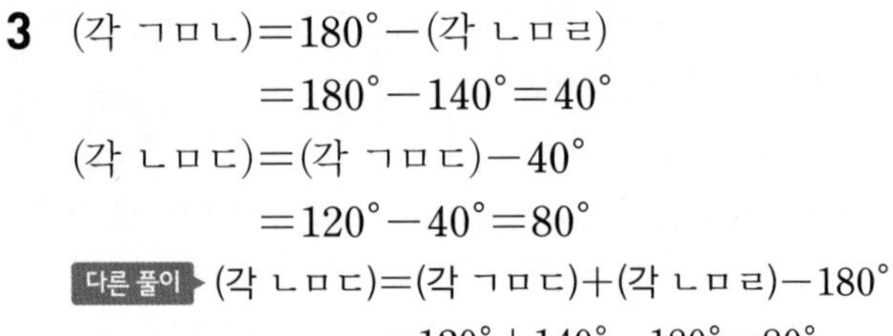
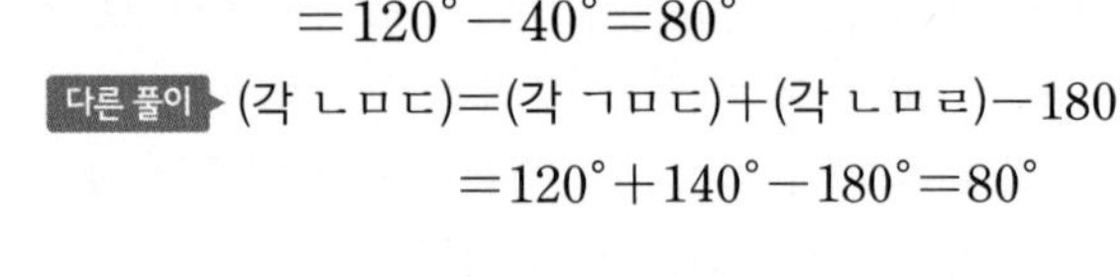

4

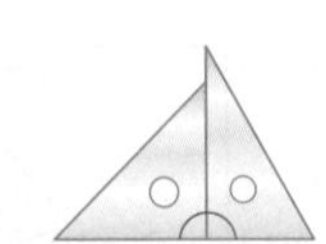
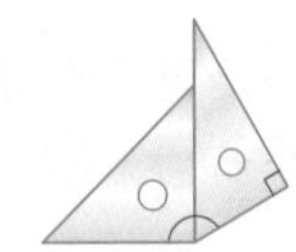
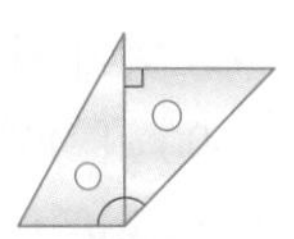

$90°+90°=180°$ $90°+60°=150°$ $90°+45°=135°$

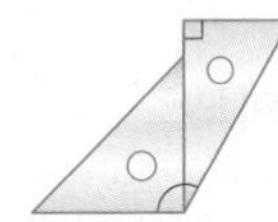
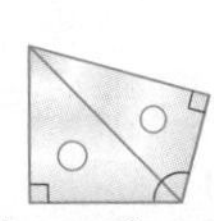
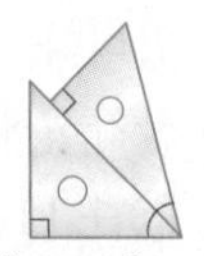

$90°+30°=120°$ $45°+60°=105°$ $45°+30°=75°$
따라서 세 번째로 큰 각도는 $135°$입니다.

5

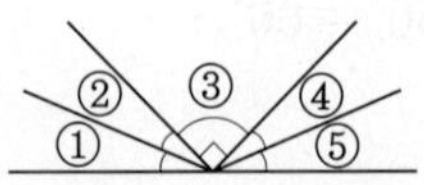

• 예각: ①, ②, ④, ⑤,
①+②, ④+⑤
⇨ 6개
• 둔각: ②+③, ③+④,
①+②+③, ②+③+④, ③+④+⑤,
①+②+③+④, ②+③+④+⑤
⇨ 7개

6 • $55°+$(각 ㄹㅁㄴ)$=180°$,
(각 ㄹㅁㄴ)$=180°-55°=125°$
• (각 ㄱㄹㄴ)$+55°=90°$,
(각 ㄱㄹㄴ)$=90°-55°=35°$
따라서 삼각형 ㅁㄴㄹ에서
$125°+$(각 ㅁㄴㄹ)$+35°=180°$이므로
(각 ㅁㄴㄹ)$=180°-125°-35°=20°$입니다.

7 ㉡=㉠×3이고 ㉠=㉢, ㉡=㉣이므로
㉣=㉠×3입니다.
사각형의 네 각을 ㉠을 이용하여 나타내면
㉠, ㉠×3, ㉠, ㉠×3입니다.
㉠+㉡+㉢+㉣$=360°$에서
㉠×8$=360°$, ㉠$=360°÷8=45°$입니다.
따라서 ㉡=㉠×3$=45°×3=135°$입니다.

8

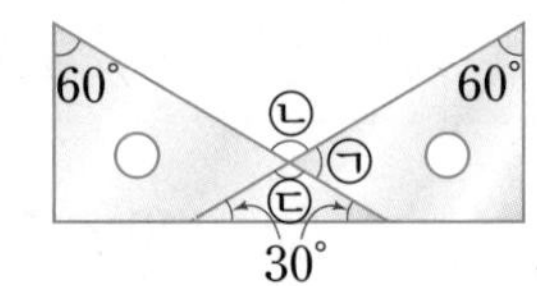

• ㉢$+30°+30°=180°$,
㉢$=180°-30°-30°$
$=120°$
• ㉠$=180°-120°=60°$
• ㉡$=180°-60°=120°$
⇨ ㉡−㉠$=120°-60°=60°$

9 정원이네 반이 박물관에 가는데 걸린 시간은
10시 30분−7시=3시간 30분입니다.
시계의 큰 눈금 한 칸의 각도는 $30°$이므로 3시간 동안 짧은바늘은 $30°×3=90°$를 움직이고,
30분 동안 $30°÷2=15°$를 움직입니다.
따라서 정원이네 반이 박물관에 가는 동안 시계의 짧은바늘이 움직인 각도는 $90°+15°=105°$입니다.

10 • (각 ㄹㄱㅁ)$=90°-60°=30°$,
(각 ㄹㄱㄷ)$=$(각 ㄷㄱㅁ)$=30°÷2=15°$
• 삼각형 ㄱㄷㄹ에서
$15°+$(각 ㄱㄷㄹ)$+90°=180°$이므로
(각 ㄱㄷㄹ)$=180°-15°-90°=75°$입니다.
⇨ (각 ㄱㄷㅁ)$=90°-$(각 ㄱㄷㄹ)
$=90°-75°=15°$

11

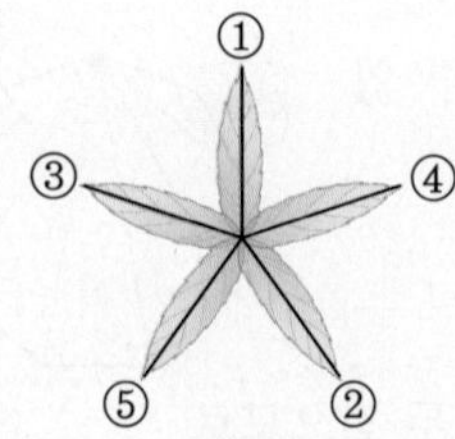

따라서 예각이 모두 5개 생깁니다.

12

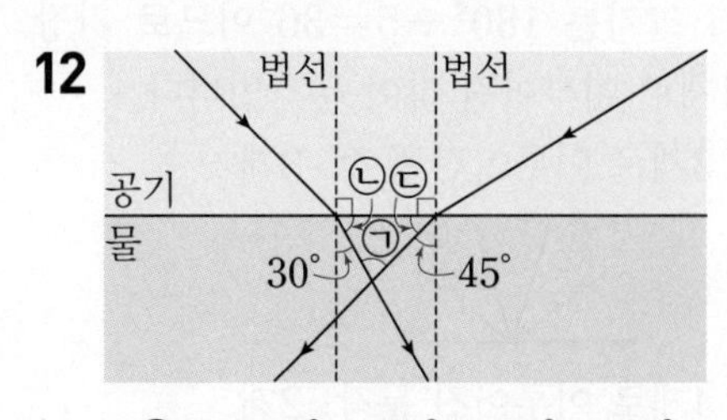

• ㉡$=180°-90°-30°=60°$
• ㉢$=180°-90°-45°=45°$
• $60°+$㉠$+45°=180°$
⇨ ㉠$=180°-60°-45°=75°$

복습 최상위권 문제 16~17쪽

1 360°	2 70°
3 140°	4 75°
5 60°	6 24°

1

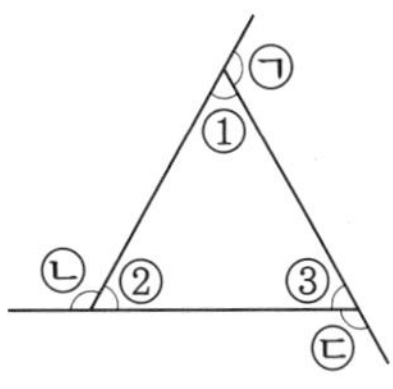

㉠+①=180°, ㉡+②=180°, ㉢+③=180°,
①+②+③=180°
⇨ ㉠+㉡+㉢
=(㉠+①)+(㉡+②)+(㉢+③)
−(①+②+③)
=180°+180°+180°−180°
=360°

2

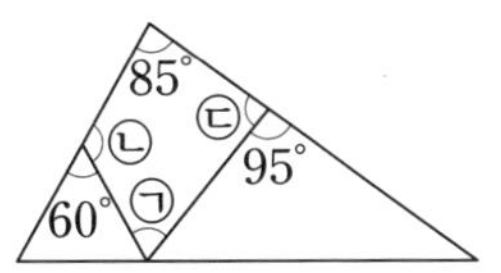

• ㉡=180°−60°=120°
• ㉢=180°−95°=85°
사각형에서
85°+120°+㉠+85°=360°이므로
㉠=360°−85°−120°−85°=70°입니다.

3 비법 PLUS+ 삼각형의 세 각의 크기의 합은 180°임을 이용하여 ①을 구하고 사각형의 네 각의 크기의 합은 360°임을 이용하여 ②를 구합니다.

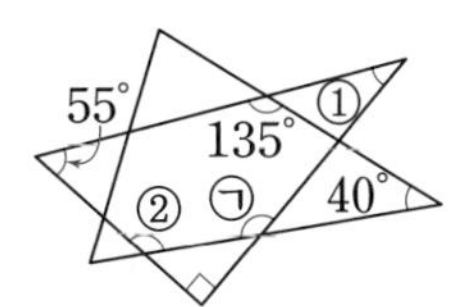

• ①+55°+90°=180°,
①=180°−55°−90°=35°
• 135°+55°+②+40°=360°,
②=360°−135°−55°−40°=130°
⇨ ①+55°+②+㉠=360°,
35°+55°+130°+㉠=360°,
㉠=360°−35°−55°−130°=140°

4 비법 PLUS+ (각 ㄴㄱㅁ)=(각 ㅁㄱㄹ)=●,
(각 ㄱㄹㅁ)=(각 ㅁㄹㄷ)=▲라 하면
●+●+70°+80°+▲+▲=360°임을 이용하여 ㉠의 각도를 구합니다.

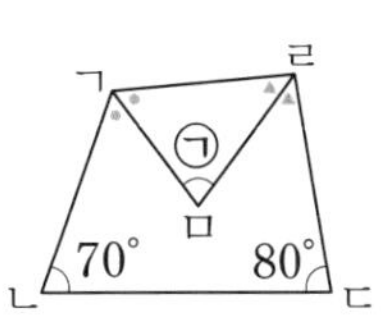

●+●+70°+80°+▲+▲=360°,
●+●+▲+▲=360°−70°−80°=210°
⇨ ●+▲=210°÷2=105°
따라서 ●+㉠+▲=180°이므로
㉠+105°=180°,
㉠=180°−105°=75°입니다.

5 비법 PLUS+ ㉡은 도형의 한 각의 크기이고, 종이를 접은 부분과 접힌 부분의 각의 크기는 같습니다.

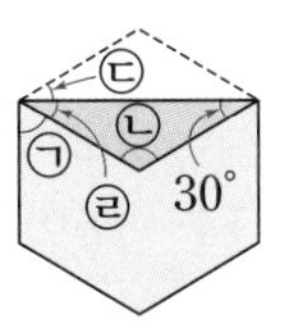

• 도형은 삼각형 4개로 나눌 수 있습니다.
⇨ (6개의 각의 크기의 합)
=180°×4=720°
• ㉡=720°÷6=120°
• ㉢=㉣=180°−120°−30°=30°
⇨ ㉠=120°−30°−30°=60°

6 비법 PLUS+ 도형을 돌리기 전과 돌린 후의 모양과 크기는 같습니다.

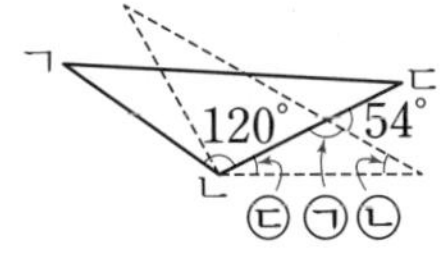

• 180°−120°=60°이므로
(각 ㄷㄱㄴ)=(각 ㄱㄷㄴ)=60°÷2=30°입니다.
• ㉠=180°−54°=126°
• ㉡=(각 ㄱㄷㄴ)=30°
• ㉢=180°−126°−30°=24°
따라서 삼각형 ㄱㄴㄷ을 ㉢만큼 돌린 것이므로 24° 만큼 돌렸습니다.

3 곱셈과 나눗셈

복습 상위권 문제 18~19쪽

1 18	**2** 2개
3 14, 26	**4** 753, 12, 62, 9
5 63	**6** 622
7 (위에서부터) 6, 9, 1, 7, 2, 6, 5, 8, 6, 9, 3	
8 2034	

1 □×48=816이라고 하면 □=816÷48=17입니다.
따라서 □ 안에 들어갈 수 있는 자연수는 17보다 큰 수 중에서 가장 작은 수이므로 18입니다.

2 328÷15=21…13이므로 21개씩 나누어 줄 수 있고, 13개가 남습니다.
따라서 학생이 15명이므로 구슬은 적어도 15−13=2(개) 더 필요합니다.

3 어떤 수를 □라 하면 □÷43=11…29입니다.
⇨ 43×11=473, 473+29=□, □=502
따라서 바르게 계산하면 502÷34=14…26이므로 몫은 14이고 나머지는 26입니다.

4 몫이 가장 큰 나눗셈식을 만들려면 나누어지는 수를 가장 크게 하고, 나누는 수를 가장 작게 합니다.
수 카드로 만들 수 있는 가장 큰 세 자리 수는 753이고, 가장 작은 두 자리 수는 12입니다.
⇨ 753÷12=62…9

5 • □=62일 때
479×62=29698 ⇨ 30000−29698=302
• □=63일 때
479×63=30177 ⇨ 30177−30000=177
따라서 302>177이므로
□=63일 때 곱이 30000에 가장 가깝습니다.

6 나누는 수가 89이므로 나머지가 될 수 있는 수 중에서 가장 큰 수는 89−1=88입니다.
• 600÷89=6…66이므로 몫이 6이고 나머지가 가장 큰 수인 88일 때 나누어지는 수는 89×6=534, 534+88=622입니다.
• 699÷89=7…76이므로 몫이 7이고 나머지가 가장 큰 수인 88일 때 나누어지는 수는 89×7=623, 623+88=711입니다.
따라서 나눗셈식의 나머지가 가장 클 때 6□□는 622입니다.

7

```
      7 ㉠ 2
   ×    ㉡ ㉢
   ---------
     ㉣ 6 ㉤
 ㉥ 8 ㉦ ㉧
 -----------
 ㉨ ㉩ ㉪ 4 2
```

• 7㉠2×㉢=㉣6㉤으로 세 자리 수이므로 ㉢=1, ㉠=6, ㉣=7, ㉤=2입니다.
• 6+㉧=14이므로 ㉧=8입니다.
• 762×㉡=㉥8㉦8에서 ㉡=4 또는 ㉡=9이고, 762×4=3048, 762×9=6858이므로 ㉡=9이고 ㉥=6, ㉦=5입니다.
• 762+68580=69342이므로 ㉨=6, ㉩=9, ㉪=3입니다.

8

	113 ×	18	
	113	1	
×2	226	2	×2
×2	452	4	×2
×2	904	8	×2
×2	1808	16	×2

① 곱하는 수 18을 1부터 2배한 수의 합으로 나타냅니다.
즉 18=2+16으로 나타낼 수 있습니다.
② 곱해지는 수 113에 연속해서 2를 곱합니다.
③ 오른쪽의 수가 18의 합을 이루는 수인 경우 같은 줄에 있는 왼쪽의 수를 모두 더하면 113×18의 값이 됩니다.
⇨ 113×18=226+1808
=2034

복습 상위권 문제 확인과 응용 20~23쪽

1 430, 18, 16	**2** 7000원
3 84장	**4** 9
5 21	**6** 52 m
7 473	**8** 56
9 1365번	**10** 996
11 21번	**12** 라 자동차

1 $660 \div 23 = 28 \cdots 16$이므로 몫이 28보다 10 작은 수인 18이고, 나머지는 16인 나눗셈식을 만듭니다. 나누어지는 수를 □라 하면 $\square \div 23 = 18 \cdots 16$에서 $23 \times 18 = 414$, $414 + 16 = 430$이므로 $430 \div 23 = 18 \cdots 16$입니다.

2 • (빵값)$= 900 \times 20 = 18000$(원)
• (음료숫값)$= 500 \times 30 = 15000$(원)
⇨ (빵값과 음료숫값의 합)
$= 18000 + 15000 = 33000$(원)
따라서 민호가 거스름돈으로 받아야 하는 돈은 $40000 - 33000 = 7000$(원)입니다.

3 • 가로: $172 \div 24 = 7 \cdots 4$ → 7장
• 세로: $295 \div 24 = 12 \cdots 7$ → 12장
따라서 정사각형 모양의 종이는 모두 $7 \times 12 = 84$(장)까지 만들 수 있습니다.

4 어떤 수를 □라 하면 $\square \div 45 = 3 \cdots 33$입니다.
⇨ $45 \times 3 = 135$, $135 + 33 = \square$, $\square = 168$
따라서 바르게 계산하면 $168 \div 54 = 3 \cdots 6$이므로 $3 + 6 = 9$입니다.

5 • $\square \times 32 = 701$이라고 하면
$701 \div 32 = 21 \cdots 29$이므로 □ 안에 들어갈 수 있는 자연수는 21과 같거나 작은 수입니다.
• $29 \times \square = 518$이라고 하면
$518 \div 29 = 17 \cdots 25$이므로 □ 안에 들어갈 수 있는 자연수는 17보다 큰 수입니다.
따라서 □ 안에 공통으로 들어갈 수 있는 자연수는 17보다 크고 21과 같거나 작은 수이므로 □ 안에 공통으로 들어갈 수 있는 자연수 중에서 가장 큰 수는 21입니다.

6 (구름 열차가 터널을 완전히 통과할 때까지 간 거리)
$= 288 \times 25 = 7200$(cm)$= 72$(m)
⇨ (터널의 길이)
=(구름 열차가 터널을 완전히 통과할 때까지 간 거리)−(구름 열차의 길이)
$= 72 - 20 = 52$(m)

7 나누는 수가 79이므로 나머지가 될 수 있는 수 중에서 가장 큰 수는 $79 - 1 = 78$입니다.
• $400 \div 79 = 5 \cdots 5$이므로 몫이 5이고 나머지가 가장 큰 수인 78일 때 나누어지는 수는 $79 \times 5 = 395$, $395 + 78 = 473$입니다.
• $500 \div 79 = 6 \cdots 26$이므로 몫이 6이고 나머지가 가장 큰 수인 78일 때 나누어지는 수는 $79 \times 6 = 474$, $474 + 78 = 552$입니다.
따라서 400보다 크고 500보다 작은 수 중에서 79로 나누었을 때 나머지가 가장 큰 수는 473입니다.

8 $683 \times 40 = 27320$이므로 $27320 < 492 \times \square$에서 □ 안에 들어갈 수 있는 가장 작은 두 자리 수를 찾습니다. $492 \times 50 = 24600$, $492 \times 60 = 29520$이므로 □ 안에 들어갈 수 있는 가장 작은 두 자리 수의 십의 자리 숫자는 5입니다.
$\square = 55$일 때 $492 \times 55 = 27060 < 27320$
$\square = 56$일 때 $492 \times 56 = 27552 > 27320$
$\square = 57$일 때 $492 \times 57 = 28044 > 27320$
따라서 종이가 찢어진 부분에 들어갈 수 있는 가장 작은 두 자리 수는 56입니다.

9 • (가 톱니바퀴가 1초 동안 회전한 횟수)
$= 952 \div 68 = 14$(번)
• (나 톱니바퀴가 1초 동안 회전한 횟수)
$= 777 \div 37 = 21$(번)
3분 15초$=$195초
⇨ • (가 톱니바퀴가 3분 15초 동안 회전한 횟수)
$= 14 \times 195 = 2730$(번)
• (나 톱니바퀴가 3분 15초 동안 회전한 횟수)
$= 21 \times 195 = 4095$(번)
따라서 가와 나 톱니바퀴가 3분 15초 동안 회전한 횟수의 차는 $4095 - 2730 = 1365$(번)입니다.

10 $900 \div 82 = 10 \cdots 80$, $999 \div 82 = 12 \cdots 15$이므로 900보다 큰 세 자리 수 중에서 82로 나누었을 때, 몫과 나머지가 같은 경우는 다음의 두 가지 경우입니다.
• $■ \div 82 = 11 \cdots 11$
⇨ $82 \times 11 = 902$, $902 + 11 = ■$, $■ = 913$
• $▲ \div 82 = 12 \cdots 12$
⇨ $82 \times 12 = 984$, $984 + 12 = ▲$, $▲ = 996$
따라서 913과 996 중에서 백의 자리 수와 십의 자리 수가 같은 수는 996입니다.

11 (코끼리가 한 번 임신하는 기간)
$= 94 \times 7 + 2 = 660$(일)
⇨ $660 \div 31 = 21 \cdots 9$이므로 토끼는 최대 21번 임신 기간을 가질 수 있습니다.

12 • (가 자동차가 연료 1 L로 달릴 수 있는 거리)
$=192\div16=12$(km)
• (나 자동차가 연료 1 L로 달릴 수 있는 거리)
$=176\div11=16$(km)
• (다 자동차가 연료 1 L로 달릴 수 있는 거리)
$=180\div12=15$(km)
• (라 자동차가 연료 1 L로 달릴 수 있는 거리)
$=270\div15=18$(km)
⇨ $18>16>15>12$
따라서 자동차 판매장에 있는 자동차 중에서 연비가 가장 높은 자동차는 라 자동차입니다.

복습 **최상위권 문제** 24~25쪽

1 2	**2** 26
3 651, 93, 60543	**4** 15 cm
5 4개	**6** 6, 4

1 $342\times54=18468$이므로 $2㉠8\times81=18468$입니다.

```
      2 ㉠ 8
  ×     8 1
  ---------
      2 ㉠ 8
  ㉡㉢㉣ 4
  ---------
  1 8 4 6 8
```
⇨ ㉠$+4=6$이므로 ㉠$=2$입니다.

2 비법 PLUS+ 857♥36을 먼저 계산한 다음 614♥(857♥36)을 계산합니다.

• $857\div36=23\cdots29$이므로 857♥36=23입니다.
⇨ 614♥(857♥36)=614♥23
• $614\div23=26\cdots16$이므로 614♥23=26입니다.

3 ㄱㄴㄷ×ㄹㅁ의 곱이 가장 크려면 ㄱ과 ㄹ에 가장 큰 두 수인 9 또는 6이 들어가야 하고 ㄷ에 가장 작은 수인 1이 들어가야 합니다.
⇨ $951\times63=59913$, $931\times65=60515$,
$651\times93=60543$, $631\times95=59945$
따라서 곱이 가장 큰 경우는 $651\times93=60543$입니다.

4 비법 PLUS+ 만든 도형의 모든 변의 길이의 합은 가장 작은 정사각형의 한 변의 길이의 몇 배로 늘어나는 규칙인지 찾아봅니다.

만든 도형의 모든 변의 길이의 합은 가장 작은 정사각형의 한 변의 길이의 4배, 10배, 16배, 22배로 늘어나는 규칙입니다.
(일곱째에 만든 도형의 모든 변의 길이의 합)
=(가장 작은 정사각형의 한 변)$\times40$
⇨ (가장 작은 정사각형의 한 변)
=(일곱째에 만든 도형의 모든 변의 길이의 합) $\div40$
$=600\div40=15$(cm)

5 비법 PLUS+ 34로 나누었을 때 나머지가 될 수 있는 가장 작은 수는 1이고, 가장 큰 수는 33입니다.

만든 세 자리 수를 ■, 나머지를 ▲라 하면
■$\div34=14\cdots$▲입니다.
▲가 될 수 있는 수는 1부터 33까지의 수이므로 ■가 될 수 있는 가장 작은 수는 $34\times14=476$, $476+1=477$이고, ■가 될 수 있는 가장 큰 수는 $34\times14=476$, $476+33=509$입니다.
따라서 0부터 5까지의 숫자를 한 번씩만 사용하여 만들 수 있는 세 자리 수 중에서 477과 같거나 크고 509와 같거나 작은 수는 501, 502, 503, 504로 모두 4개입니다.

6 ㉠×㉡의 일의 자리 수가 ㉡이므로 ㉠이 1인 경우와 1이 아닌 경우로 나눌 수 있습니다.
• ㉠이 1인 경우
1㉡1×1㉡은 만의 자리 수가 4가 될 수 없으므로 ㉠은 1이 아닙니다.

```
      1 ㉡ 1
  ×     1 ㉡
  ----------
  4 1 3 ㉡㉡
```

• ㉠이 1이 아닌 경우
계산 결과의 만의 자리 수가 4, 천의 자리 수가 1이므로 ㉠이 될 수 있는 수는 6입니다.
㉠이 6일 때, ㉠×㉡의 일의 자리 수가 ㉡이 되는 서로 다른 두 수는 다음과 같습니다.
㉠=6, ㉡=0 / ㉠=6, ㉡=2 /
㉠=6, ㉡=4 / ㉠=6, ㉡=8
⇨ ㉠=6, ㉡=0이면 $606\times60=36360$(×)
㉠=6, ㉡=2이면 $626\times62=38812$(×)
㉠=6, ㉡=4이면 $646\times64=41344$(◯)
㉠=6, ㉡=8이면 $686\times68=46648$(×)
따라서 ㉠=6, ㉡=4입니다.

4 평면도형의 이동

복습 상위권 문제 26~27쪽

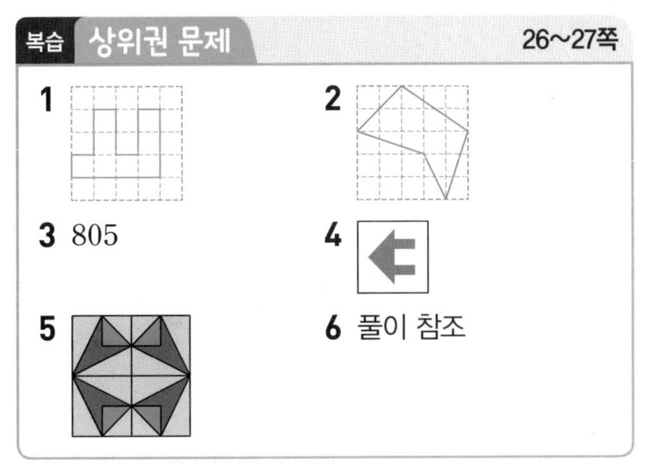

1 ① 도형을 위쪽으로 2번 뒤집으면 처음 모양과 같으므로 위쪽으로 3번 뒤집은 모양은 위쪽으로 1번 뒤집은 모양과 같습니다.

② 위 ①의 모양을 시계 방향으로 90°만큼 4번 돌리면 처음 모양과 같으므로 시계 방향으로 90°만큼 7번 돌린 모양은 시계 방향으로 90°만큼 3번 돌린 모양과 같습니다.

2 오른쪽 도형을 위쪽으로 뒤집고 시계 방향으로 180°만큼 돌리면 처음 모양이 됩니다.

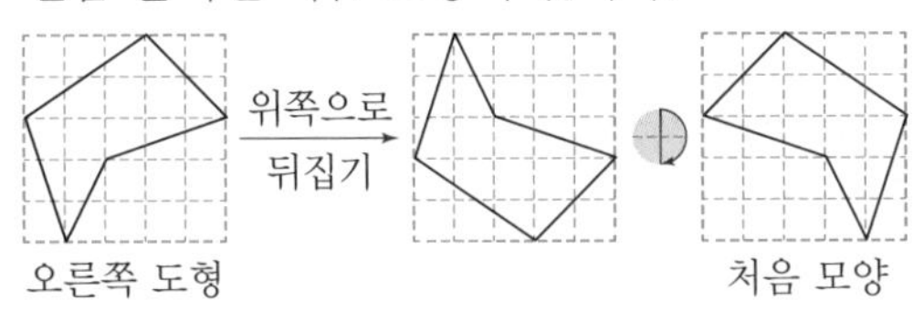

3 0<5<8<9이므로 만든 가장 작은 세 자리 수는 508입니다.

⇨ 508 ⇨ 805

4 모양의 위쪽이 왼쪽으로 바뀌었으므로 시계 반대 방향으로 90°만큼 돌리는 규칙입니다.

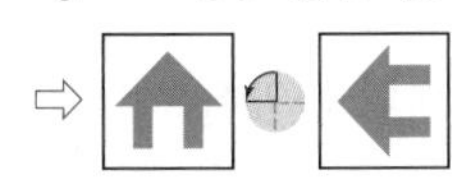

5 모양을 오른쪽으로 뒤집는 것을 반복해서 모양을 만들고, 그 모양을 아래쪽으로 뒤집어서 무늬를 만들었습니다.

6 예

먼저 ⑧번 조각을 놓고 ⑥번 조각을 아래쪽으로 뒤집어서 ⑧번 조각 밑으로 밀어서 '노'를 만듭니다.
⑫번 조각을 놓고 ⑪번 조각을 오른쪽으로 뒤집어서 ⑫번 조각 오른쪽으로 밀고 ②번 조각을 ⑪번 조각 오른쪽으로 밀어 붙여서 '래'를 만듭니다.

복습 상위권 문제 확인과 응용 28~31쪽

1 ④
2 823
3 8개
4
5 11시 32분
6
7 651
8 10시 1분
9
10 2개
11 9개
12 90

1 시계 방향으로 90°만큼 14번 돌린 모양은 시계 방향으로 90°만큼 2번 돌린 모양과 같습니다.

따라서 ⇨ 이므로 손가락은 ④번을 가리킵니다.

2 8>5>3>1이므로 만든 가장 큰 세 자리 수는 853입니다.

853 ⇨ 823

3 왼쪽 모양을 돌려서 만들 수 있는 모양은 , , , 이고 이 모양을 찾으면 모두 8개입니다.

4 보기 는 도형의 위쪽이 아래쪽으로, 오른쪽이 왼쪽으로 바뀌었으므로 시계 방향으로 180°(시계 반대 방향으로 180°)만큼 돌린 것입니다.

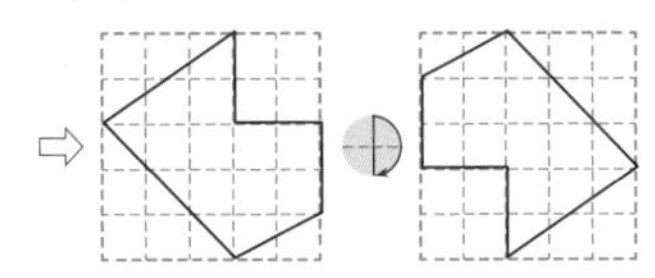

5 오른쪽에 거울을 놓았을 때 거울에 비친 모양은 오른쪽으로 뒤집은 모양과 같으므로 거울에 비친 모양을 왼쪽으로 뒤집으면 실제 벽시계의 모양이 됩니다.

 왼쪽으로 뒤집기 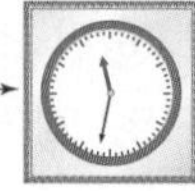 ⇨ 11시 32분

6 • (시계 반대 방향으로 180°만큼 7번 돌린 모양)
=(시계 반대 방향으로 180°만큼 1번 돌린 모양)
• (아래쪽으로 5번 뒤집은 모양)
=(아래쪽으로 1번 뒤집은 모양)
따라서 오른쪽 도형을 위쪽으로 1번 뒤집고 시계 방향으로 180°만큼 1번 돌리면 처음 모양이 됩니다.

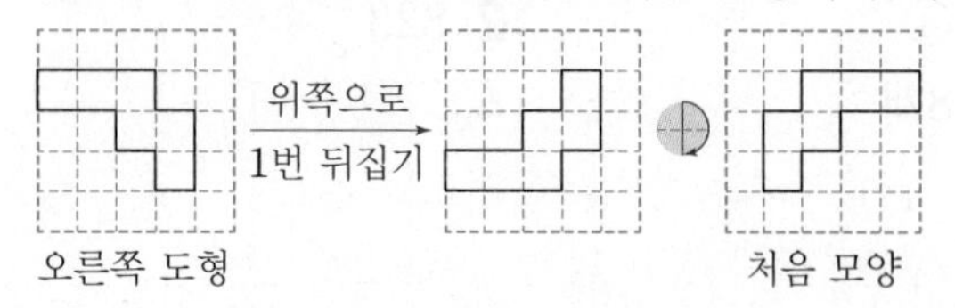

7 잘못 더한 수를 구하면 192 ⊕ 261이므로 261입니다.
어떤 수를 □라 하면 □+261=720이므로
□=720−261=459입니다.
따라서 바르게 계산하면 459+192=651입니다.

8 철봉에 거꾸로 매달렸을 때 시계를 본 모양은 시계를 시계 방향으로 180°만큼 돌린 모양과 같습니다. 시계를 거꾸로 본 모양을 시계 반대 방향으로 180°만큼 돌리면 15:60 ⊕ 09:51이므로 실제 시각은 9시 51분입니다.
따라서 우준이가 철봉에서 내려온 시각은 10분 후이므로 10시 1분입니다.

9 잘못 움직인 모양을 왼쪽으로 뒤집으면 처음 모양이 됩니다.
따라서 처음 모양을 시계 방향으로 270°만큼 돌리면 바르게 움직인 모양이 됩니다.

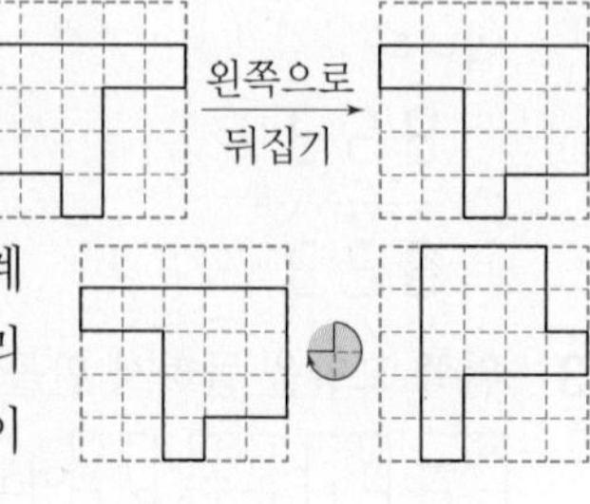

10 모양을 시계 방향으로 180°만큼 돌리고 위쪽으로 뒤집어서 다시 시계 반대 방향으로 90°만큼 돌리면 처음 모양이 됩니다.

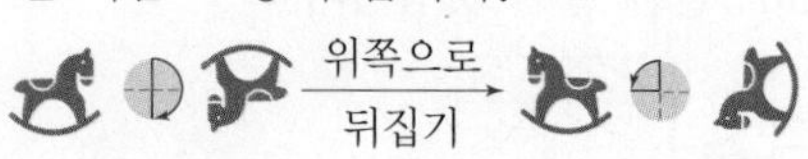

따라서 모양은 모두 2개입니다.

11 왼쪽으로 뒤집으면 왼쪽과 오른쪽이 서로 바뀌므로 처음 모양과 같으려면 왼쪽과 오른쪽 모양이 같아야 합니다.
따라서 왼쪽과 오른쪽 모양이 같은 한자를 모두 찾으면 **二, 十, 日, 天, 土, 山, 木, 金, 口**이므로 모두 9개입니다.

12

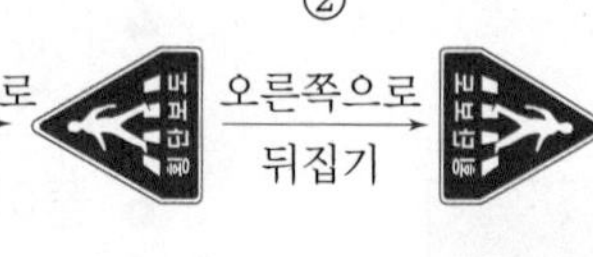

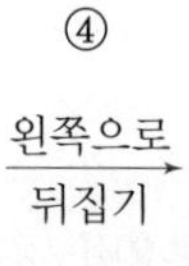

④를 거꾸로 움직이면  오른쪽으로 뒤집기  이고

이므로 ③은 시계 반대 방향으로 90°만큼 돌린 것입니다.

복습 최상위권 문제 32~33쪽

1 왼쪽 또는 오른쪽	**2** 16개
3 예 오른쪽(왼쪽)으로 한 번 뒤집기	
4 954	**5** 8개
6 1825	

1 왼쪽 글자를 시계 방향으로 180°만큼 돌리기

• 거울을 왼쪽 또는 오른쪽에 세워 놓았을 때

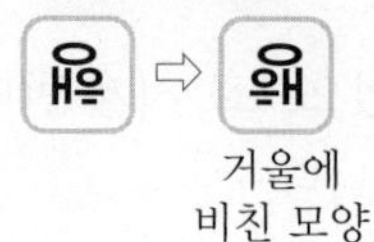

• 거울을 위쪽 또는 아래쪽에 세워 놓았을 때

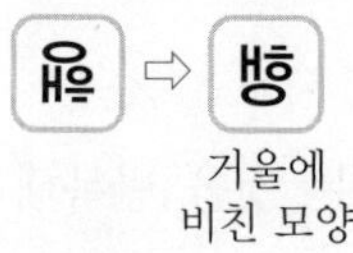

따라서 돌린 글자의 왼쪽 또는 오른쪽에 거울을 세워 놓은 것입니다.

2 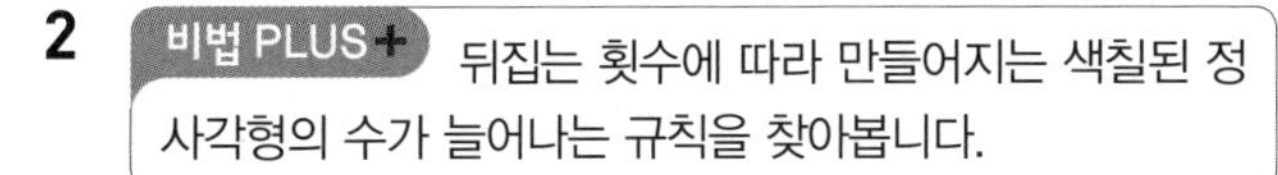
비법 PLUS+ 뒤집는 횟수에 따라 만들어지는 색칠된 정사각형의 수가 늘어나는 규칙을 찾아봅니다.

뒤집은 횟수(번)	1	2	3	4	5	……
색칠된 정사각형의 수(개)	2	4	5	7	8	……

$+2$ $+1$ $+2$ $+1$

따라서 만들어지는 색칠된 정사각형은 모두 $2+2+1+2+1+2+1+2+1+2=16$(개)입니다.

3 비법 PLUS+ 도형을 간단히 움직이는 방법을 찾아 도형을 움직여 보고 처음 모양과 비교합니다.

- (시계 방향으로 90°만큼 10번 돌린 모양)
  =(시계 방향으로 90°만큼 2번 돌린 모양)
- (아래쪽으로 5번 뒤집은 모양)
  =(아래쪽으로 1번 뒤집은 모양)

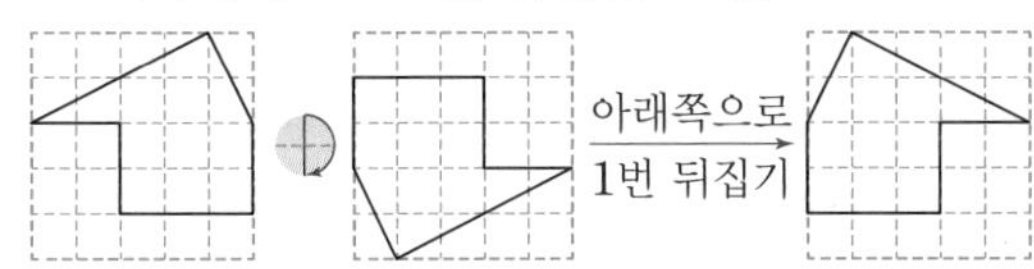

따라서 오른쪽 도형을 오른쪽(왼쪽)으로 한 번 뒤집은 모양과 같습니다.

4 비법 PLUS+ 오른쪽으로 뒤집고 아래쪽으로 뒤집었을 때 만들어지는 숫자가 처음 숫자와 같은 수 카드를 찾아봅니다.

각 숫자를 오른쪽으로 뒤집고 아래쪽으로 뒤집었을 때의 모양을 알아보면 다음과 같습니다.

0 ⇨ 0, 1 ⇨ 1, 2 ⇨ 2,
3 ⇨ Ɛ, 4 ⇨ h, 5 ⇨ 5,
6 ⇨ 9, 7 ⇨ L, 8 ⇨ 8,
9 ⇨ 6

이 중에서 처음 숫자와 같은 수 카드는

0, 1, 2, 5, 8입니다.

따라서 이 수 카드로 만들 수 있는 가장 큰 세 자리 수는 852, 가장 작은 세 자리 수는 102이므로 두 수의 합은 $852+102=954$입니다.

5 위쪽으로 뒤집기 ⇨ 남은 바둑돌

따라서 남은 바둑돌 중에서 검은색 바둑돌은 8개입니다.

6 오른쪽으로 뒤집었을 때 숫자가 되는 수 카드의 숫자는 0, 1, 2, 5, 8입니다.

- 일의 자리 계산: 0, 1, 2, 5, 8 중에서 6을 더해서 0, 1, 2, 5, 8이 나오는 수를 알아보면 $2+6=8$, $5+6=11$입니다.

  ㉠ ㉡ ㉢ ㉣
  \+ 　7 5 6
  ㉤ ㉥ ㉦ ㉧

  ㉣=2이면 ㉧=㉠=8이고, ㉤=5(×)
  → ㉣=5, ㉧=㉠=1, ㉤=2입니다.
- 십의 자리 계산: 일의 자리에서 받아올림이 있고 남은 수 0, 2, 8 중

  1 ㉡ ㉢ 5
  \+ 　7 5 6
  2 ㉥ ㉦ 1

  ㉢=0이면 ㉦=1+0+5=6(×),
  ㉢=2이면 ㉦=1+2+5=8,
  ㉢=8이면 ㉦=1+8+5=14(×)
  → ㉢=2, ㉦=㉡=8, ㉥=5

따라서 처음 수는 1825이고 뒤집었을 때 만들어지는 수는 2581입니다.

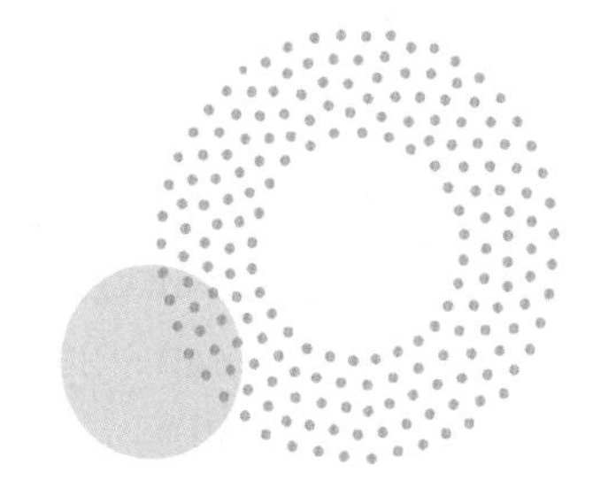

5 막대그래프

복습 상위권 문제 34~35쪽

1 7칸　　**2** 8개
3 90명　　**4** 9명
5 34그릇
6 음식별 열량

음식 / 열량	0　100　200 (킬로칼로리)
샌드위치	
수박	
감자	
파전	

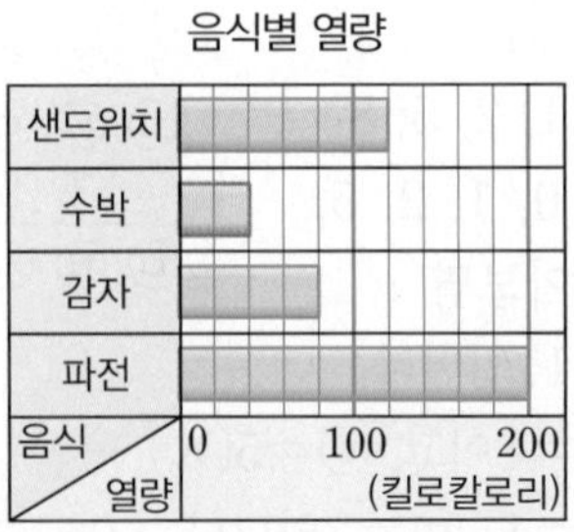

1 세로 눈금 한 칸이 1명을 나타내므로 요술 비행기 한 칸에 4명이 탈 수 있습니다.
⇨ (필요한 요술 비행기의 칸 수)$=28\div4=7$(칸)

2 세로 눈금 한 칸이 $10\div5=2$(개)를 나타내므로
(수학 경시대회 금상 수)=(영어 경시대회 금상 수) $=16$개이고, 과학 경시대회 금상은 10개입니다.
⇨ (말하기 경시대회 금상 수)
$=50-16-10-16=8$(개)

3 축구의 세로 눈금 수를 세어 보면 6칸이므로 세로 눈금 한 칸은 $60\div6=10$(명)을 나타냅니다.
따라서 피구의 세로 눈금 수를 세어 보면 9칸이므로 (피구를 좋아하는 학생 수)$=10\times9=90$(명)입니다.

4 반별 두 막대의 길이를 비교하면 남학생과 여학생 수의 차가 가장 큰 반은 3반입니다.
3반의 남학생은 3명, 여학생은 6명입니다.
따라서 안경을 쓴 학생은 모두 $3+6=9$(명)입니다.

5 세로 눈금 한 칸이 $10\div5=2$(그릇)을 나타내므로 팔린 튀김은 $2\times3=6$(그릇)입니다.
⇨ (팔린 떡볶이 수)$=6\times3=18$(그릇),
(팔린 라면 수)$=18-2=16$(그릇)
따라서 (어제 팔린 떡볶이와 라면의 그릇 수의 합)
$=18+16=34$(그릇)입니다.

6 가로 눈금 한 칸이 $100\div5=20$(킬로칼로리)를 나타내므로 수박의 열량은 $20\times2=40$(킬로칼로리)입니다.
(샌드위치의 열량)$=40\times3=120$(킬로칼로리),
(파전의 열량)$=120+80=200$(킬로칼로리),
(감자의 열량)$=440-120-40-200$
$=80$(킬로칼로리)
⇨ 가로 눈금 한 칸이 20 킬로칼로리를 나타내므로 샌드위치는 6칸, 감자는 4칸, 파전은 10칸으로 그립니다.

복습 상위권 문제 확인과 응용 36~39쪽

1 7칸　　**2** 2700원
3 혈액형별 학생 수

학생 수 (명) / 혈액형	A형	B형	O형	AB형
10, 5, 0				

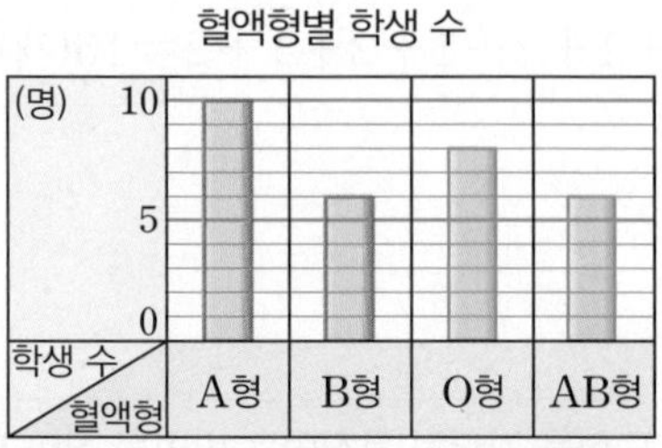

4 5칸　　**5** 12분
6 예 기온이 오를수록 물 판매량이 늘어납니다.
7 27명　　**8** 27칸
9 9월　　**10** 20명
11 나라별 획득한 메달 수

나라 / 메달 수	0　10　20　30 (개)
대한민국	
네덜란드	
폴란드	
노르웨이	

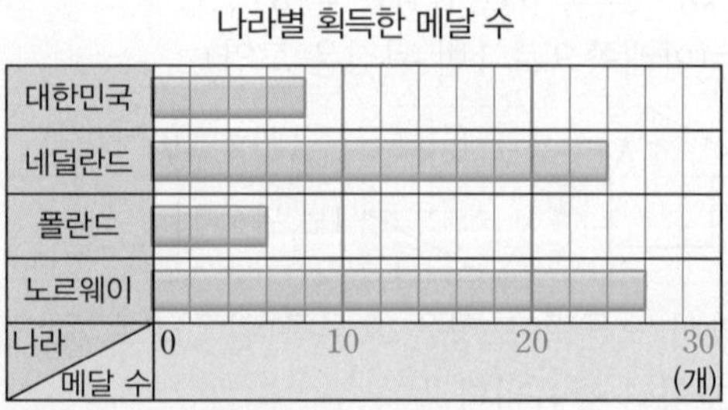

12 청소년기, 성년기, 노년기

1 놀이공원에 가 보고 싶어 하는 학생이 $100-20-15-25-5=35$(명)이므로 놀이공원에 가 보고 싶어 하는 학생이 가장 많습니다. 따라서 35명까지 나타낼 수 있어야 하고, 세로 눈금 한 칸이 5명을 나타내므로 적어도 $35\div5=7$(칸) 있어야 합니다.

2 (지아가 산 물건 가격의 합)
$=800+500+1000=2300$(원)
따라서 (거스름돈)$=5000-2300=2700$(원)입니다.

3 (O형인 학생 수)+(AB형인 학생 수)
$=30-10-6=14$(명)
O형인 학생을 □명이라 하면 AB형인 학생은 (□-2)명이고 □$+$(□-2)$=14$, □$+$□$=16$, □$=8$이므로 O형인 학생은 8명, AB형인 학생은 $8-2=6$(명)입니다.
따라서 O형은 8칸, AB형은 6칸으로 그립니다.

4 세로 눈금 한 칸은 1명을 나타내므로 세로 눈금 한 칸이 2명을 나타내는 막대그래프로 바꿔서 그릴 때에는 주어진 막대그래프의 칸 수를 2로 나누면 됩니다.
따라서 A형인 학생은 $10 \div 2 = 5$(칸)으로 그려야 합니다.

5 집에서 가장 가까운 건물은 거리가 600 m인 학교입니다. 600 m는 100 m의 6배이므로 정원이가 600 m를 걷는 데 걸리는 시간은 2분의 6배입니다.
⇨ (학교에 도착하는 데 걸리는 시간)
$= 2 \times 6 = 12$(분)

7 여름의 막대는 봄의 막대보다 2칸 더 깁니다. 세로 눈금 2칸이 6명이므로 세로 눈금 한 칸은 $6 \div 2 = 3$(명)을 나타냅니다.
따라서 여름은 세로 눈금 9칸이므로 여름을 좋아하는 학생은 $3 \times 9 = 27$(명)입니다.

8 1시간=60분이므로 가로 눈금 한 칸은 $60 \div 5 = 12$(분)을 나타냅니다. 전주역까지의 소요 시간은 9칸이므로 $12 \times 9 = 108$(분)입니다.
따라서 막대그래프를 가로 눈금 한 칸이 4분을 나타내는 막대그래프로 바꿔 그린다면 전주역까지의 소요 시간은 $108 \div 4 = 27$(칸)으로 그려야 합니다.

9 세로 눈금 한 칸은 ㉮ 아파트의 그래프가 $10 \div 5 = 2$(톤), ㉯ 아파트의 그래프가 1톤을 나타냅니다.
따라서 두 아파트의 월별 쓰레기 배출량의 차는 7월에 $12 - 9 = 3$(톤), 8월에 $8 - 7 = 1$(톤), 9월에 $16 - 10 = 6$(톤)이므로 쓰레기 배출량의 차가 가장 큰 달은 9월입니다.

10 세로 눈금 한 칸이 $20 \div 5 = 4$(명)을 나타내므로
(5일 동안 온 남자 손님 수)
$= 20 + 24 + 16 + 28 + 32 = 120$(명)입니다.
화요일에 온 여자 손님 수를 □명이라 하면
(5일 동안 온 여자 손님 수)
$= 16 + □ + 24 + 32 + 28 = 100 + □$이므로
$100 + □ = 120$, $□ = 20$입니다.

11 네덜란드는 대한민국보다 획득한 메달 수가 $24 - 8 = 16$(개) 더 많습니다. 가로 눈금 8칸이 16개를 나타내어야 하므로 가로 눈금 한 칸은 $16 \div 8 = 2$(개)를 나타내어야 합니다.
따라서 대한민국은 $8 \div 2 = 4$(칸), 네덜란드는 $24 \div 2 = 12$(칸), 폴란드는 $6 \div 2 = 3$(칸), 노르웨이는 $26 \div 2 = 13$(칸)으로 그립니다.

12 노년기의 1일 에너지 권장량이 2000 킬로칼로리이므로
(청소년기의 1일 에너지 권장량)
$= 2000 + 600 = 2600$(킬로칼로리)이고 성년기의 1일 에너지 권장량은 2400 킬로칼로리입니다.
따라서 $2600 > 2400 > 2000$이므로 1일 에너지 권장량이 많은 시기부터 차례대로 쓰면 청소년기, 성년기, 노년기입니다.

복습 최상위권 문제 40~41쪽

1 3칸 **2** 280개
3 20000원
4 좋아하는 운동 종목별 학생 수

(명) 45, 30, 15, 0
학생 수 / 운동 종목: 수영, 축구, 야구, 농구

5 오렌지 맛, 6개
6 구슬 수별 주머니 수

(개) 5, 0
주머니 수 / 구슬 수: 1개, 2개, 3개, 4개

1 비법 PLUS+ (세로 눈금 한 칸의 크기)
=(박물관에 방문한 중국인 수)
÷(중국의 세로 눈금 수)

박물관을 방문한 중국인 28명이 세로 눈금 7칸이므로 세로 눈금 한 칸은 $28 \div 7 = 4$(명)을 나타냅니다.
⇨ 박물관을 방문한 일본인은 $4 \times 9 = 36$(명), 캐나다인은 $4 \times 5 = 20$(명)입니다.
박물관을 방문한 미국인을 □명이라 하면
$28 + 36 + 20 + □ = 96$, $84 + □ = 96$, $□ = 12$입니다.
따라서 박물관을 방문한 미국인은 $12 \div 4 = 3$(칸)으로 그려야 합니다.

2 (하루에 들이는 과일 수)
$=100+50+80=230$(개)
(하루에 판매하는 과일 수)
$=80+40+70=190$(개)
→ (하루에 남는 과일 수)$=230-190=40$(개)
⇨ (일주일 후 남는 과일 수)$=40\times7=280$(개)

다른 풀이
• (하루에 남는 사과 수)$=100-80=20$(개)
• (하루에 남는 자두 수)$=50-40=10$(개)
• (하루에 남는 복숭아 수)$=80-70=10$(개)
→ (하루에 남는 과일 수)
$=20+10+10=40$(개)
⇨ (일주일 후 남는 과일 수)$=40\times7=280$(개)

3 비법 PLUS+ (월별 저금한 돈)=(월별 받은 용돈)$\div4$

5월에 받은 용돈이 8000원이므로 5월에 저금한 돈은 $8000\div4=2000$(원)입니다.
따라서 6월에 저금한 돈이 $7000-2000=5000$(원)이므로 6월에 받은 용돈은 $5000\times4=20000$(원)입니다.

4 비법 PLUS+ 왼쪽 막대그래프의 세로 눈금 한 칸과 오른쪽 막대그래프의 세로 눈금 한 칸은 각각 몇 명을 나타내는지 알아봅니다.

왼쪽 막대그래프의 세로 눈금 수의 합이
$5+7+6+2=20$(칸)이므로 세로 눈금 한 칸은 $120\div20=6$(명)을 나타냅니다. 오른쪽 막대그래프의 세로 눈금 한 칸이 $15\div5=3$(명)을 나타내므로 왼쪽 막대그래프의 세로 눈금 한 칸의 크기의 절반입니다.
따라서 오른쪽 막대그래프에 차례대로
수영은 $2\times2=4$(칸), 축구는 $5\times2=10$(칸),
야구는 $6\times2=12$(칸), 농구는 $7\times2=14$(칸)으로 그립니다.

5 비법 PLUS+ 가장 많이 들어 있을 수 있는 사탕은 딸기 맛 사탕과 오렌지 맛 사탕입니다.

세로 눈금 한 칸은 $10\div5=2$(개)를 나타내므로 딸기 맛 사탕은 18개, 포도 맛 사탕은 10개, 사과 맛 사탕은 12개입니다.
• 가장 많은 사탕이 딸기 맛일 때:
가장 적은 사탕은 $18-12=6$(개)이므로 오렌지 맛이고, 6개입니다.
• 가장 많은 사탕이 오렌지 맛일 때:
가장 적은 사탕은 포도 맛이고, 오렌지 맛은 $10+12=22$(개)입니다. 하지만 각 사탕의 수는 20개보다 적어야 하므로 알맞지 않습니다.
따라서 가장 적게 들어 있는 사탕은 오렌지 맛이고, 6개입니다.

6 비법 PLUS+ 구슬이 1개, 4개씩 들어 있는 주머니의 전체 구슬 수를 구하여 구슬이 2개, 3개씩 들어 있는 주머니의 전체 구슬 수를 구합니다.

(구슬이 1개씩 들어 있는 주머니의 구슬 수)
$=1\times3=3$(개)
(구슬이 4개씩 들어 있는 주머니의 구슬 수)
$=4\times5=20$(개)
(구슬이 각각 2개씩, 3개씩 들어 있는 주머니에 있는 구슬 수의 합)$=40-3-20=17$(개)
(구슬이 각각 2개씩, 3개씩 들어 있는 주머니 수의 합)
$=15-3-5=7$(개)

구슬이 2개씩 들어 있는 주머니의 수	1	2	3	4
구슬이 3개씩 들어 있는 주머니의 수	6	5	4	3
구슬 수의 합	20	19	18	17

따라서 구슬이 2개씩 들어 있는 주머니는 4칸, 구슬이 3개씩 들어 있는 주머니는 3칸으로 그립니다.

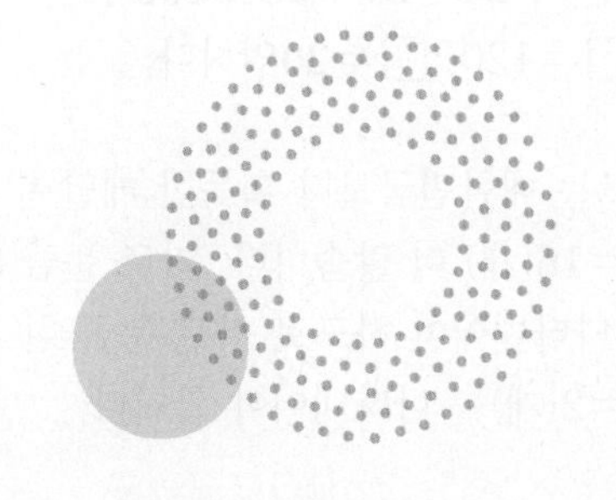

6 규칙 찾기

복습 상위권 문제 42~43쪽

1 7547
2 $1111112+9999999=11111111$
3 32개
4 3 / 1105
5 흰색
6 (위에서부터) 4, 10, 5

1 세로줄은 아래쪽으로 1000, 2000, 3000씩 커지는 규칙입니다.
따라서 ■에 알맞은 수는 4547보다 3000 큰 수인 7547입니다.

2 더해지는 수는 1이 1개씩, 더하는 수는 9가 1개씩 늘어나고 있고 계산 결과는 1이 1개씩 늘어나는 규칙입니다.
11111111에서 1이 8개이므로 계산 결과가 11111111이 나오는 덧셈식은 여섯째 단계입니다.

3 모양의 수가 5개부터 시작하여 3개씩 늘어나는 규칙입니다.
⇨ (열째에 올 모양의 수)
$=5+3+3+3+3+3+3+3+3+3$
$=32$(개)

4 $1101+1103+1105=3309=1103\times3$
$1103+1105+1107=3315=1105\times3$

5 ○●●○○○●이 반복되는 규칙입니다.
$60\div7=8\cdots4$이므로 60째에 놓이는 바둑돌은 넷째에 놓이는 바둑돌과 같은 흰색입니다.

6 왼쪽과 오른쪽의 끝에는 1이 계속 반복되고, 윗줄의 왼쪽과 오른쪽의 두 수를 더하면 아래 수가 됩니다.

복습 상위권 문제 확인과 응용 44~47쪽

1 1728
2 10000001
3 5
4 67
5 21851
6 58개
7 29일
8 64개
9 30개
10 144개
11 13, 84, 85
12 105

1 24부터 시작하여 3씩 곱한 수가 왼쪽에 있는 규칙입니다.
㉡$=72\times3=216$, ㉠$=648\times3=1944$
⇨ ㉠$-$㉡$=1944-216=1728$

2 $902+99=1001$, $9002+999=10001$, $90002+9999=100001$입니다.
따라서 101, 1001, 10001, 100001……이므로 $9000002+999999=10000001$입니다.

3 두 곱셈의 결과를 7로 나누었을 때의 나머지를 쓴 규칙입니다.
따라서 $8\times5=40$이고 $40\div7=5\cdots5$이므로 ■에 알맞은 수는 5입니다.

4 $1+1=2$, $2+2=4$, $4+3=7$, $7+4=11$, $11+5=16$……이므로 1부터 시작하여 더하는 수가 1, 2, 3, 4……로 커지는 규칙입니다.
따라서 12째에 올 수는
$1+1+2+3+4+5+6+7+8+9+10+11$
$=67$입니다.

5 ㉮는 2658부터 시작하여 ↘ 방향으로 104씩 커지는 규칙입니다.
따라서 21643보다 104 큰 수는 21747이고, 21747보다 104 큰 수는 21851이므로 ●에 알맞은 수는 21851입니다.

6 ●●○○●○●이 반복되는 규칙입니다.
$100\div7=14\cdots2$이므로 100째까지 ●●○○●○●이 14번 반복되고, 그다음에 ●●이 놓입니다.
따라서 100째까지 검은색 바둑돌은 $4\times14=56$(개) 놓이고 2개 더 놓이므로 모두 $56+2=58$(개)입니다.

7 일요일부터 목요일까지 5일 동안의 날짜의 합이 20이므로 가운데 있는 화요일은 $20\div5=4$(일)입니다.
이 주의 토요일은 $4+4=8$(일)입니다.
따라서 8일부터 3주 후의 날짜는 $8+21=29$(일)입니다.

8 초록색 구슬은 2개씩 늘어나는 규칙입니다.
$3+2+2+2+2+2+2+2=17$(개)이므로 초록색 구슬이 17개일 때는 여덟째입니다.
노란색 구슬은 $1\times1=1$(개), $2\times2=4$(개), $3\times3=9$(개)……의 규칙입니다.
따라서 여덟째에 놓이는 노란색 구슬은 $8\times8=64$(개)입니다.

9 20째에 7은 위에서부터 여덟째 줄부터 22째 줄까지 2개씩 있습니다.
⇨ $2\times15=30$(개)

10

순서	사각형의 수	늘어난 성냥개비의 수
첫째	1 (1×1)	4 (4×1)
둘째	4 (2×2)	8 (4×2)
셋째	9 (3×3)	12 (4×3)
넷째	16 (4×4)	16 (4×4)
다섯째	25 (5×5)	20 (4×5)
여섯째	36 (6×6)	24 (4×6)
일곱째	49 (7×7)	28 (4×7)
여덟째	64 (8×8)	32 (4×8)

따라서 사각형 64개가 되는 큰 사각형을 만들 때 필요한 성냥개비는
$4+8+12+16+20+24+28+32=144$(개)입니다.

11 13이면 $13\times13=169$이므로 169를 1 차이 나게 84와 85로 나눌 수 있습니다.
따라서 피타고라스의 수는 13, 84, 85입니다.

12 첫째 둘째 셋째 넷째
1 3 6 10
+2 +3 +4
수가 1부터 시작하여 2, 3, 4……씩 커지는 규칙입니다.
따라서 14째에 만들어지는 삼각수는
$1+2+3+4+5+6+7+8+9+10+11+12+13+14=105$입니다.

복습 최상위권 문제 48~49쪽

1 9개 **2** 304
3 36개 **4** 20개
5 136 **6** 121

1 비법 PLUS+ 먼저 곱해서 4가 되는 두 수를 모두 찾아봅니다.

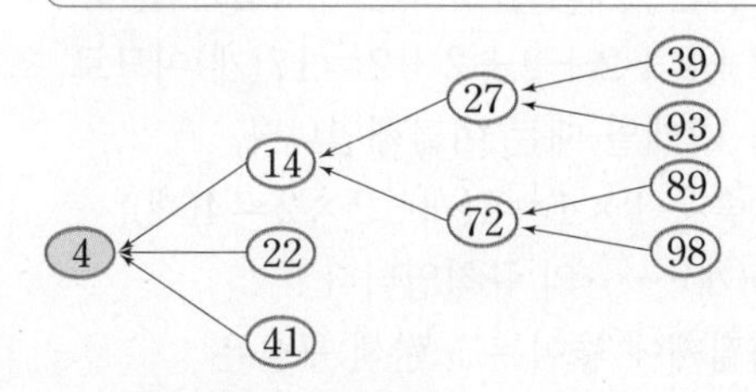

따라서 모두 9개입니다.

2 윗줄의 두 수를 더하면 아랫줄의 수가 나오는 규칙입니다.
〈넷째〉 32 48 64 80 96 → 16씩 커집니다.
〈다섯째〉 80 112 144 176 → 32씩 커집니다.
따라서 다섯째 줄의 여덟째 수는
$176+32+32+32+32=304$입니다.

3 • 흰색 바둑돌의 수를 차례대로 써 보면 9개, 12개, 15개……이므로 3개씩 많아집니다.
⇨ 여덟째까지 놓인 흰색 바둑돌의 수의 합은
$9+12+15+18+21+24+27+30$
$=156$(개)입니다.
• 검은색 바둑돌의 수를 차례대로 써 보면 1개, 3개, 6개……이므로 2개, 3개……씩 많아집니다.
⇨ 여덟째까지 놓인 검은색 바둑돌의 수의 합은
$1+3+6+10+15+21+28+36=120$(개)입니다.
따라서 $156-120=36$(개)입니다.

4 비법 PLUS+ 반복되는 부분을 찾고 반복되는 부분에서 ○과 ☆의 수의 차를 구해 봅니다.

○☆○☆☆☆○이 반복되는 규칙입니다.
$150\div7=21\cdots3$이므로 150째까지
○☆○☆☆☆○이 21번 반복되고, 그다음에
○☆○이 놓입니다. 한 묶음에는 ☆이 ○보다 1개 더 많으므로 147째까지 ☆이 ○보다 $1\times21=21$(개) 더 많습니다. 따라서 150째까지 ○와 ☆의 수의 차는 $21-1=20$(개)입니다.

5 비법 PLUS+ 먼저 맨 위의 가로줄의 수 배열에서 규칙적인 계산식을 찾아봅니다.

$(1, 1)=1=1\times1$, $(1, 2)=4=2\times2$,
$(1, 3)=9=3\times3$……$(1, 12)=144=12\times12$
따라서 (9, 12)의 값은 (1, 12)의 값보다 8칸 아래에 있으므로 $144-8=136$입니다.

6 ㉠과 ㉡ 두 수의 차는 11이고 합은
$266-1-12=253$이므로 두 수 중 작은 수를 □라 하면 큰 수는 □+11로 □+(□+11)=253,
□+□=242, □=121입니다. 또한 맨 왼쪽 세로줄에 있는 수는 24로 나누었을 때 나누어떨어지거나 나머지가 1인 수입니다.
$121\div24=5\cdots1$, $132\div24=5\cdots12$
따라서 ㉠에 알맞은 수는 121과 132 중에서 24로 나누었을 때 나머지가 1인 121입니다.

2022 K-NBA
교과서, 중·고등 교재 부문
국가브랜드대상 9년 연속 1위
visang
개념과 유형을
한방에!

개념·플러스·유형·시리즈 개념과 유형이 하나로! 가장 효과적인 수학 공부 방법을 제시합니다.

대표전화 1544-0554
주소 서울특별시 구로구 디지털로33길 48 대륭포스트타워 7차 20층

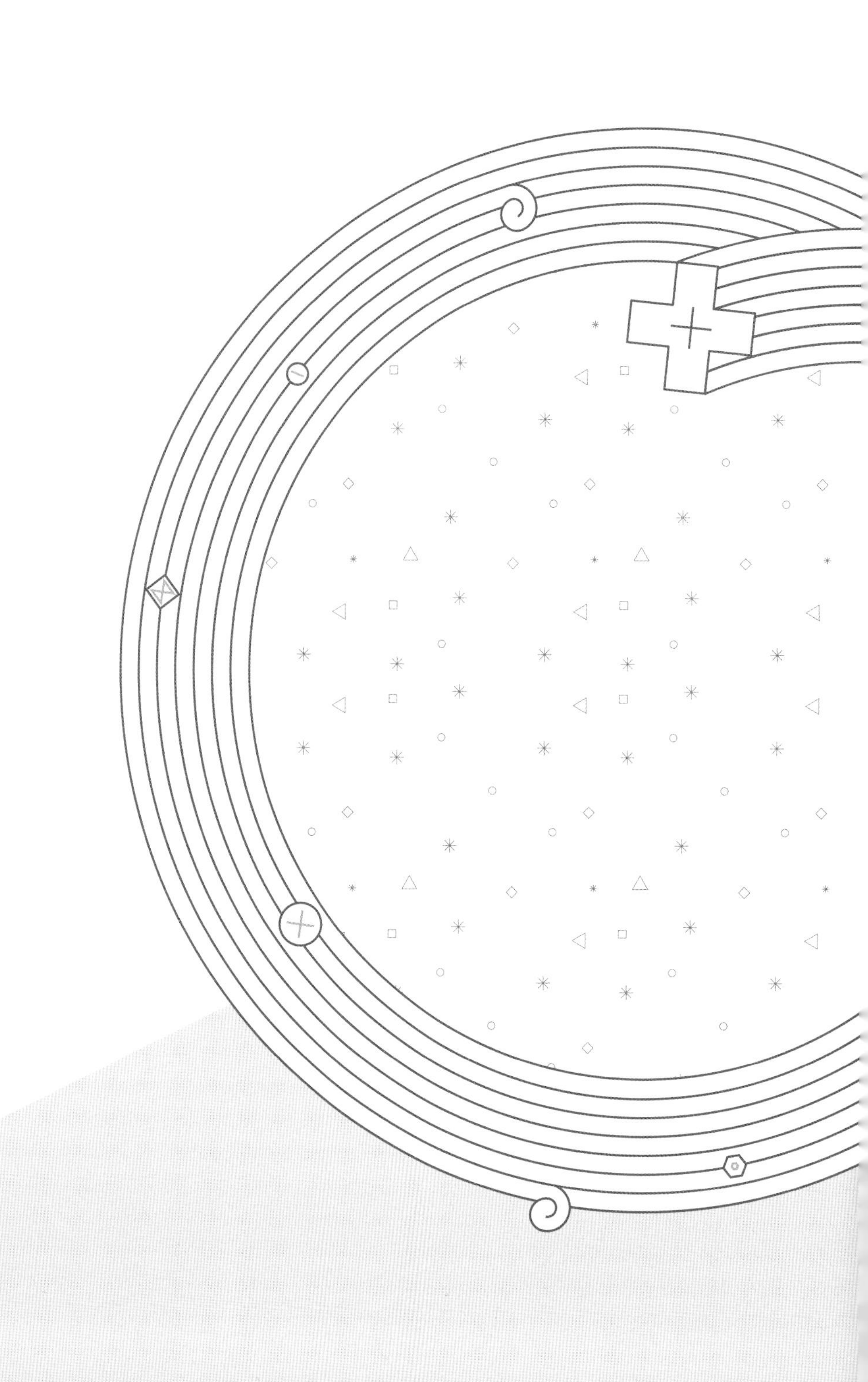

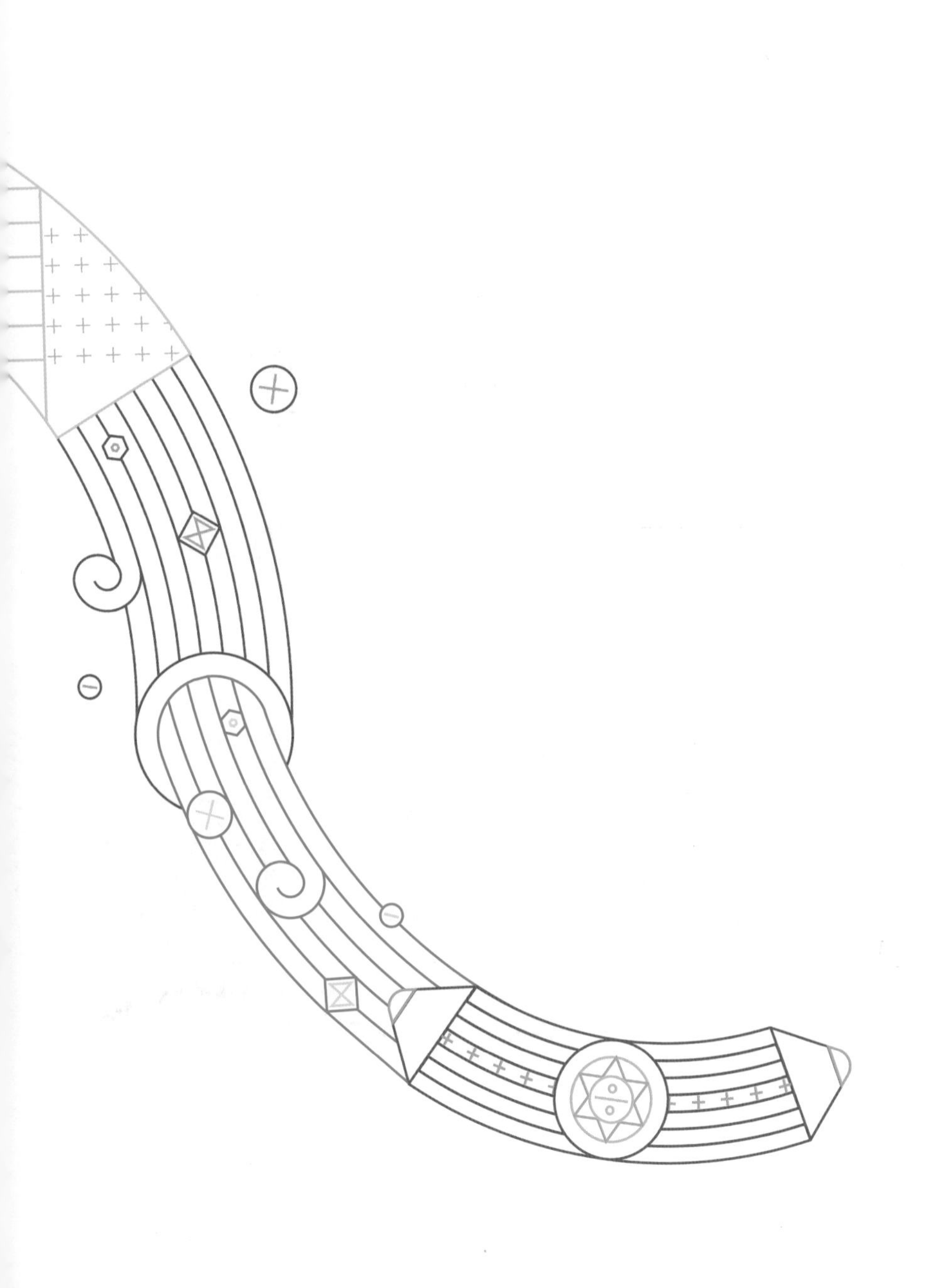

15개정 교육과정

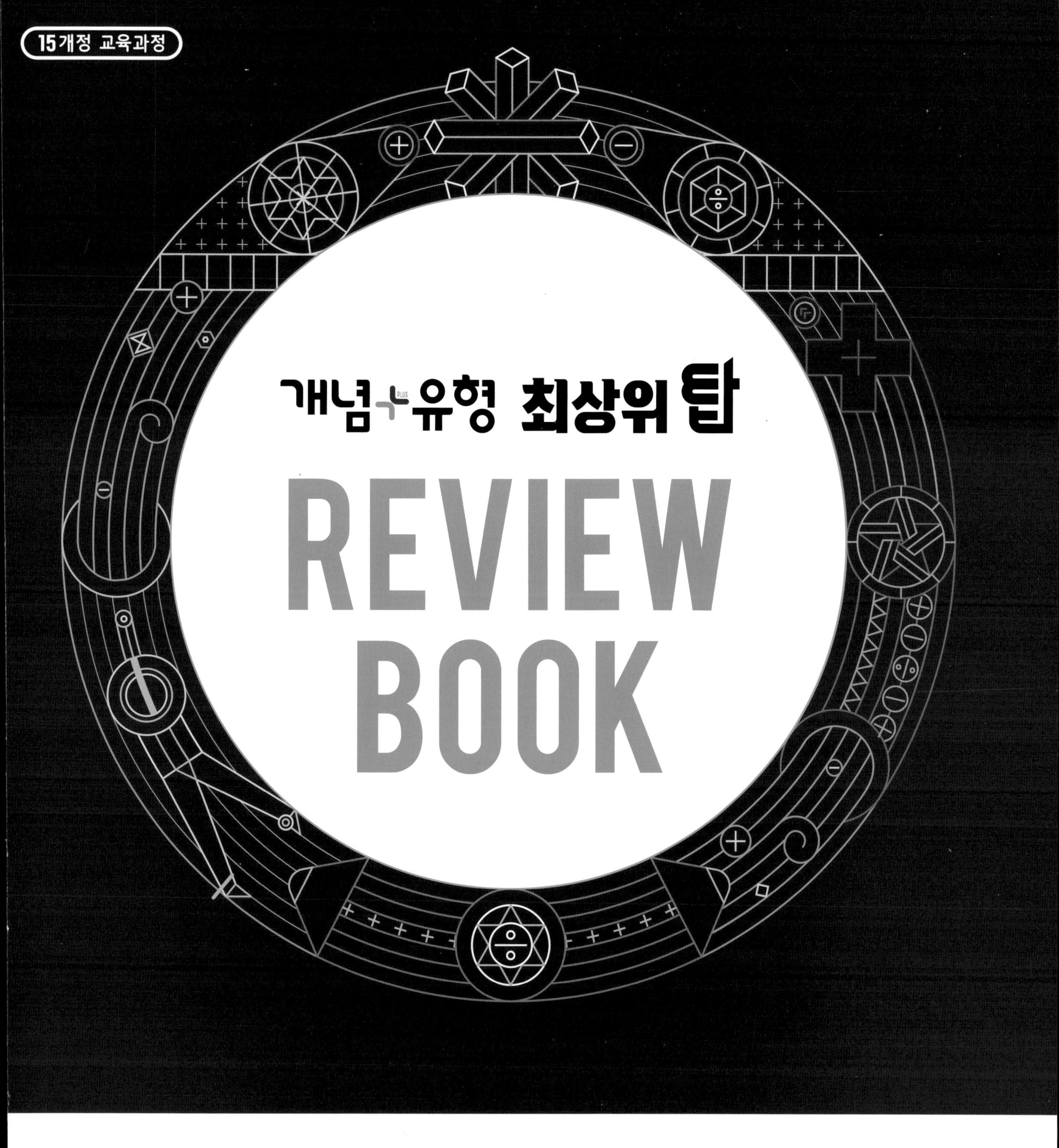

초등 수학

4·1

책 속의 가접 별책 (특허 제 0557442호)

- 'REVIEW BOOK'은 TOP BOOK에서 쉽게 분리할 수 있도록 제작되었으므로 유통 과정에서 분리될 수 있으나 파본이 아닌 정상제품입니다.

ABOVE IMAGINATION

우리는 남다른 상상과 혁신으로
교육 문화의 새로운 전형을 만들어
모든 이의 행복한 경험과 성장에 기여한다

개념+유형
최상위 탑

Review Book

4·1

복습 상위권 문제

• 수로 나타내었을 때 0의 개수 구하기

대표유형 1 다음을 10자리 수로 나타내었을 때 0은 모두 몇 개인지 구해 보시오.

1억이 70개, 1만이 30개, 일이 905개인 수

(　　　　　　　　)

• 숫자가 나타내는 값 비교하기

대표유형 2 ㉠이 나타내는 값은 ㉡이 나타내는 값의 몇 배인지 구해 보시오.

264015783941 (㉠: 밑줄 친 2)　　6918435257 (㉡: 밑줄 친 6)

(　　　　　　　　)

• 전체 금액 구하기

대표유형 3 재석이의 저금통에 10000원짜리 지폐가 21장, 1000원짜리 지폐가 13장, 100원짜리 동전이 44개, 10원짜리 동전이 32개 들어 있습니다. 재석이의 저금통에 들어 있는 돈은 모두 얼마인지 구해 보시오.

(　　　　　　　　)

• 수 카드로 가장 큰 수 또는 가장 작은 수 만들기

대표유형 4 수 카드를 모두 한 번씩만 사용하여 만들 수 있는 여덟 자리 수 중 십만의 자리 숫자가 5인 가장 작은 수를 구해 보시오.

3　1　7　8　6　2　5　9

(　　　　　　　　)

• 수직선에서 나타내는 수 구하기

대표유형 5 수직선에서 ㉠이 나타내는 수를 구해 보시오.

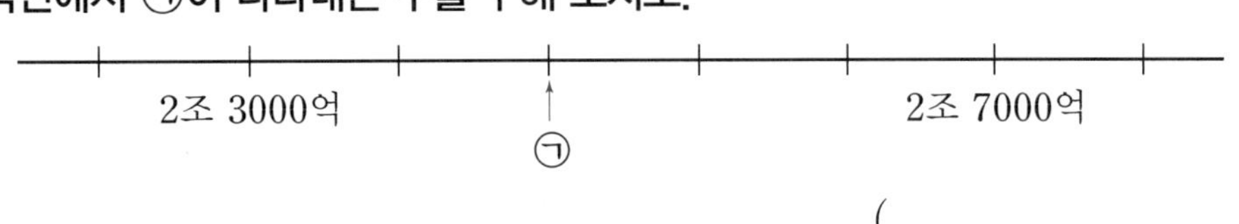

( )

• □가 있는 수의 크기 비교하기

대표유형 6 □ 안에는 0부터 9까지의 어느 수를 넣어도 됩니다. 더 큰 수의 기호를 써 보시오.

㉠ 315□25876196 ㉡ 3150197□4128

( )

• 조건을 만족하는 수 구하기

대표유형 7 조건을 모두 만족하는 수 중에서 가장 작은 수를 구해 보시오.

- 여덟 자리 수입니다.
- 숫자 0이 5개 있습니다.
- 만의 자리 수는 천만의 자리 수의 3배입니다.
- 각 자리의 수의 합은 10입니다.

( )

• 금액이 넘는 연도 구하기

신유형 8 친환경 농산물을 재배하는 어느 농가는 2014년에 2억 1200만 원이었던 매출액이 매년 일정하게 증가하여 2018년에 3억 7200만 원이 되었다고 합니다. 이 농가의 매출액이 앞으로도 해마다 같은 금액씩 증가한다면 매출액이 처음으로 5억 원을 넘는 해는 몇 년인지 구해 보시오.

( )

복습 상위권 문제 확인과 응용

1 ㉠과 ㉡ 중 더 작은 수의 천만의 자리 숫자를 구해 보시오.

㉠ 84136503697	㉡ 91276045의 100배

(　　　　　　　　)

비법 Note

2 은행에 예금한 돈 814000000원을 1000만 원짜리 수표와 100만 원짜리 수표로 찾으려고 합니다. 수표의 수를 가장 적게 하여 찾으려면 1000만 원짜리 수표와 100만 원짜리 수표로 각각 몇 장을 찾아야 하는지 써 보시오.

1000만 원짜리 수표 (　　　　　　　　)

100만 원짜리 수표 (　　　　　　　　)

3 □ 안에 알맞은 수를 써넣으시오.

19763500은 1000000이 14개, 100000이 55개, 10000이 □개, 1000이 22개, 100이 15개인 수입니다.

4 7억 3450만에서 2번 뛰어 세었더니 7억 9650만이 되었습니다. 같은 규칙으로 11억 5100만에서 4번 뛰어 센 수는 얼마인지 구해 보시오.

(　　　　　　　　)

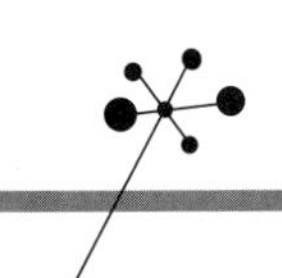

5 0부터 9까지의 수 중에서 □ 안에 공통으로 들어갈 수 있는 수를 모두 구해 보시오.

- 7916□4589 > 791652314
- 390□942054 < 3907376431

(　　　　　　　　)

비법 Note

6 [0] 부터 [3] 까지의 수 카드를 각각 세 번씩 사용하여 만들 수 있는 12자리 수 중 두 번째로 큰 수와 두 번째로 작은 수를 각각 구해 보시오.

두 번째로 큰 수 (　　　　　　　　)

두 번째로 작은 수 (　　　　　　　　)

7 어떤 수에서 210억씩 큰 수로 3번 뛰어 세어야 하는데 잘못하여 2100억씩 큰 수로 3번 뛰어 세었더니 6조 4540억이 되었습니다. 바르게 뛰어 센 수는 얼마인지 구해 보시오.

(　　　　　　　　)

비법 Note

8 9조 6000억에서 700억씩 뛰어 셀 때 10조에 가장 가까운 수를 구해 보시오.

( )

9 0부터 9까지의 수를 모두 한 번씩만 사용하여 만들 수 있는 10자리 수 중 1023456978보다 작은 수는 모두 몇 개인지 구해 보시오.

( )

10 10원짜리 동전 100개를 쌓은 높이는 약 15 cm입니다. 10원짜리 동전으로 5만 원을 쌓으면 높이는 약 몇 cm가 되는지 구해 보시오.

( )

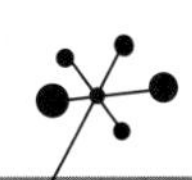

창의융합형 문제

11 로마 숫자는 7개의 기본 기호(I, V, X, L, C, D, M)를 조합하여 수를 나타냅니다. 수를 로마 숫자로 나타내면 각각 다음과 같습니다. 로마 숫자의 표기 방법으로 나타낸 수를 뛰어 센 것을 보고 ㉠에 알맞은 수를 우리가 사용하는 수로 나타내어 보시오.

로마 숫자로 수를 표현한 방법

1	2	3	4	5	6	7	8	9	10
I	II	III	IV	V	VI	VII	VIII	IX	X

20	30	40	50	60	70	80	90	100
XX	XXX	XL	L	LX	LXX	LXXX	XC	C

500	1000	5000	10000	100000	1000000
D	M	$\overline{\text{V}}$	$\overline{\text{X}}$	$\overline{\text{C}}$	$\overline{\text{M}}$

$\overline{\text{X}}\overline{\text{X}}$MDLXIII — $\overline{\text{X}}\overline{\text{X}}$MMDCLXIII — $\overline{\text{X}}\overline{\text{X}}$MMMDCCLXIII — ㉠

( )

창의융합 PLUS +

로마 숫자

로마 제국을 거쳐 13세기 말 경까지 유럽에서 사용되었던 숫자입니다.
IV(5−1=4)처럼 큰 수 앞에 작은 수를 놓은 것은 큰 수에서 작은 수를 뺀 값을 표기하는 방법입니다.

12 2016년 우리나라의 국가별 수출액을 나타낸 표입니다. 수출액이 많은 국가부터 차례대로 써 보시오.

국가	수출액(달러)	국가	수출액(달러)
인도	115억 9629만	중국	124432940000
베트남	32630460000	미국	664억 6231만
홍콩	327억 8245만	싱가포르	124억 5889만
대만	12220460000	일본	24355040000

( )

2016년 우리나라의 국가별 수출액 순위

1~8위는 왼쪽 표 안의 국가이고 9위는 멕시코, 10위는 마샬 군도입니다.

복습

최상위권 문제

1 은행에서 14900000원을 100만 원짜리 수표와 10만 원짜리 수표로 바꾸었더니 수표가 모두 50장이었습니다. 은행에서 바꾼 100만 원짜리 수표는 몇 장인지 구해 보시오.

(　　　　　　　　　)

2 0부터 9까지의 수 중에서 ㉠과 ㉡에 들어갈 수 있는 수는 모두 몇 쌍인지 구해 보시오.

91㉠026㉡5270 < 91302683457

(　　　　　　　　　)

3 1000만 명이 각각 한 달에 30000원씩 저금하여 30조 원을 모으려고 합니다. 몇 년 몇 개월 동안 모아야 하는지 구해 보시오. (단, 이자는 생각하지 않습니다.)

(　　　　　　　　　)

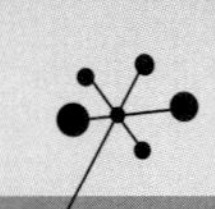

4 여덟 자리 수 ㉠㉡294837의 천만의 자리 숫자와 백만의 자리 숫자를 바꾸어 썼더니 처음 수보다 1800만이 더 커졌습니다. ㉠과 ㉡의 합이 14일 때 처음 수를 구해 보시오.

(　　　　　　　　)

5 수 카드를 각각 두 번씩 사용하여 12자리 수를 만들려고 합니다. 3000억에 가장 가까운 수를 만들어 보시오.

2　4　0　9　6　3

(　　　　　　　　)

6 서로 다른 숫자가 적힌 8장의 수 카드를 각각 두 번씩 사용하여 16자리 수를 만들려고 합니다. 만들 수 있는 16자리 수 중 가장 큰 수와 가장 작은 수의 차는 7876441088553312입니다. ㉠에 알맞은 숫자를 구해 보시오.

8　6　㉠　2　0　5　1　7

(　　　　　　　　)

복습 상위권 문제

• 여러 직선이 만나서 이루는 각도 구하기

대표유형 1 **오른쪽 그림에서 ㉠의 각도를 구해 보시오.**

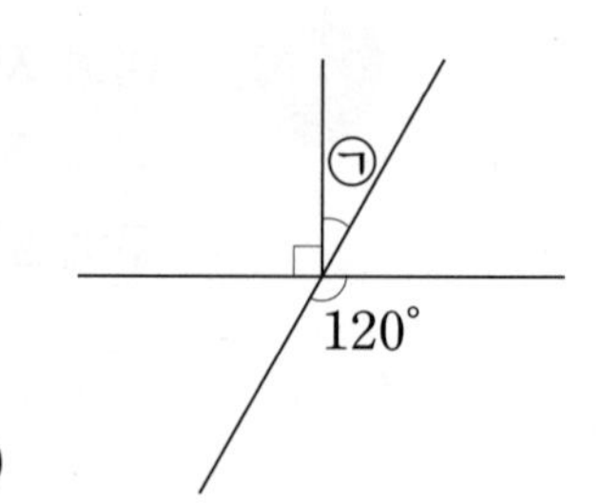

(   )

• 삼각형 또는 사각형에서 각도 구하기

대표유형 2 **오른쪽 그림에서 ㉠과 ㉡의 각도의 합을 구해 보시오.**

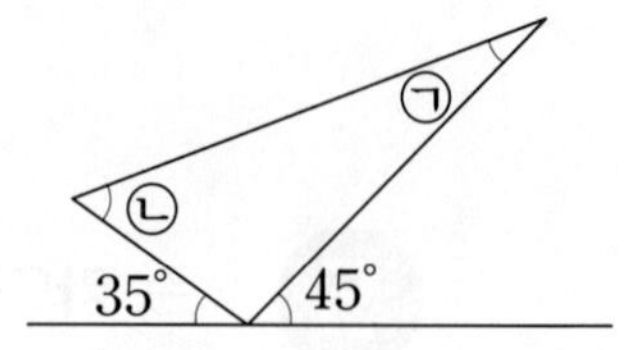

(   )

• 두 직각 삼각자를 겹쳐서 만들어지는 각도 구하기

대표유형 3 **두 직각 삼각자를 겹쳐서 ㉠을 만들었습니다. ㉠의 각도를 구해 보시오.**

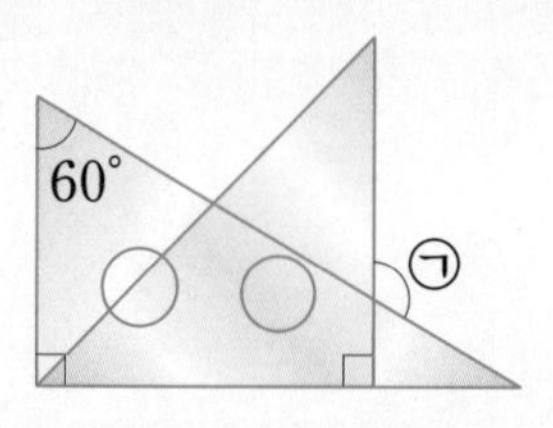

(   )

• 도형에서 한 각의 크기 구하기

대표유형 4 **오른쪽 도형은 9개의 각의 크기가 모두 같습니다. ㉠의 각도를 구해 보시오.**

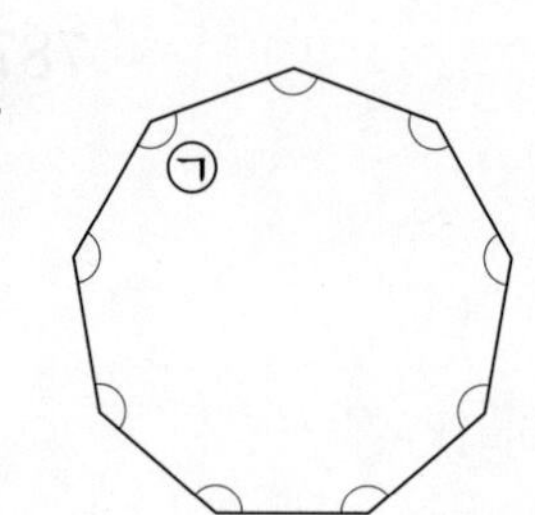

(   )

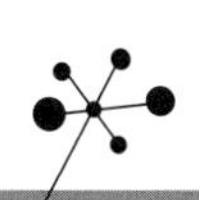

• 예각 또는 둔각의 수 구하기

대표유형 5 오른쪽 그림은 직선을 크기가 같은 각 5개로 나눈 것입니다. 그림에서 찾을 수 있는 크고 작은 둔각은 모두 몇 개인지 구해 보시오.

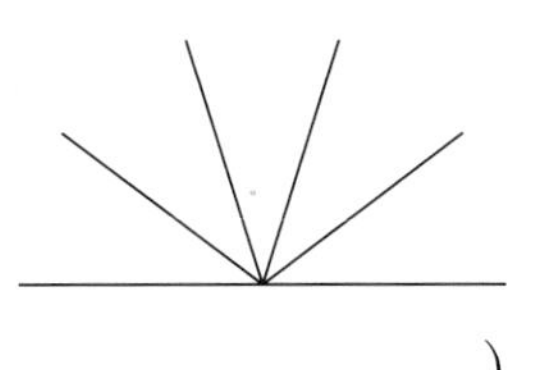

(　　　　　　　)

• 시계의 두 바늘이 이루는 작은 쪽의 각도 구하기

대표유형 6 오른쪽 시계의 긴바늘과 짧은바늘이 이루는 작은 쪽의 각도를 구해 보시오.

(　　　　　　　)

• 도형에 선분을 그어 각도 구하기

대표유형 7 오른쪽 그림에서 ㉠의 각도를 구해 보시오.

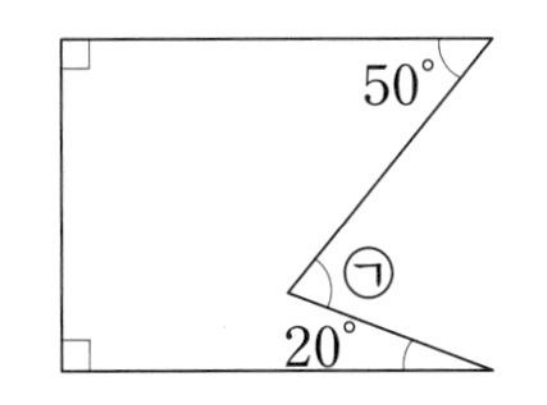

(　　　　　　　)

• 접은 종이에서 각도 구하기

신유형 8 범진이는 오른쪽 모양을 만들기 위해 정사각형 모양의 종이를 다음과 같은 순서로 접고 있습니다. 각 ㄴㅅㄷ의 크기를 구해 보시오.

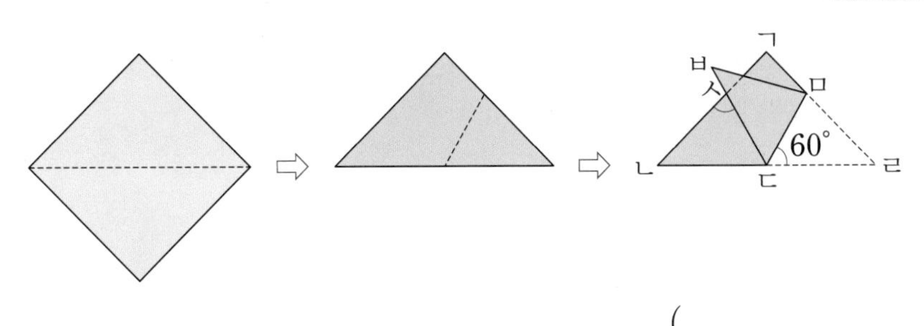

(　　　　　　　)

복습 상위권 문제 확인과 응용

비법 Note

1 지금 시각은 5시 20분입니다. 6시간 10분 후에 시계의 긴바늘과 짧은바늘이 이루는 작은 쪽의 각은 예각, 직각, 둔각 중 어느 것인지 구해 보시오.

(　　　　　　　　　　　　)

2 오른쪽 그림에서 ㉠, ㉡, ㉢, ㉣, ㉤, ㉥, ㉦의 각도의 합을 구해 보시오.

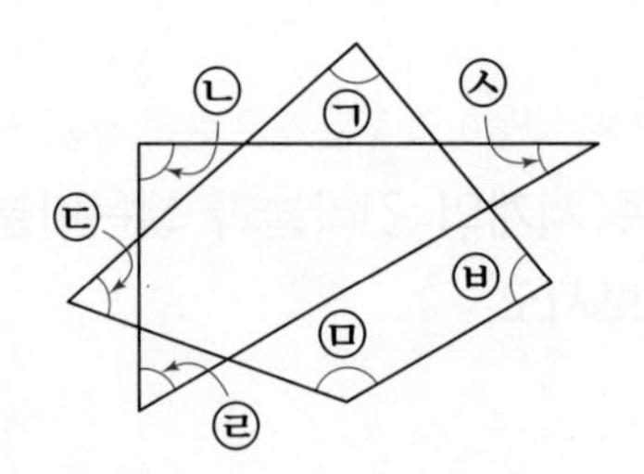

(　　　　　　　　　　　　)

3 오른쪽 그림에서 각 ㄱㅁㄷ의 크기는 120°이고 각 ㄴㅁㄹ의 크기는 140°입니다. 각 ㄴㅁㄷ의 크기를 구해 보시오.

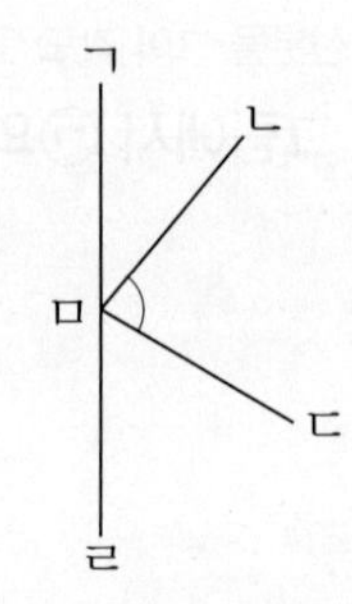

(　　　　　　　　　　　　)

4 두 직각 삼각자를 겹치지 않게 이어 붙여서 만들 수 있는 각도 중 세 번째로 큰 각도를 구해 보시오.

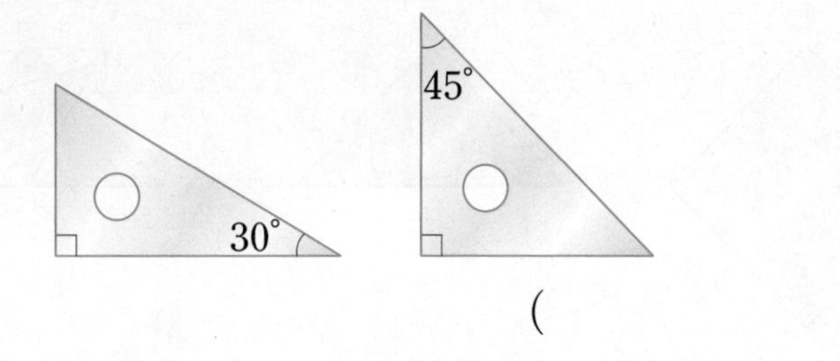

(　　　　　　　　　　　　)

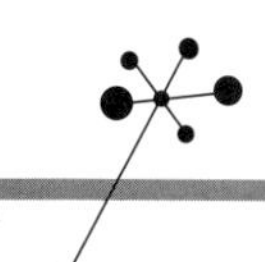

5 그림에서 찾을 수 있는 크고 작은 예각과 둔각은 각각 모두 몇 개인지 구해 보시오.

예각 (　　　　　　　　)

둔각 (　　　　　　　　)

6 직사각형 ㄱㄴㄷㄹ에서 각 ㅁㄴㄹ의 크기를 구해 보시오.

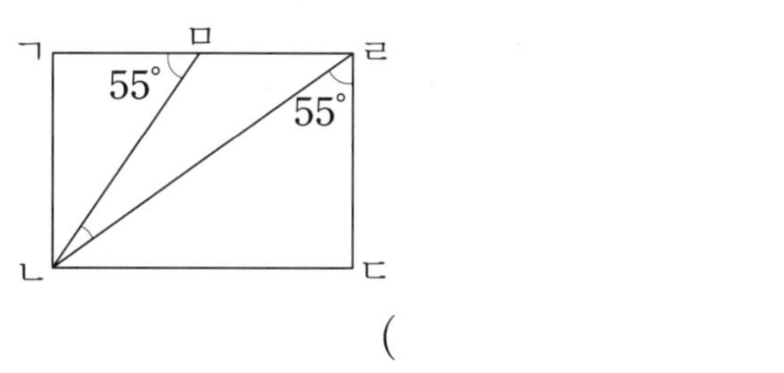

(　　　　　　　　)

7 오른쪽 사각형에서 ㉡의 각도는 ㉠의 각도의 3배입니다. ㉠의 각도와 ㉢의 각도가 같고 ㉡의 각도와 ㉣의 각도가 같을 때 ㉡의 각도를 구해 보시오.

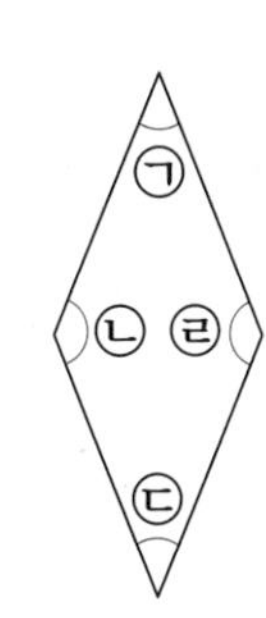

(　　　　　　　　)

비법 Note

복습 상위권 문제 확인과 응용

비법 Note

8 두 직각 삼각자를 겹쳐서 ㉠과 ㉡을 만들었습니다. ㉠과 ㉡의 각도의 차를 구해 보시오.

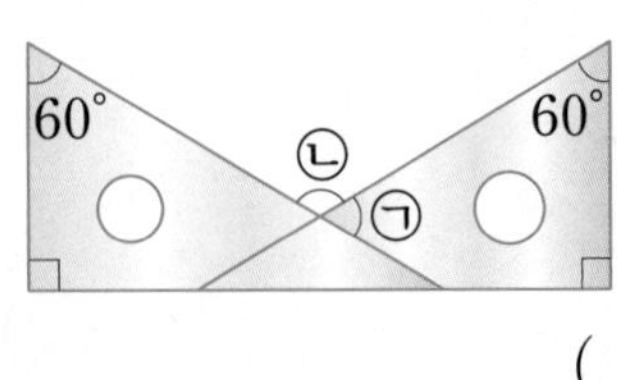

(   )

9 정원이네 반은 오전 7시에 박물관으로 출발해서 오전 10시 30분에 도착했습니다. 정원이네 반이 박물관에 가는 동안 시계의 짧은바늘이 움직인 각도를 구해 보시오.

(   )

10 직사각형 모양의 종이를 그림과 같이 접었습니다. 각 ㄱㄷㅁ의 크기를 구해 보시오.

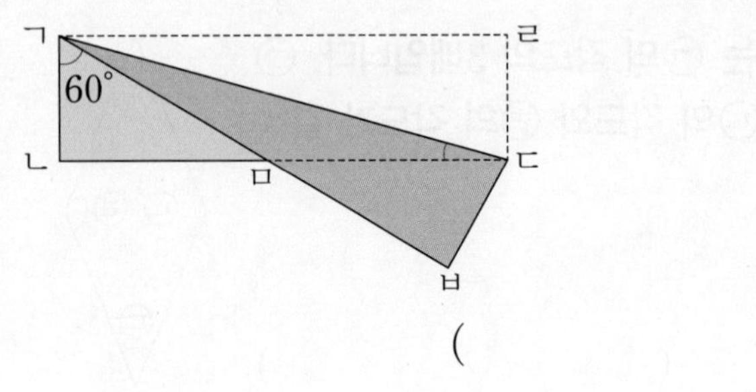

(   )

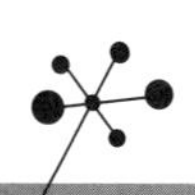

창의융합형 문제

11 식물의 잎이 어긋나기로 $144°$에 한 장씩 나고 있습니다. 잎이 5장 났을 때 생기는 예각은 모두 몇 개인지 구해 보시오.

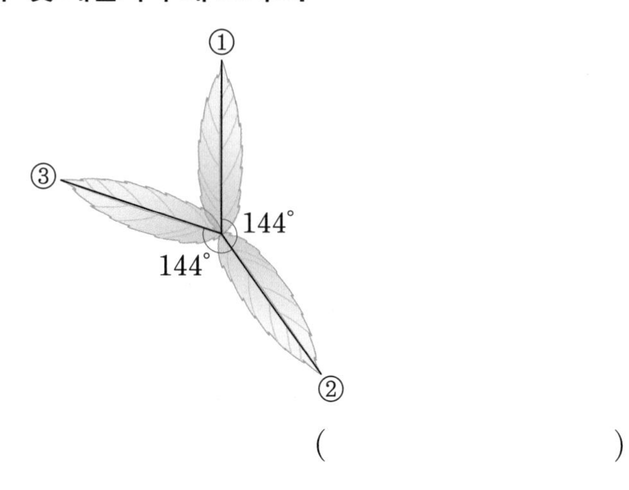

( )

12 빛이 공기 중에서 물속으로 들어가면 진행 방향이 꺾입니다. 공기 중에서 물속으로 빛이 2개 들어갔을 때 ㉠의 각도를 구해 보시오.

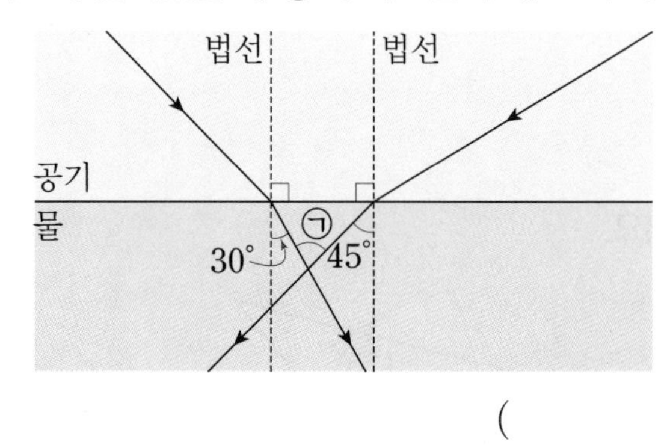

( )

창의융합 PLUS +

○ 어긋나기

줄기에 대한 잎의 배열 방식인 잎차례의 한 종류로 식물의 잎이 줄기의 한 마디에 한 장씩 붙는 형식입니다. 서로 이웃하는 잎끼리 이루는 각도는 일정합니다.

○ 빛의 굴절

빛이 어느 한 물질에서 다른 물질로 진행할 때 경계면에서 진행 방향이 꺾이는 현상을 빛의 굴절이라고 합니다.

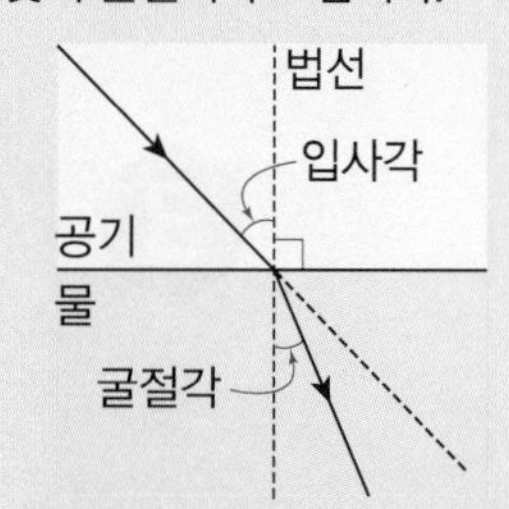

- 법선: 경계면과 수직인 선
- 입사각: 입사 광선과 법선이 이루는 각
- 굴절각: 굴절 광선과 법선이 이루는 각

복습 최상위권 문제

1 그림에서 ㉠, ㉡, ㉢의 각도의 합을 구해 보시오.

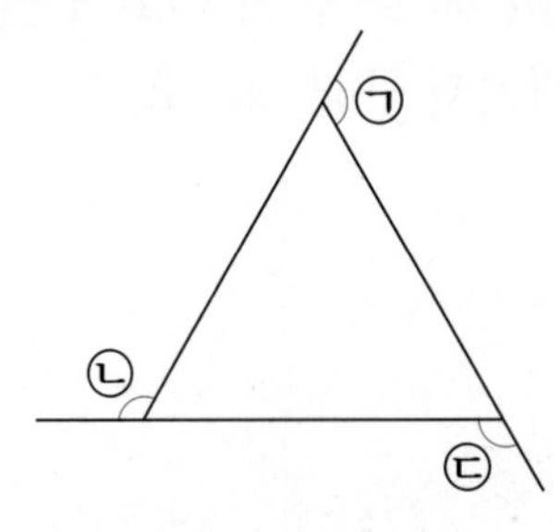

(　　　　　　　　　　)

2 ㉠의 각도를 구해 보시오.

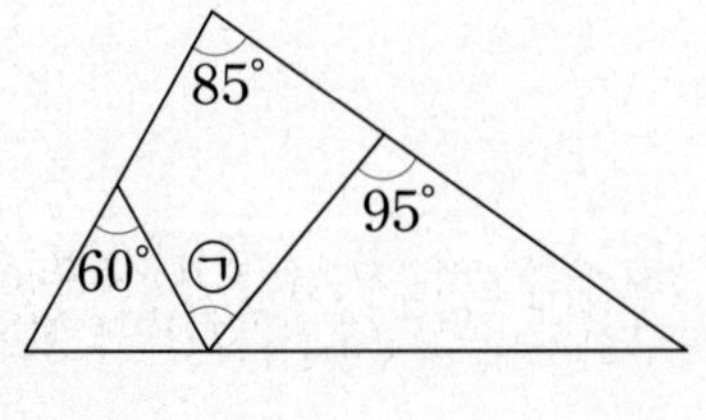

(　　　　　　　　　　)

3 ㉠의 각도를 구해 보시오.

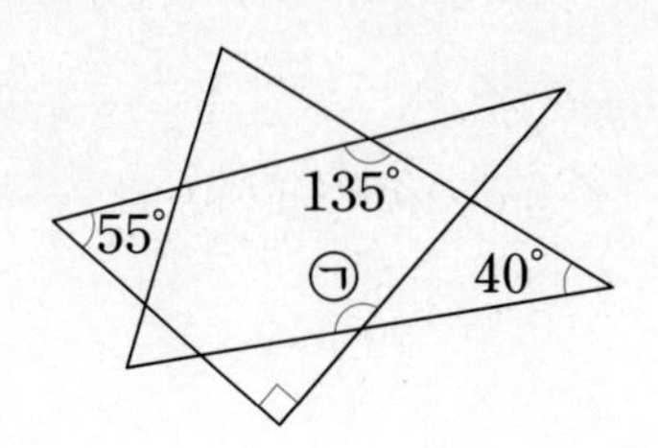

(　　　　　　　　　　)

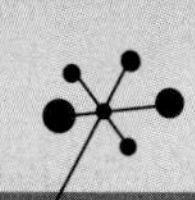

4 각 ㄴㄱㅁ과 각 ㅁㄱㄹ의 크기는 같고, 각 ㄱㄹㅁ과 각 ㅁㄹㄷ의 크기는 같습니다. ㉠의 각도를 구해 보시오.

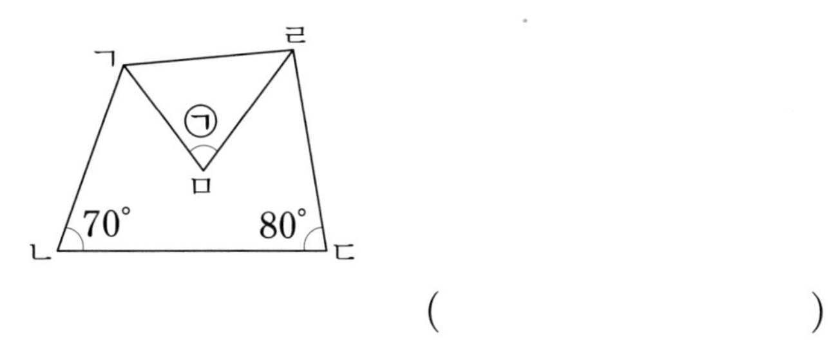

(　　　　　　　　)

5 6개의 각의 크기가 모두 같은 종이를 그림과 같이 접었습니다. ㉠의 각도를 구해 보시오.

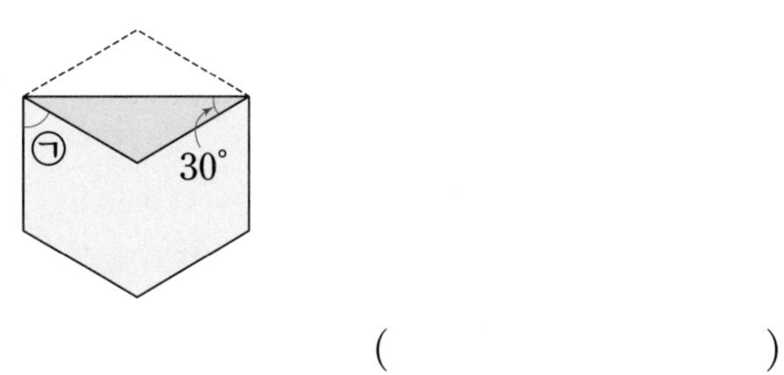

(　　　　　　　　)

6 삼각형 ㄱㄴㄷ을 점 ㄴ을 중심으로 돌려 놓은 것입니다. 각 ㄷㄱㄴ과 각 ㄱㄷㄴ의 크기가 같을 때 삼각형 ㄱㄴㄷ을 몇 도만큼 돌렸는지 구해 보시오.

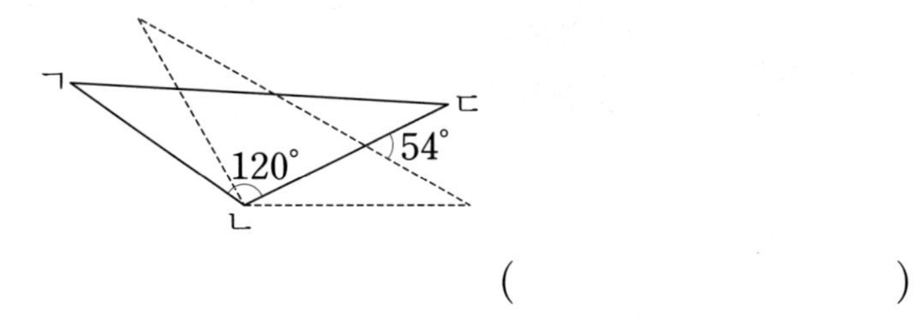

(　　　　　　　　)

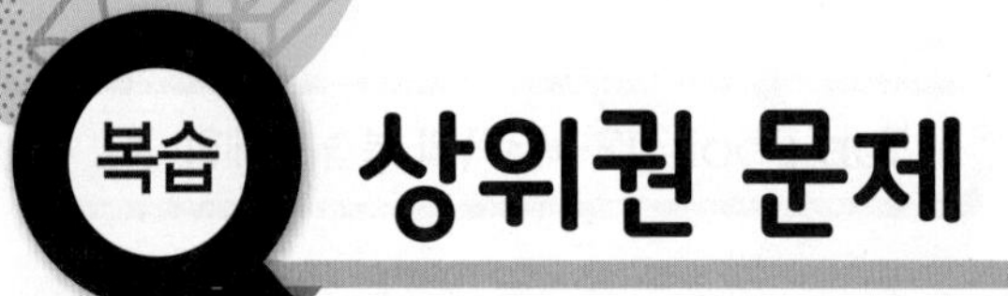

복습 상위권 문제

● □ 안에 들어갈 수 있는 수 구하기

대표유형 1 □ 안에 들어갈 수 있는 자연수 중에서 가장 작은 수를 구해 보시오.

$\square \times 48 > 816$

(　　　　　　　　)

● 적어도 얼마나 더 필요한지 구하기

대표유형 2 구슬 328개를 15명의 학생에게 똑같이 나누어 주려고 하였더니 몇 개가 모자랐습니다. 구슬을 남김없이 똑같이 나누어 주려면 구슬은 적어도 몇 개 더 필요한지 구해 보시오.

(　　　　　　　　)

● 바르게 계산한 값 구하기

대표유형 3 어떤 수를 34로 나누어야 할 것을 잘못하여 43으로 나누었더니 몫이 11이고 나머지가 29였습니다. 바르게 계산했을 때의 몫과 나머지를 각각 구해 보시오.

몫 (　　　　　　　　)

나머지 (　　　　　　　　)

● 수 카드로 몫이 가장 큰 또는 몫이 가장 작은 나눗셈식 만들기

대표유형 4 수 카드를 한 번씩만 사용하여 몫이 가장 큰 (세 자리 수)÷(두 자리 수)를 만들고 계산해 보시오.

1　5　2　7　3

$\square \div \square = \square \cdots \square$

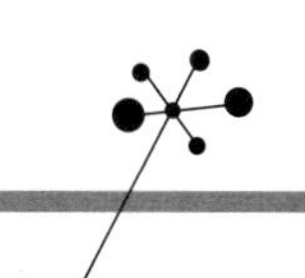

• 곱이 주어진 수에 가장 가까운 수 구하기

대표유형 5 곱이 30000에 가장 가까운 수가 되도록 □ 안에 알맞은 자연수를 구해 보시오.

$479 \times \square$

(　　　　　　　　)

• 나머지가 가장 클 때의 나누어지는 수 구하기

대표유형 6 나눗셈식의 나머지가 가장 클 때 6□□는 얼마인지 구해 보시오.

$6\square\square \div 89$

(　　　　　　　　)

• 곱셈식 또는 나눗셈식 완성하기

대표유형 7 □ 안에 알맞은 수를 써넣으시오.

		7	□	2
	×		□	□
		□	6	□
□	8	□	□	
□	□	□	4	2

• 고대 이집트 사람들의 곱셈 방법

신유형 8 고대 이집트 사람들은 다음과 같은 방법으로 곱셈을 했습니다. 고대 이집트 사람들의 곱셈 방법으로 113×18을 계산해 보시오.

	105 ×	13	
	105	1	
×2	210	2	×2
×2	420	4	×2
×2	840	8	×2

① 곱하는 수 13을 1부터 2배한 수의 합으로 나타냅니다.
즉 13=1+4+8로 나타낼 수 있습니다.
② 곱해지는 수 105에 연속해서 2를 곱합니다.
③ 오른쪽의 수가 13의 합을 이루는 수인 경우 같은 줄에 있는 왼쪽의 수를 모두 더하면 105×13의 값이 됩니다.
⇨ 105×13=105+420+840=1365

(　　　　　　　　)

복습 상위권 문제 확인과 응용

비법 Note

1 660÷23보다 몫이 10이 작고 나머지는 같은 나눗셈식을 만들어 보시오. (단, 나누는 수는 같습니다.)

☐÷23=☐…☐

2 민호는 가게에서 한 개에 900원인 빵 20개와 한 개에 500원인 음료수 30개를 사고 40000원을 냈습니다. 민호가 거스름돈으로 받아야 하는 돈은 얼마인지 구해 보시오.

(　　　　　　)

3 가로가 172 cm이고 세로가 295 cm인 직사각형 모양의 큰 도화지를 오려서 한 변이 24 cm인 정사각형 모양의 작은 종이를 될 수 있는 대로 많이 만들려고 합니다. 정사각형 모양의 종이는 모두 몇 장까지 만들 수 있는지 구해 보시오.

(　　　　　　)

4 어떤 수를 54로 나누어야 할 것을 잘못하여 45로 나누었더니 몫이 3이고 나머지가 33이었습니다. 바르게 계산했을 때의 몫과 나머지의 합을 구해 보시오.

(　　　　　　)

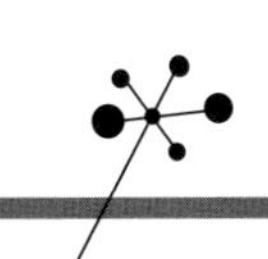

비법 Note

5 □ 안에 공통으로 들어갈 수 있는 자연수 중에서 가장 큰 수를 구해 보시오.

$\square \times 32 < 701$ $29 \times \square > 518$

( )

6 길이가 20 m인 구름 열차가 1초에 288 cm씩 달리고 있습니다. 이 열차가 터널을 완전히 통과하는 데 25초가 걸렸다면 터널의 길이는 몇 m인지 구해 보시오.

( )

7 400보다 크고 500보다 작은 수 중에서 79로 나누었을 때 나머지가 가장 큰 수를 구해 보시오.

( )

복습 상위권 문제 확인과 응용

8 식이 적힌 종이의 일부가 찢어졌습니다. 종이가 찢어진 부분에 들어갈 수 있는 가장 작은 두 자리 수를 구해 보시오.

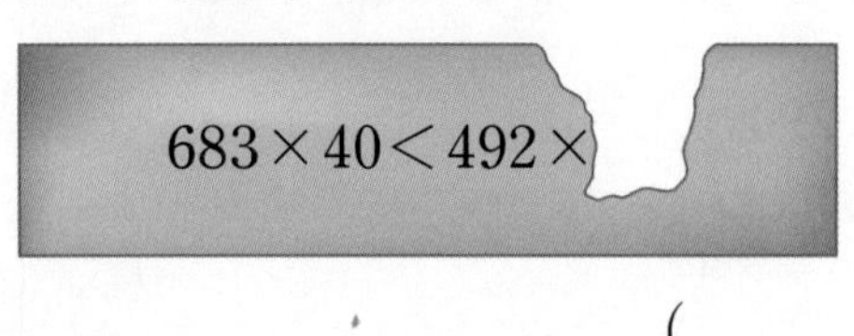

(　　　　　　　　)

9 1분 8초 동안 952번을 회전하는 가 톱니바퀴와 37초 동안 777번을 회전하는 나 톱니바퀴가 있습니다. 가와 나 톱니바퀴가 3분 15초 동안 회전한 횟수의 차는 몇 번인지 구해 보시오.

(　　　　　　　　)

10 조건을 모두 만족하는 수를 구해 보시오.

- 900보다 큰 세 자리 수입니다.
- 82로 나누었을 때 몫과 나머지가 같습니다.
- 백의 자리 수와 십의 자리 수가 같습니다.

(　　　　　　　　)

비법 Note

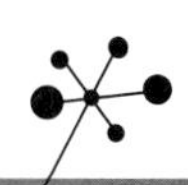

창의융합형 문제

11 사람의 임신 기간은 약 280일입니다. 다음은 육지에 살고 있는 동물들의 임신 기간을 나타낸 것입니다. 코끼리가 한 번 임신하는 기간 동안 토끼는 최대 몇 번 임신 기간을 가질 수 있는지 구해 보시오. (단, 임신 기간은 새끼를 낳을 때까지로 생각합니다.)

동물	토끼	개	코끼리
임신 기간	31일	63일	94주 2일

(   )

12 연비는 자동차가 연료 1 L로 달릴 수 있는 거리를 말합니다. 연비가 높은 차는 같은 연료로 더 많은 거리를 달릴 수 있으므로 환경 보호에 큰 도움이 됩니다. 자동차 판매장에 있는 자동차 중에서 연비가 가장 높은 자동차는 어느 것인지 써 보시오.

주어진 연료로 달릴 수 있는 거리

(   )

창의융합 PLUS +

○ 동물의 임신 기간

임신 기간은 동물에 따라 모두 다르지만 일반적으로 몸이 큰 동물일수록 임신 기간이 깁니다. 햄스터는 약 16일 정도인데 비해 몸집이 큰 낙타나 기린의 임신 기간은 약 400일 정도입니다.

○ 연비와 환경 보호

날로 증가하는 자동차의 배기가스는 대기 오염을 일으키는 주된 원인입니다. 최근 연비가 높고 환경친화적인 하이브리드 자동차가 개발되어 환경 보호에 도움이 되고 있습니다. 평소 자동차의 연비를 높이려면 급출발이나 급제동을 줄이고, 규정 속도를 준수해야 합니다.

복습 **최상위권 문제**

1 ㉠에 알맞은 수를 구해 보시오.

$342 \times 54 = 2㉠8 \times 81$

(　　　　　　)

2 ㉮♥㉯를 다음과 같이 약속했을 때, 614♥(857♥36)을 계산해 보시오. (단, 괄호 안을 먼저 계산합니다.)

㉮♥㉯=(㉮와 ㉯ 중에서 큰 수를 작은 수로 나눈 몫)

(　　　　　　)

3 수 카드 5, 1, 6, 3, 9를 한 번씩만 사용하여 곱이 가장 큰 (세 자리 수)×(두 자리 수)의 곱셈식을 만들고 계산해 보시오.

□×□=□

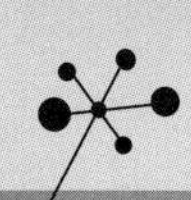

4 그림과 같이 정사각형을 규칙에 따라 겹치지 않게 이어 붙였습니다. 만든 도형의 모든 변의 길이의 합은 빨간색 선의 길이와 같습니다. 이와 같은 방법으로 일곱째에 만든 도형의 모든 변의 길이의 합이 600 cm라면 가장 작은 정사각형의 한 변은 몇 cm인지 구해 보시오.

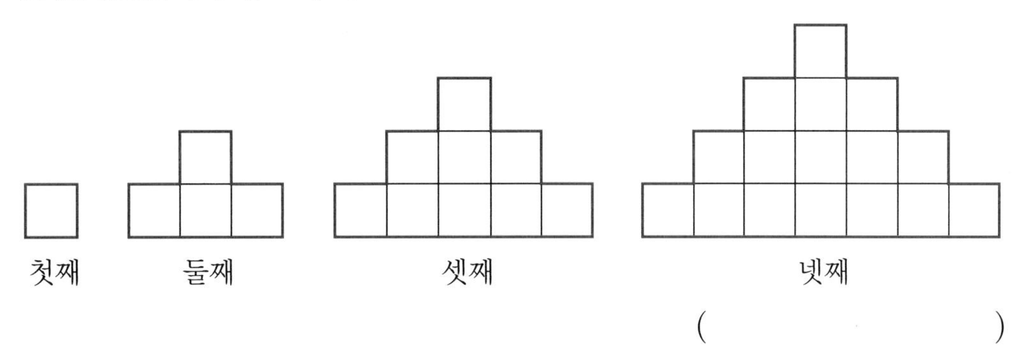

(　　　　　　)

5 0부터 5까지의 숫자를 한 번씩만 사용하여 세 자리 수를 만들었습니다. 이 수를 34로 나누었더니 몫이 14가 되고 나머지가 있었습니다. 만들 수 있는 세 자리 수는 모두 몇 개인지 구해 보시오. (단, 나머지는 0이 될 수 없습니다.)

(　　　　　　)

6 ㉠과 ㉡은 서로 다른 수입니다. 곱셈식을 만족하는 ㉠과 ㉡을 각각 구해 보시오.

		㉠	㉡	㉠
	×		㉠	㉡
4	1	3	㉡	㉡

㉠ (　　　　　　)

㉡ (　　　　　　)

복습 상위권 문제

• 도형을 여러 번 뒤집고 돌린 모양 그리기

대표유형 1 도형을 위쪽으로 3번 뒤집고 시계 방향으로 90°만큼 7번 돌린 모양을 그려 보시오.

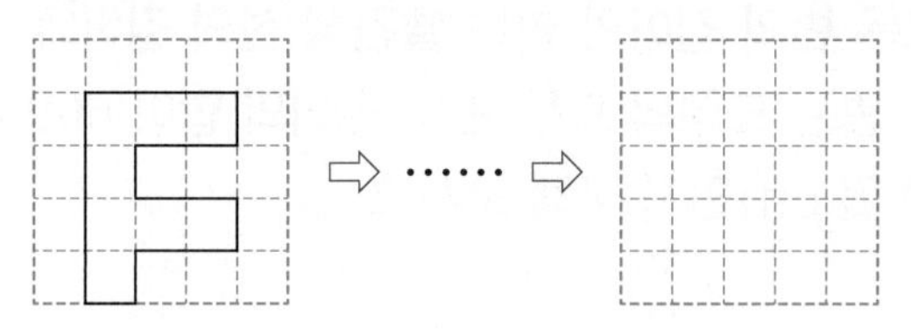

• 움직이기 전의 모양 그리기

대표유형 2 어떤 도형을 시계 반대 방향으로 180°만큼 돌리고 아래쪽으로 뒤집은 모양입니다. 처음 모양을 그려 보시오.

처음 모양

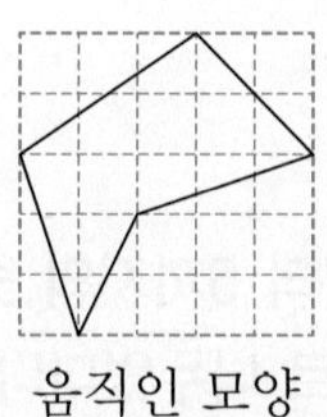

움직인 모양

• 움직여서 만들어지는 수 구하기

대표유형 3 4장의 수 카드 중에서 3장을 뽑아 한 번씩만 사용하여 가장 작은 세 자리 수를 만들었습니다. 만든 가장 작은 세 자리 수를 시계 방향으로 180°만큼 돌리면 어떤 수가 되는지 구해 보시오. (단, 수 카드를 한 장씩 돌리지 않습니다.)

   5

(　　　　　　　　)

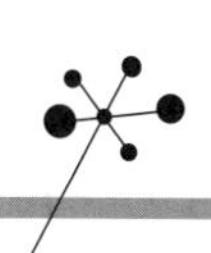

• 규칙을 찾아 모양 그리기

규칙에 따라 모양을 움직인 것입니다. 빈칸에 알맞은 모양을 그려 보시오.

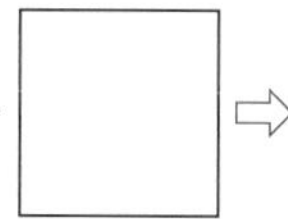

• 규칙적인 무늬를 꾸며 보기

대표유형 5

오른쪽은 일정한 규칙에 따라 만들어진 무늬입니다. 빈칸에 알맞은 모양을 그려 보시오.

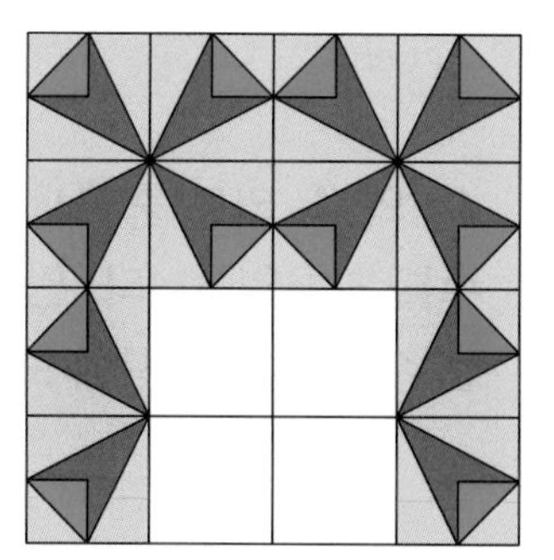

• 펜토미노 조각으로 글자 만들기

신유형 6

정사각형을 변과 변이 꼭 맞도록 이어 붙이면 다양한 평면도형을 만들 수 있습니다. 만들 수 있는 평면도형 중 정사각형 5개를 이어 붙여 만든 도형들을 펜토미노라고 합니다.

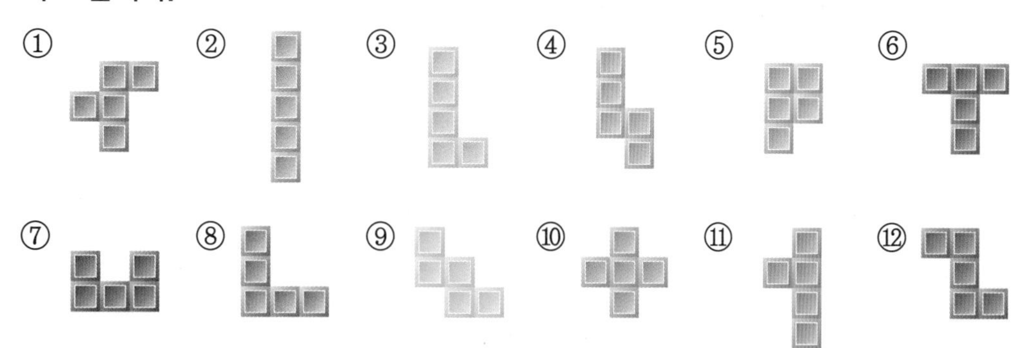

펜토미노 조각으로 글자 '노래'를 만들고 만든 방법을 써 보시오. (단, 펜토미노 조각을 여러 번 사용할 수 있습니다.)

복습 **상위권 문제** 확인과 응용

비법 Note

1 오른쪽과 같이 손가락이 그려진 종이가 있습니다. 이 종이를 시계 방향으로 90°만큼 14번 돌렸을 때 손가락은 몇 번을 가리키는지 구해 보시오.

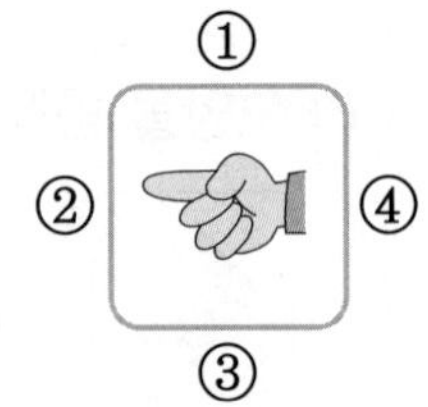

(　　　　　　　　)

2 4장의 수 카드 중에서 3장을 뽑아 한 번씩만 사용하여 가장 큰 세 자리 수를 만들었습니다. 만든 가장 큰 세 자리 수를 아래쪽으로 뒤집으면 어떤 수가 되는지 구해 보시오. (단, 수 카드를 한 장씩 뒤집지 않습니다.)

(　　　　　　　　)

3 왼쪽 모양을 움직여서 오른쪽 무늬를 만들었습니다. 오른쪽 무늬에는 왼쪽 모양을 돌려서 만든 모양이 모두 몇 개 있는지 구해 보시오.

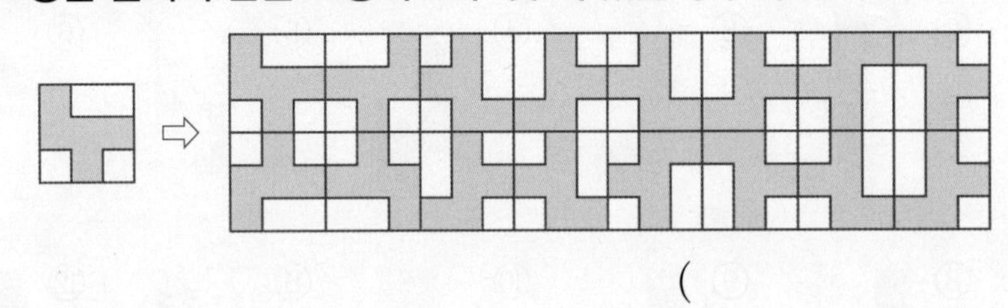

(　　　　　　　　)

4 보기 와 같은 방법으로 도형을 한 번 움직였을 때의 모양을 그려 보시오.

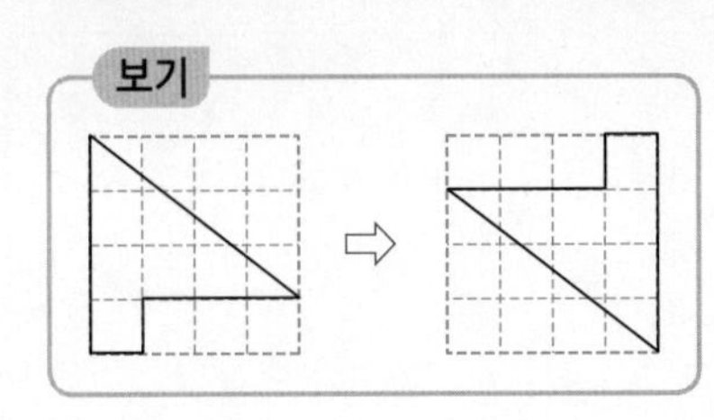

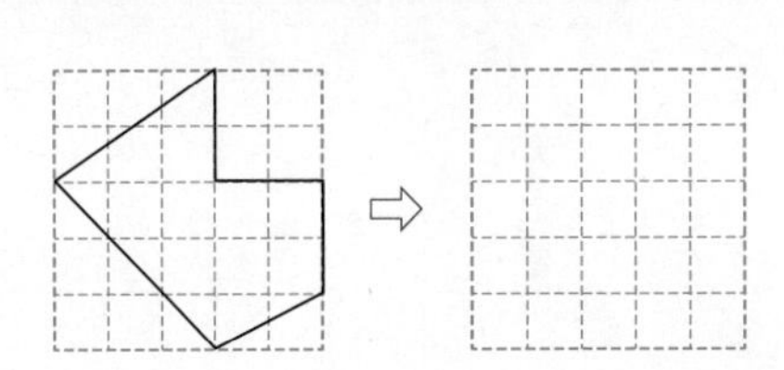

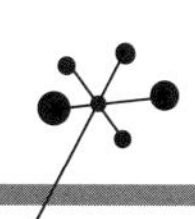

5 경민이네 집의 벽시계에는 숫자는 없고 눈금만 표시되어 있습니다. 오른쪽은 경민이네 집의 벽시계 오른쪽에 거울을 놓았을 때 거울에 비친 모양입니다. 벽시계가 실제로 나타내는 시각은 몇 시 몇 분인지 구해 보시오.

(   )

비법 Note

6 어떤 도형을 시계 반대 방향으로 180°만큼 7번 돌리고 아래쪽으로 5번 뒤집은 모양입니다. 처음 모양을 그려 보시오.

처음 모양

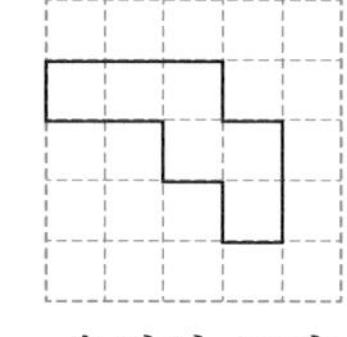
움직인 모양

7 어떤 수에 수 카드 192 의 수를 더해야 할 것을 잘못하여 수 카드를 시계 방향으로 180°만큼 돌렸을 때 만들어지는 수를 더하였더니 720이 되었습니다. 바르게 계산한 값은 얼마인지 구해 보시오.

(   )

복습 **상위권 문제** 확인과 응용

비법 Note

8 우준이가 철봉에 거꾸로 매달렸을 때 벽에 걸려 있는 시계를 보았더니 다음과 같았습니다. 우준이가 철봉에 10분 동안 매달려 있었다면 우준이가 철봉에서 내려온 시각은 몇 시 몇 분인지 구해 보시오.

(　　　　　　　　　　)

9 어떤 도형을 시계 방향으로 270°만큼 돌려야 할 것을 잘못하여 오른쪽으로 뒤집었더니 왼쪽과 같은 모양이 되었습니다. 바르게 움직였을 때의 모양을 그려 보시오.

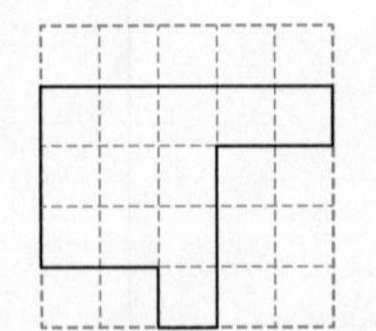
잘못 움직인 모양

바르게 움직인 모양

10 투명한 정사각형 모양의 카드에 같은 그림을 그린 후 각각을 움직여 오른쪽과 같이 큰 정사각형 안에 놓았습니다. 각각의 카드를 시계 방향으로 90°만큼 돌리고 아래쪽으로 뒤집어서 다시 시계 반대 방향으로 180°만큼 돌렸을 때 모양이 되는 모양은 모두 몇 개인지 구해 보시오.

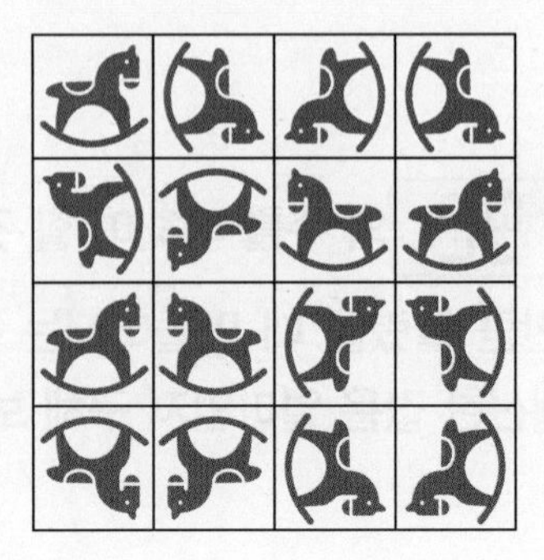

(　　　　　　　　　　)

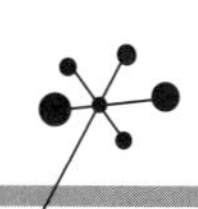

창의융합형 문제

11 글자는 소리를 단위로 만들어진 표음문자(表音文字)와 뜻을 단위로 만들어진 표의문자(表意文字)가 있는데 한자는 대표적인 표의문자입니다. 표의문자는 한 글자가 곧 한 단위의 뜻을 나타냅니다. 다음은 우리가 알고 있는 몇 가지의 한자를 나타낸 것입니다. 이 한자 중에서 왼쪽으로 뒤집었을 때 처음 모양과 같은 것은 모두 몇 개인지 구해 보시오.

二	五	八	十	日	天	土	山
木	金	上	下	世	口	足	手

( )

12 교통안전 표지판을 다음과 같은 순서로 움직였더니 처음 모양과 같았습니다. □ 안에 알맞은 수를 써넣으시오.

① 시계 방향으로 270°만큼 돌리기
② 오른쪽으로 뒤집기
③ 시계 반대 방향으로 □°만큼 돌리기
④ 왼쪽으로 뒤집기

창의융합 PLUS +

한자(漢字)
한자는 고대 중국에서 만들어져 오늘날에도 쓰이고 있는 문자입니다. 은허에서 출토된 기원전 15세기경의 갑골 문자가 현존하는 가장 오래된 것이며, 현재 알려져 있는 글자 수는 약 5만에 이르는데 실제로 쓰이는 것은 5000자 정도입니다.

안전 표지판
위험한 장소, 물질, 주변 사항 등을 알리기 위해 누구나 쉽게 알아볼 수 있는 기호나 그림, 글씨 등을 이용하여 표지판으로 만든 것입니다. 사고가 일어날 위험이 큰 장소, 시설, 선박, 차량 등에 부착하거나 설치합니다.

복습 최상위권 문제

1 왼쪽 글자를 시계 방향으로 $180°$만큼 돌리고 거울에 비추었더니 오른쪽과 같은 모양이 되었습니다. 돌린 글자의 어느 쪽에 거울을 세워 놓았는지 써 보시오.

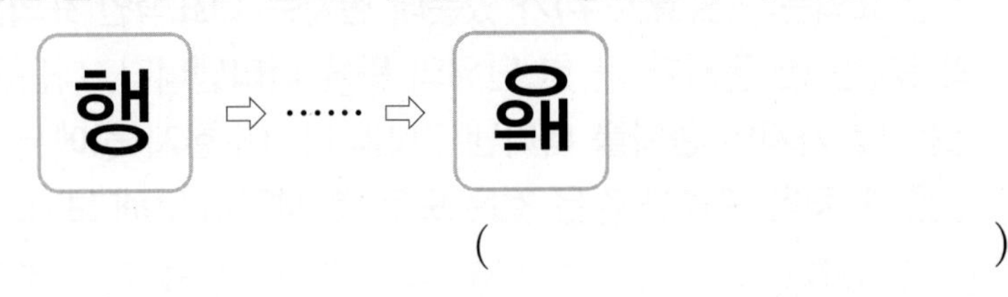

(　　　　　　　　　　)

2 왼쪽 모양을 뒤집기 방법으로 오른쪽과 같은 무늬를 만들려고 합니다. 10번 뒤집기 하여 무늬를 만들었을 때 만들어지는 색칠된 정사각형은 모두 몇 개인지 구해 보시오.

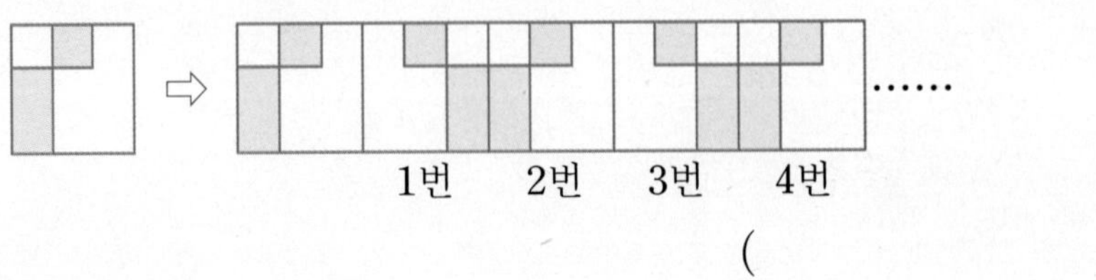

(　　　　　　　　　　)

3 오른쪽 도형을 시계 방향으로 $90°$만큼 10번 돌리고 아래쪽으로 5번 뒤집은 모양은 오른쪽 도형을 어떤 방법으로 한 번 움직인 모양과 같은지 써 보시오.

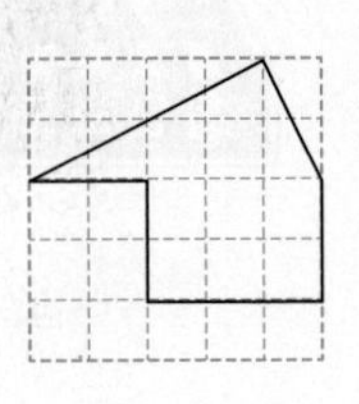

(　　　　　　　　　　)

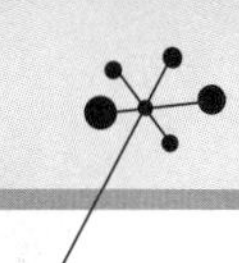

4 10장의 수 카드 중에서 오른쪽으로 뒤집고 아래쪽으로 뒤집었을 때 만들어지는 숫자가 처음 숫자와 같은 수 카드를 한 번씩만 사용하여 세 자리 수를 만들려고 합니다. 만들 수 있는 세 자리 수 중에서 가장 큰 수와 가장 작은 수의 합을 구해 보시오.

(　　　　　　　)

5 바둑돌이 자석판에 왼쪽 그림과 같이 붙어 있습니다. 이 자석판을 위쪽으로 뒤집고 시계 방향으로 90°만큼 돌렸더니 바둑돌이 몇 개 떨어져서 오른쪽 그림의 ○표 한 곳에만 남았습니다. 남은 바둑돌 중에서 검은색 바둑돌은 몇 개인지 구해 보시오.

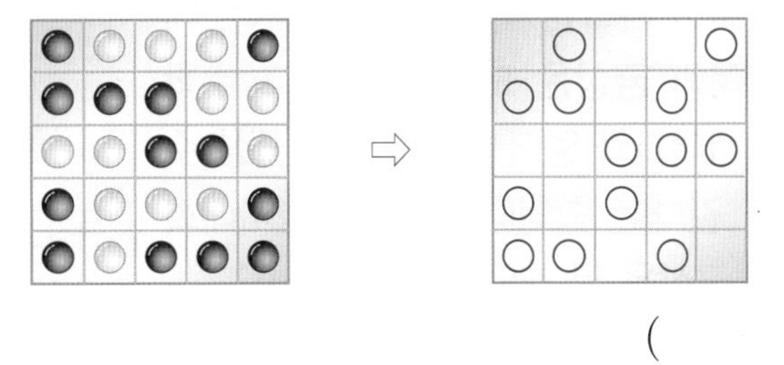

(　　　　　　　)

6 10장의 수 카드 중에서 4장을 뽑아 한 번씩만 사용하여 네 자리 수를 만들었습니다. 이 수를 오른쪽으로 뒤집었을 때 만들어지는 수는 처음 수보다 756 큽니다. 처음 수를 구해 보시오. (단, 수 카드를 한 장씩 뒤집지 않습니다.)

(　　　　　　　)

복습 상위권 문제

• 적어도 몇 묶음 필요한지 구하기

대표유형 1 오른쪽은 어느 놀이공원에 있는 놀이 기구의 한 칸에 탈 수 있는 사람 수를 조사하여 나타낸 막대그래프입니다. 28명이 한 번에 요술 비행기를 타려면 요술 비행기는 적어도 몇 칸이어야 하는지 구해 보시오.

(　　　　　　　　)

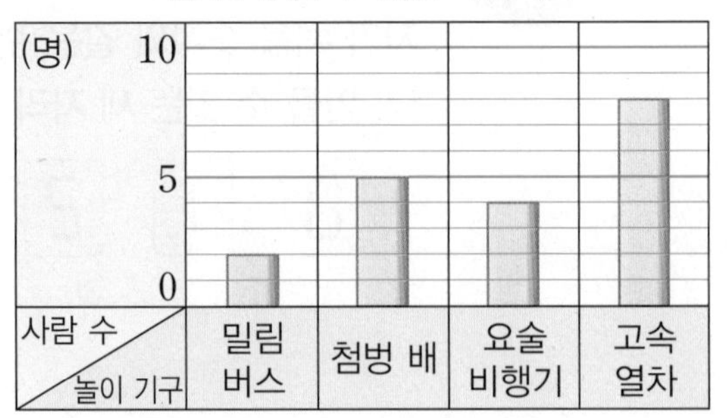

• 막대그래프에서 모르는 자료의 값 구하기

대표유형 2 오른쪽은 혜지네 학교 학생들이 경시대회에 참가하여 받은 금상 수를 조사하여 나타낸 막대그래프입니다. 네 종목의 금상은 모두 50개이고 수학 경시대회와 영어 경시대회의 금상 수가 같다고 합니다. 말하기 경시대회의 금상은 몇 개인지 구해 보시오.

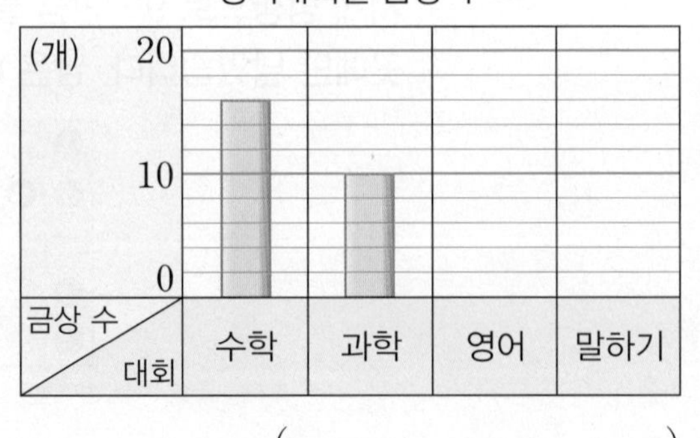

(　　　　　　　　)

• 눈금의 크기가 주어지지 않은 막대그래프에서 자료의 값 구하기

대표유형 3 오른쪽은 종우네 학교 학생들이 좋아하는 체육 활동별 학생 수를 조사하여 나타낸 막대그래프입니다. 축구를 좋아하는 학생이 60명이라면 피구를 좋아하는 학생은 몇 명인지 구해 보시오.

(　　　　　　　　)

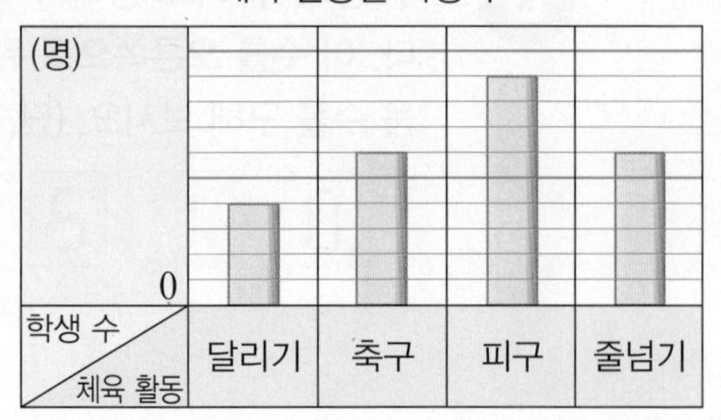

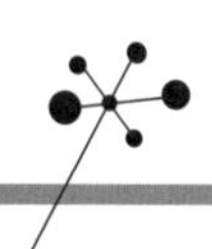

• 두 가지 자료를 나타낸 막대그래프에서 자료의 값 구하기

대표유형 4 지운이네 학교 4학년 학생들 중 안경을 쓴 학생 수를 조사하여 나타낸 막대그래프입니다. 남학생과 여학생 수의 차가 가장 큰 반의 안경을 쓴 학생은 모두 몇 명인지 구해 보시오.

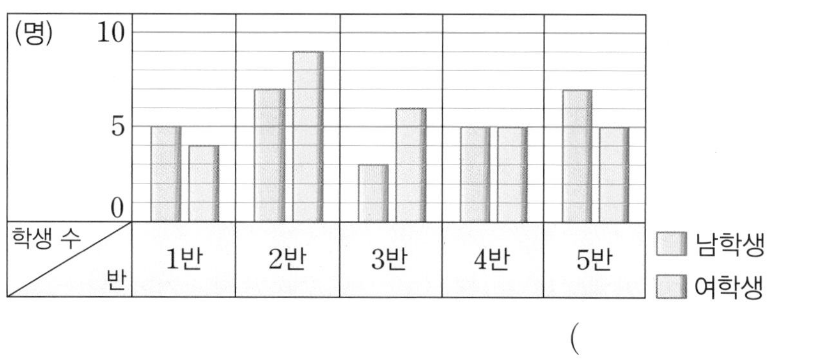

( )

• 일부분이 찢어진 막대그래프에서 두 자료의 값의 합 또는 차 구하기

대표유형 5 맛나 분식집에서 어제 팔린 음식별 그릇 수를 조사하여 나타낸 막대그래프의 일부분이 오른쪽과 같이 찢어졌습니다. 떡볶이는 튀김의 3배만큼 팔렸고, 라면은 떡볶이보다 2그릇 더 적게 팔렸습니다. 어제 팔린 떡볶이와 라면의 그릇 수의 합은 몇 그릇인지 구해 보시오.

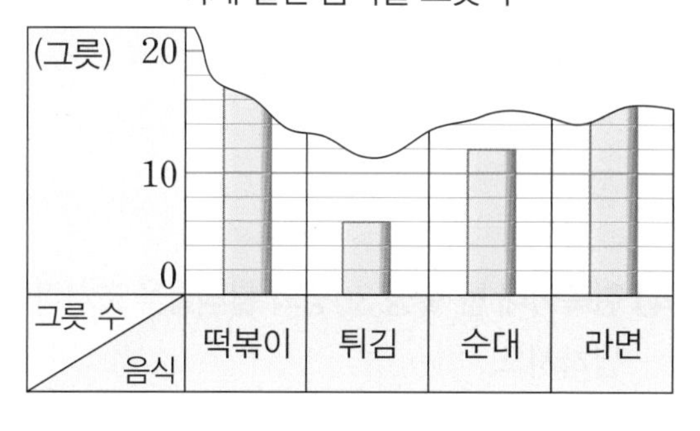

( )

• 조건에 맞도록 막대그래프 그리기

신유형 6 우준이가 음식별 같은 무게당 열량을 조사하여 막대그래프로 나타내려고 합니다. 왼쪽을 보고 막대그래프를 완성해 보시오.

음식별 같은 무게당 열량

- 샌드위치의 열량은 수박의 열량의 3배입니다.
- 파전의 열량은 샌드위치의 열량보다 80 킬로칼로리 더 많습니다.
- 조사한 음식별 열량의 합은 440 킬로칼로리입니다.

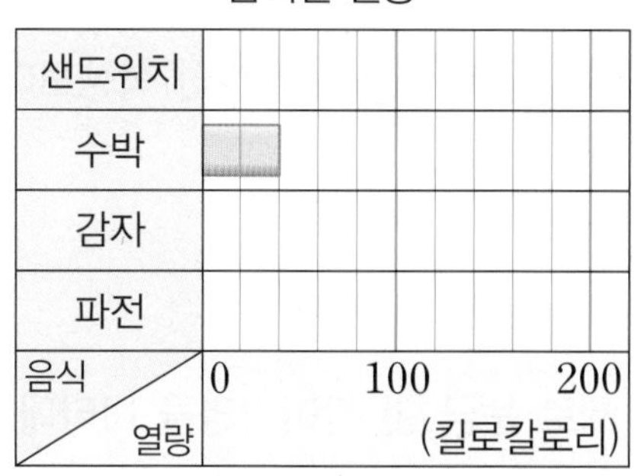

복습 **상위권 문제** 확인과 응용

비법 Note

1 민규네 학교 4학년 학생들이 가 보고 싶어 하는 체험 학습 장소를 조사하여 나타낸 표입니다. 표를 막대그래프로 나타낼 때 세로 눈금 한 칸이 5명을 나타내도록 한다면 세로 눈금은 적어도 몇 칸 있어야 하는지 구해 보시오.

체험 학습 장소별 학생 수

장소	놀이공원	영화관	수목원	동물원	박물관	합계
학생 수(명)		20	15	25	5	100

( )

2 오른쪽은 지아가 가게에서 산 물건의 가격을 나타낸 막대그래프입니다. 지아가 물건을 사고 5000원을 냈다면 거스름돈으로 얼마를 받아야 하는지 구해 보시오.

( )

지아가 산 물건의 가격

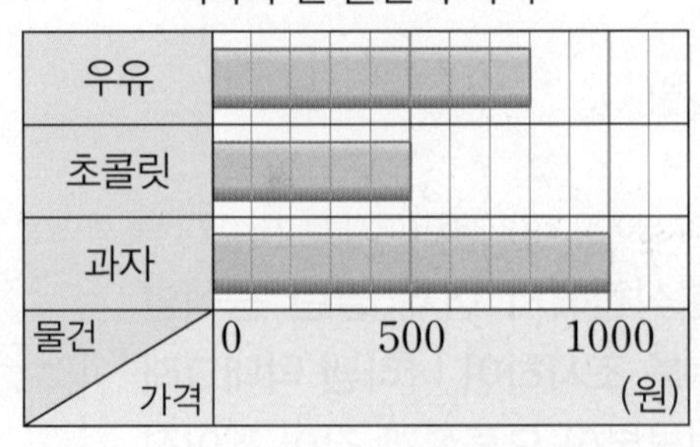

[3~4] 현욱이네 반 학생 30명의 혈액형을 조사하여 나타낸 막대그래프입니다. 물음에 답하시오.

혈액형별 학생 수

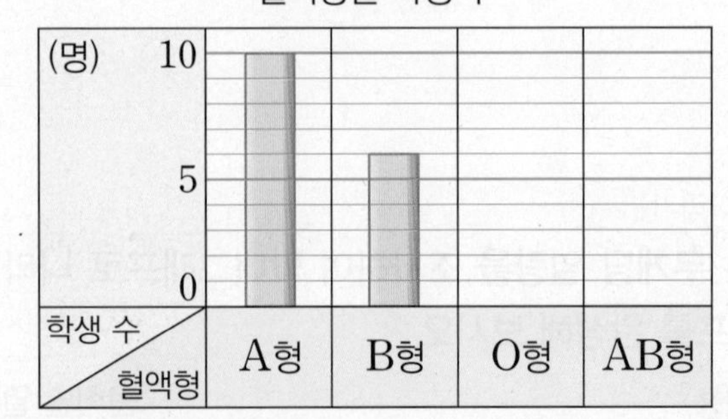

3 O형인 학생은 AB형인 학생보다 2명 더 많습니다. 막대그래프를 완성해 보시오.

4 세로 눈금 한 칸이 2명을 나타내는 막대그래프로 바꿔 그린다면 A형인 학생은 몇 칸으로 그려야 하는지 구해 보시오.

( )

5 오른쪽은 정원이네 집과 근처 건물 사이의 거리를 각각 조사하여 나타낸 막대그래프입니다. 정원이가 2분에 100 m씩 쉬지 않고 걷는다면 집에서 가장 가까운 건물에 도착하는 데 걸리는 시간은 몇 분인지 구해 보시오.

건물별 정원이네 집과의 거리

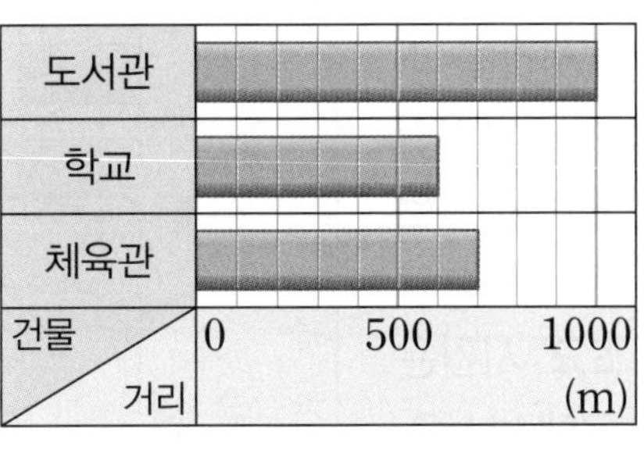

(　　　　　　　　　　)

비법 Note

6 선우네 지역의 월별 기온과 선우네 가게의 물 판매량을 조사하여 나타낸 막대그래프입니다. 두 막대그래프를 보고 기온과 물 판매량 사이에 어떤 관계가 있는지 써 보시오.

월별 기온

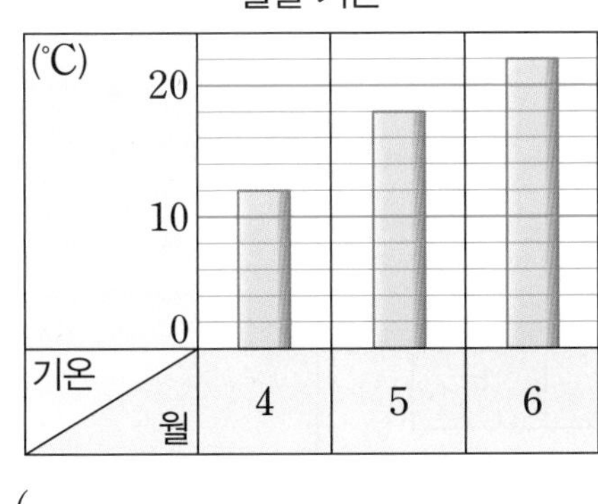

월별 물 판매량

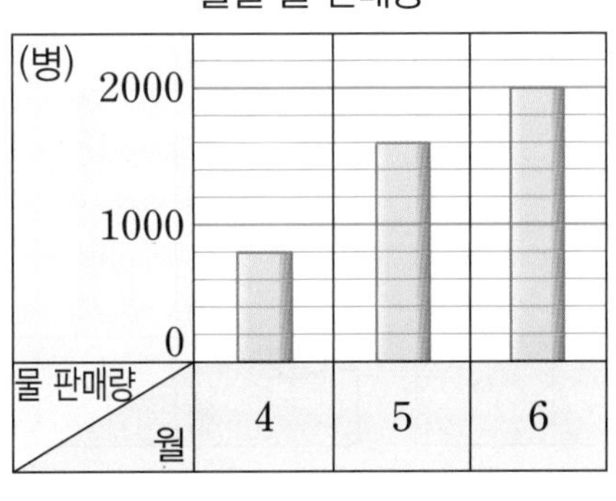

(　　　　　　　　　　　　　　　　　　　　)

7 세훈이네 학교 학생들이 좋아하는 계절을 조사하여 나타낸 막대그래프입니다. 여름을 좋아하는 학생은 봄을 좋아하는 학생보다 6명 더 많다고 합니다. 여름을 좋아하는 학생은 몇 명인지 구해 보시오.

좋아하는 계절별 학생 수

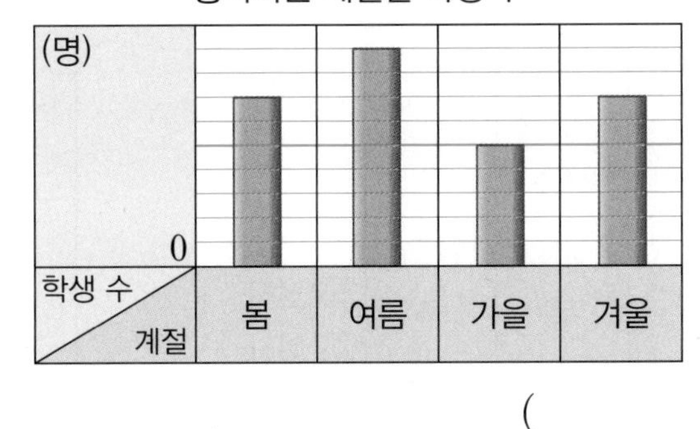

(　　　　　　　　　　)

비법 Note

8 오른쪽은 서울역에서 출발하는 KTX의 도착역별 소요 시간을 조사하여 나타낸 막대그래프입니다. 막대그래프를 가로 눈금 한 칸이 4분을 나타내는 막대그래프로 바꿔 그린다면 전주역까지의 소요 시간은 몇 칸으로 그려야 하는지 구해 보시오.

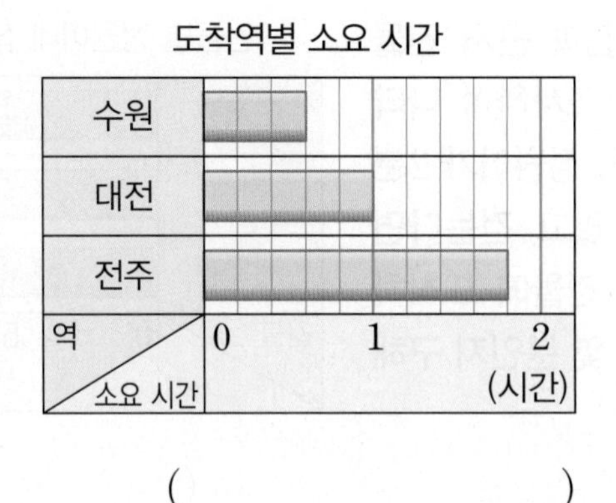

( )

9 ㉮ 아파트와 ㉯ 아파트의 월별 쓰레기 배출량을 조사하여 나타낸 막대그래프입니다. 두 아파트의 월별 쓰레기 배출량의 차가 가장 큰 달은 몇 월인지 구해 보시오.

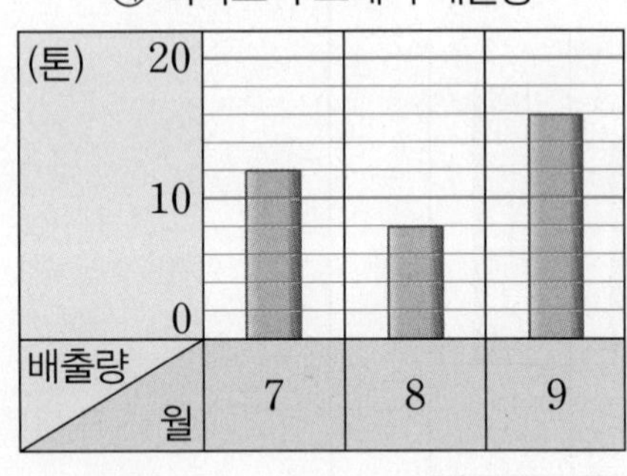

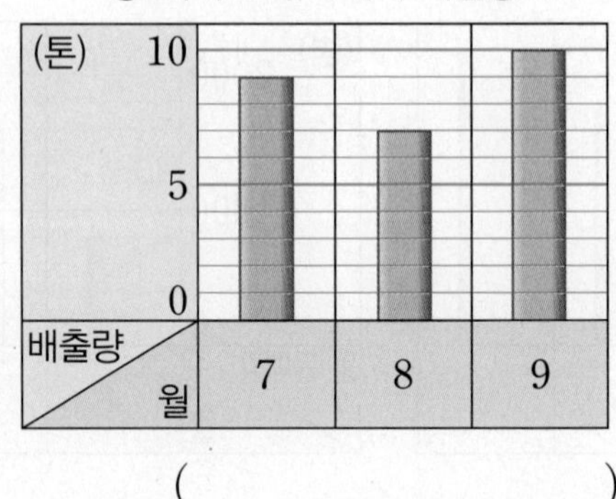

( )

10 어느 서점에 월요일부터 금요일까지 온 남녀 손님 수를 조사하여 나타낸 막대그래프입니다. 5일 동안 온 남자 손님 수와 여자 손님 수가 같다면 화요일에 온 여자 손님은 몇 명인지 구해 보시오.

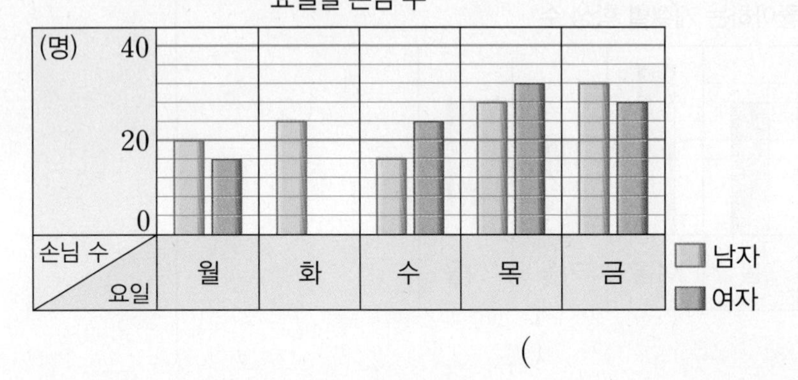

( )

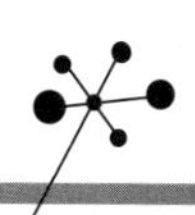

창의융합형 문제

11 2014년 제22회 소치 동계올림픽에서 나라별 획득한 메달 수를 나타낸 표입니다. 네덜란드의 막대가 대한민국의 막대보다 가로 눈금이 8칸 더 길게 막대그래프로 나타내어 보시오.

나라별 획득한 메달 수

나라	대한민국	네덜란드	폴란드	노르웨이
메달 수(개)	8	24	6	26

나라별 획득한 메달 수

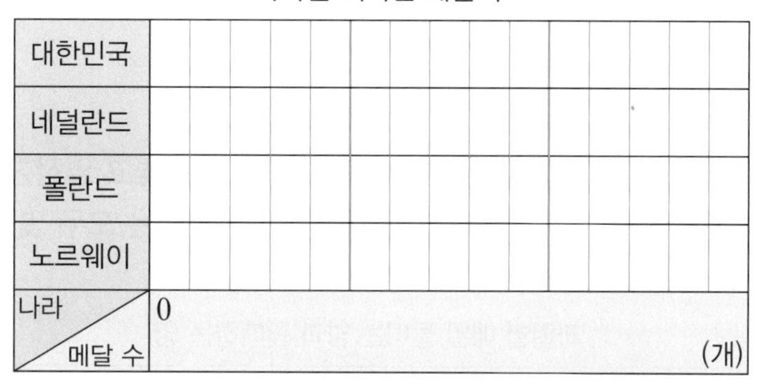

12 남성의 시기별 1일 에너지 권장량을 조사하여 나타낸 막대그래프의 일부분이 다음과 같이 찢어졌습니다. 청소년기의 권장량이 노년기의 권장량보다 600 킬로칼로리 더 많을 때, 1일 에너지 권장량이 많은 시기부터 차례대로 써 보시오.

1일 에너지 권장량

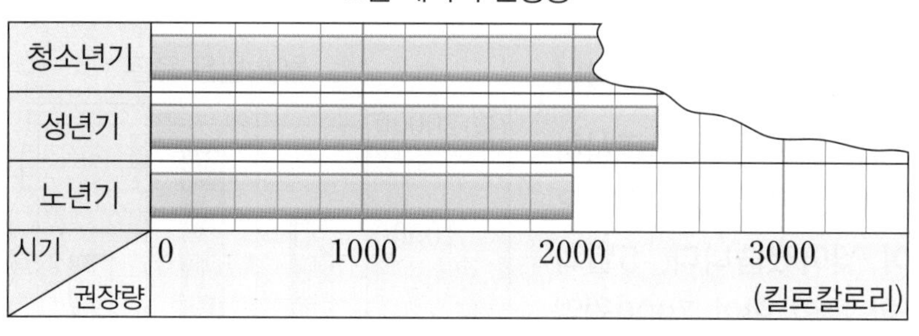

(   )

창의융합 PLUS +

○ 소치 동계올림픽

러시아 소치에서 열린 제22회 동계올림픽 경기 대회입니다. 우리나라는 8개의 메달을 획득하며 종합 순위 13위를 기록했습니다.

○ 에너지 권장량

사람은 음식에 함유되어 있는 에너지를 이용하여 생명을 유지하기 위한 활동을 할 수 있습니다.
에너지 권장량은 성별, 연령별로 조금씩 다릅니다.

최상위권 문제

1 오른쪽은 어느 박물관에 하루 동안 방문한 외국인 수를 조사하여 나타낸 막대그래프입니다. 박물관에 방문한 중국인 수가 28명이고, 방문객 수는 모두 96명입니다. 이날 박물관을 방문한 미국인은 몇 칸으로 그려야 하는지 구해 보시오.

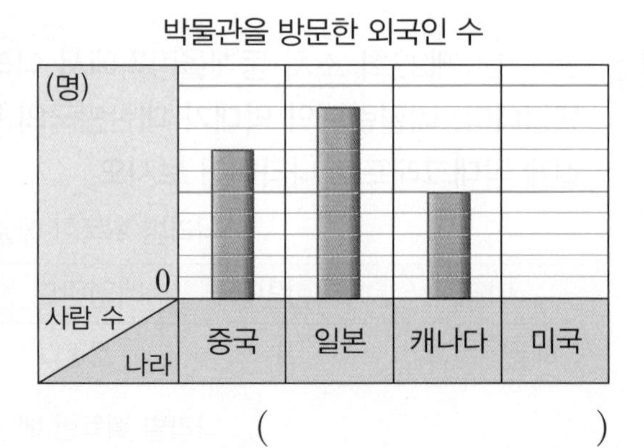

(　　　　　　　　)

2 어느 과일 가게에서 오늘부터 매일 일정한 양의 과일을 들여놓고 일정한 양만큼만 팔기로 했습니다. 일주일 후 남는 사과, 자두, 복숭아 수의 합은 모두 몇 개인지 구해 보시오.

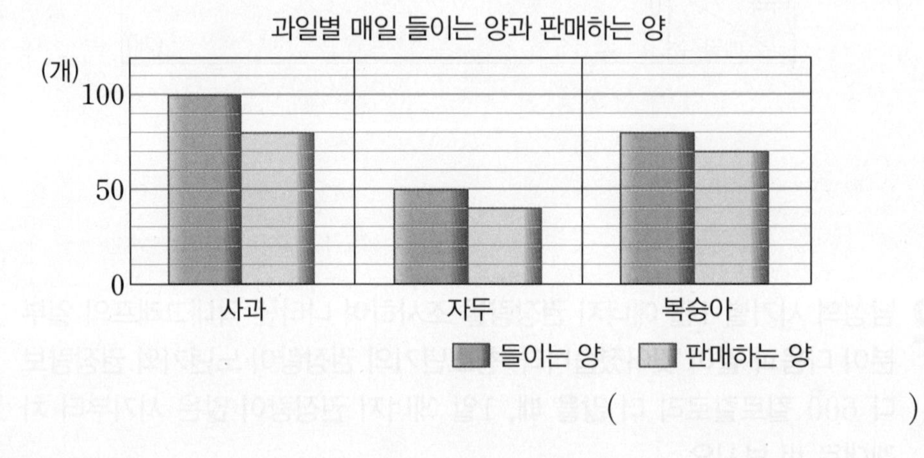

(　　　　　　　　)

3 규하는 매달 용돈의 $\frac{1}{4}$을 저금합니다. 규하가 매달 받은 용돈을 조사하여 나타낸 막대그래프의 일부분이 오른쪽과 같이 찢어졌습니다. 5월과 6월에 저금한 돈의 합이 7000원일 때 6월에 받은 용돈은 얼마인지 구해 보시오.

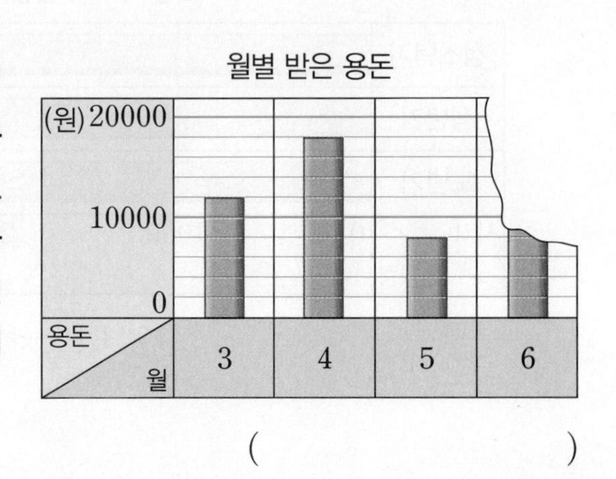

(　　　　　　　　)

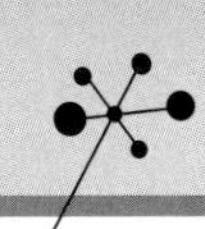

4 왼쪽 막대그래프는 은성이네 학교 4학년 학생 120명이 좋아하는 운동 종목을 조사하여 나타낸 것입니다. 학생 수가 적은 운동 종목부터 오른쪽 막대그래프에 왼쪽부터 차례대로 다시 나타내어 보시오.

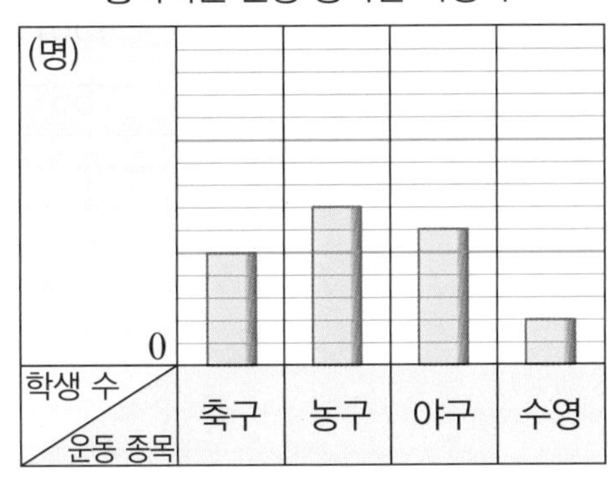

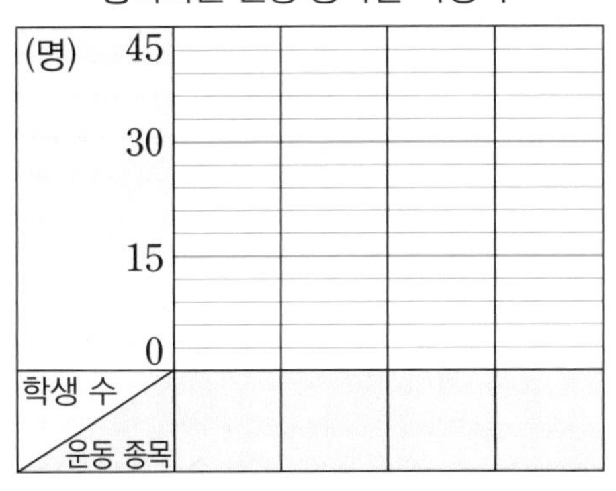

5 오른쪽은 누리가 가게에서 산 사탕 통에 들어 있는 사탕의 맛을 조사하여 나타낸 막대그래프입니다. 가장 많이 들어 있는 사탕과 가장 적게 들어 있는 사탕 수의 차가 12개일 때 가장 적게 들어 있는 사탕은 무슨 맛이고, 몇 개인지 구해 보시오. (단, 각 사탕의 수는 20개보다 적습니다.)

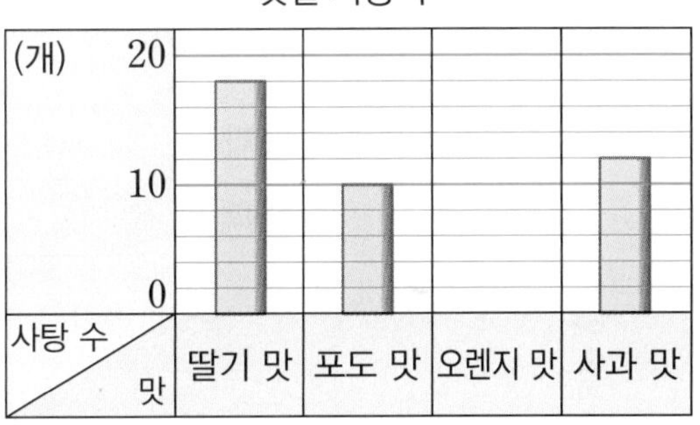

(,)

6 오른쪽은 구슬이 각각 1개, 2개, 3개, 4개씩 들어 있는 주머니 수를 조사하여 나타낸 막대그래프입니다. 주머니는 모두 15개입니다. 주머니에 들어 있는 구슬이 모두 40개일 때, 막대그래프를 완성해 보시오.

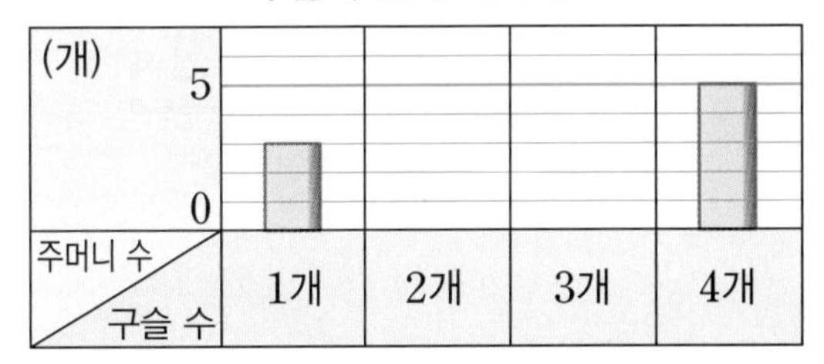

복습 상위권 문제

• 수의 배열에서 규칙 찾기

대표유형 1 수 배열의 규칙에 맞게 ■에 알맞은 수를 구해 보시오.

1537	1547	1557	1567	1577
2537	2547	2557	2567	2577
4537	4547	4557	4567	4577
7537	■	7557	7567	7577

(　　　　　　　)

• 계산식에서 규칙 찾기

대표유형 2 덧셈식에서 규칙을 찾아 계산 결과가 111111111이 나오는 덧셈식을 써 보시오.

순서	덧셈식
첫째	12+99=111
둘째	112+999=1111
셋째	1112+9999=11111
넷째	11112+99999=111111

(　　　　　　　)

• 도형의 배열에서 규칙 찾기

대표유형 3 규칙적인 도형의 배열을 보고 열째에 올 모양은 몇 개인지 구해 보시오.

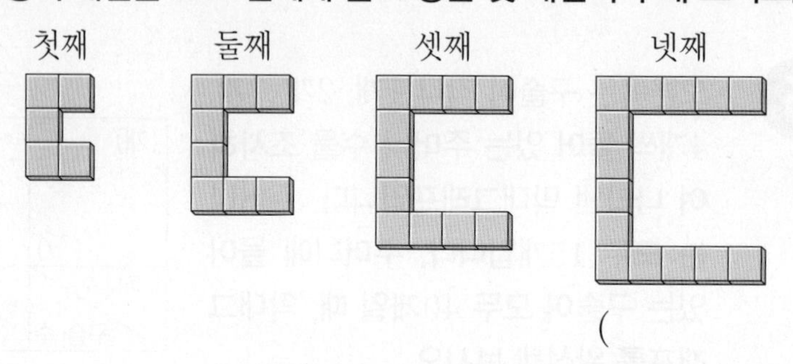

(　　　　　　　)

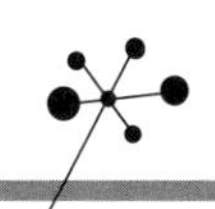

• 규칙적인 계산식 찾기

대표유형 4 수 배열에서 규칙적인 계산식을 찾아 □ 안에 알맞은 수를 써넣으시오.

1101	1103	1105	1107	1109
1102	1104	1106	1108	1110

$$1101+1103+1105=1103\times\square$$

$$1103+1105+1107=\square\times 3$$

• 늘어놓은 바둑돌에서 규칙 찾기

대표유형 5 그림과 같은 규칙으로 바둑돌을 늘어놓았습니다. 60째에 놓이는 바둑돌은 무슨 색인지 구해 보시오.

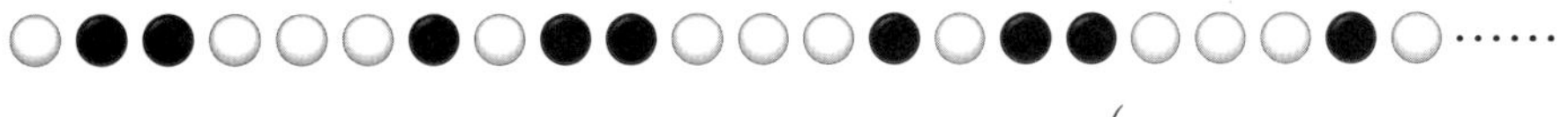

( )

• 도형 속의 수를 보고 빈칸에 알맞은 수 찾기

신유형 6 도형 속의 수를 보고 빈칸에 알맞은 수를 써넣으시오.

복습 상위권 문제 확인과 응용

비법 Note

1 수 배열의 규칙에 맞게 ㉠과 ㉡에 알맞은 수의 차를 구해 보시오.

5832 — ㉠ — 648 — ㉡ — 72 — 24

(　　　　　　　　)

2 덧셈식에서 규칙을 찾아 $9000002+999999$의 값을 구해 보시오.

$92+9=101$
$902+99=\square$
$9002+999=\square$
$90002+9999=\square$

(　　　　　　　　)

3 규칙에 따라 수를 배열한 것입니다. ■에 알맞은 수를 구해 보시오.

×	1	2	3	4	5	6	7	8	9	10
1	1	2	3	4	5	6	0	1	2	3
2	2	4	6	1	3	5	0	2	4	6
3	3	6	2	5	1	4	0	3	6	2
4	4	1	5	2	6	3	0	4	1	5
5	5	3	1	6	4	2	0	■	3	1

(　　　　　　　　)

4 다음과 같이 규칙에 따라 수를 늘어놓을 때 12째에 올 수를 구해 보시오.

1　2　4　7　11　16　22　29……

(　　　　　　　　)

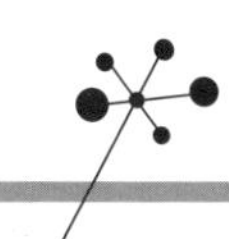

5 ㉮는 규칙에 따라 수를 써넣은 것입니다. 이와 같은 규칙으로 ㉯의 ●에 알맞은 수를 구해 보시오.

2654	2658	2662		
	2758	2762	2766	
		2862	2866	2870

㉮

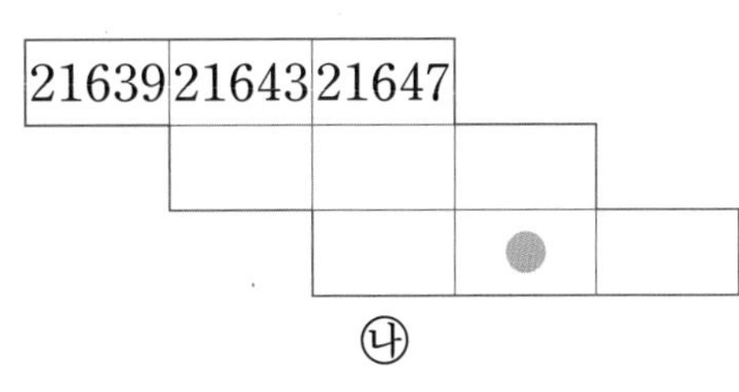

( )

비법 Note

6 그림과 같은 규칙으로 바둑돌을 100개 늘어놓을 때 검은색 바둑돌은 모두 몇 개인지 구해 보시오.

●●○○●○●●●○○●○●●●○○●○●……

( )

7 달력에서 어떤 주의 일요일부터 목요일까지 5일 동안의 날짜의 합이 20이었습니다. 이 주의 토요일부터 3주 후의 날짜는 며칠인지 구해 보시오.

( )

복습 **상위권 문제** 확인과 응용

비법 Note

8 그림과 같은 규칙으로 구슬을 놓았습니다. 초록색 구슬이 17개일 때 노란색 구슬은 몇 개인지 구해 보시오.

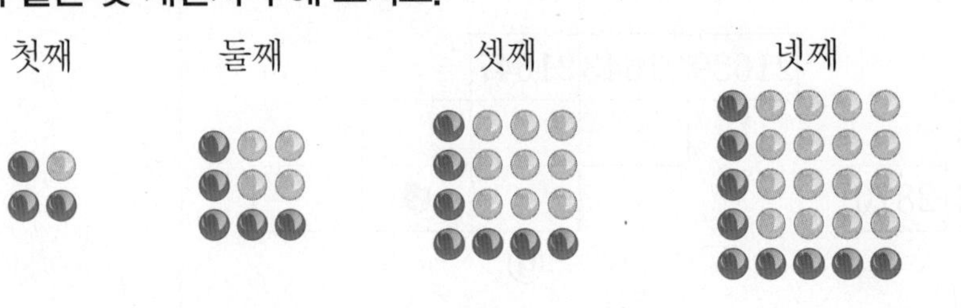

(　　　　　　　　　　)

9 다음과 같은 규칙으로 수를 배열할 때 20째에는 7이 몇 개 있는지 구해 보시오.

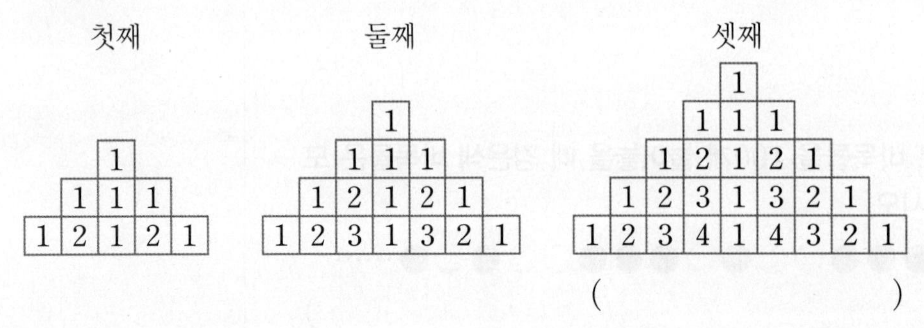

(　　　　　　　　　　)

10 그림과 같은 규칙으로 성냥개비를 놓아 큰 사각형 모양을 만들어갈 때 사각형 ㄱㄴㄷㄹ과 크기와 모양이 같은 사각형이 둘째에는 4개, 셋째에는 9개가 됩니다. 사각형 ㄱㄴㄷㄹ과 크기와 모양이 같은 사각형이 64개가 되는 큰 사각형을 만들 때 필요한 성냥개비는 몇 개인지 구해 보시오.

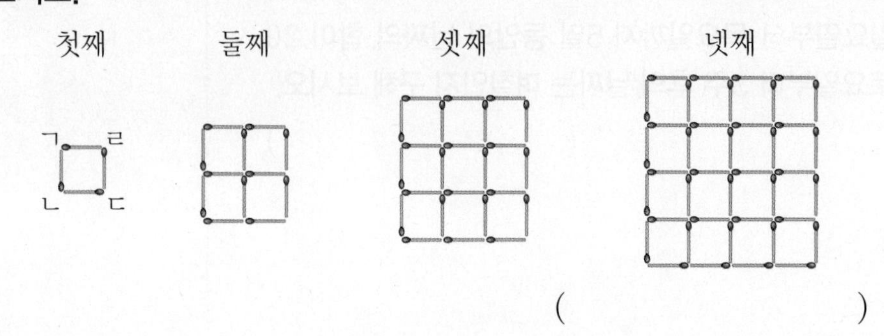

(　　　　　　　　　　)

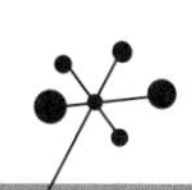

창의융합형 문제

11 $3\times3+4\times4=5\times5$와 같이 ㉠×㉠+㉡×㉡=㉢×㉢을 만족하는 세 자연수 ㉠, ㉡, ㉢을 '피타고라스의 수'라고 합니다. 자연수로 간단하게 피타고라스의 수를 만드는 방법은 다음과 같습니다.

(9+16=25)

피타고라스의 수 만드는 방법

① 2보다 큰 자연수를 하나 고릅니다.
② 홀수이면 (홀수)×(홀수)의 계산 결과를 1 차이 나게 두 수로 나눕니다.
예 3이면 9를 1 차이 나게 4와 5로 나눕니다.
⇨ 3, 4, 5는 피타고라스의 수입니다.
③ 짝수이면 (짝수)×(짝수)의 계산 결과를 2로 나눈 몫을 2 차이 나게 두 수로 나눕니다.
예 8이면 64를 2로 나눈 몫 32를 2 차이 나게 15와 17로 나눕니다.
⇨ 8, 15, 17은 피타고라스의 수입니다.

13을 골랐을 때 피타고라스의 수를 구해 보시오.

(   )

창의융합 PLUS +

피타고라스
피타고라스는 기원전 582년쯤에 그리스에서 태어난 고대 그리스의 철학자, 수학자, 종교가입니다. 수(數)를 만물의 근원으로 생각하였으며 '피타고라스의 정리'를 발견하여 과학적 사고를 구축하는 데에 큰 구실을 하였습니다.

12 삼각형 모양의 배열을 만드는 점의 수로 이루어진 수들 1, 3, 6, 10…… 에서 각각의 수가 삼각수에 해당합니다. 14째에 만들어지는 삼각수는 얼마인지 구해 보시오.

첫째	둘째	셋째	넷째
1	3	6	10

(   )

삼각수
삼각수는 물건의 수를 늘려가면서 삼각형 모양의 배열을 계속해서 나타낼 수 있는 수입니다. 이렇게 도형과 수를 관련시키려는 시도는 피타고라스 때부터 계속되어 왔습니다.

복습

최상위권 문제

1 보기 와 같이 십의 자리 수와 일의 자리 수를 곱하여 그 값이 한 자리 수가 될 때까지 계산합니다. 마지막 값이 4가 되는 두 자리 수는 모두 몇 개인지 구해 보시오.

보기

$49 \rightarrow 36 \rightarrow 18 \rightarrow 8$

( )

2 다음과 같이 규칙적으로 수를 배열할 때 다섯째 줄의 여덟째 수를 구해 보시오.

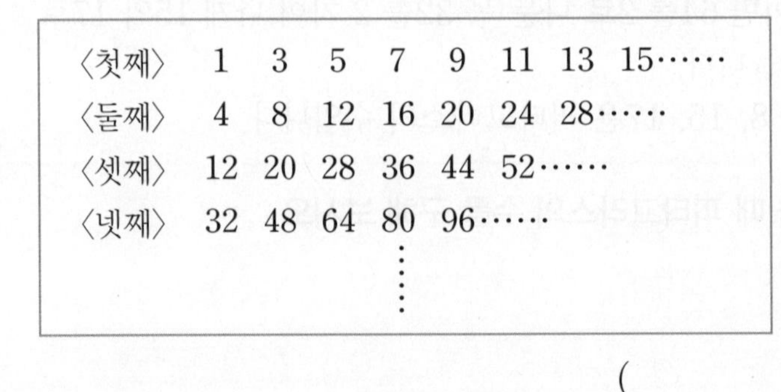

줄								
〈첫째〉	1	3	5	7	9	11	13	15……
〈둘째〉	4	8	12	16	20	24	28……	
〈셋째〉	12	20	28	36	44	52……		
〈넷째〉	32	48	64	80	96……			
⋮								

( )

3 그림과 같은 규칙으로 바둑돌을 놓았습니다. 여덟째까지 놓인 흰색 바둑돌과 검은색 바둑돌의 수의 차는 몇 개인지 구해 보시오.

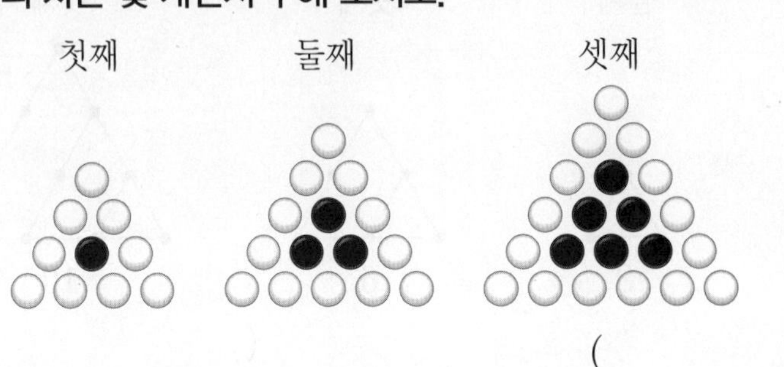

( )

4 그림과 같은 규칙으로 ◯과 ☆을 늘어놓았습니다. 모두 150개를 늘어놓을 때 ◯과 ☆의 수의 차는 몇 개인지 구해 보시오.

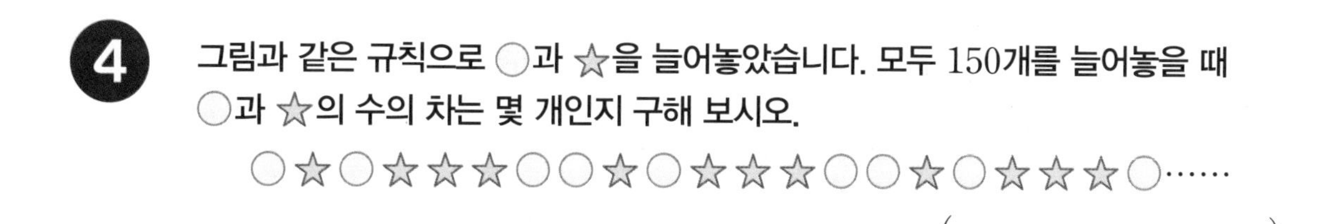

◯☆◯☆☆☆◯◯☆◯☆☆☆◯◯☆◯☆☆☆◯……

(   )

5 다음은 1부터 400까지의 수를 배열한 것입니다. (1, 2)=4, (2, 3)=8로 나타낼 때 (9, 12)의 값은 얼마인지 구해 보시오.

	1	2	3	4	5	……	19	20
1	1	4	9	16	25			400
2	2	3	8	15	24			
3	5	6	7	14	23			
4	10	11	12	13	22			
5	17	18	19	20	21			
⋮						⋱		
19								
20								

(   )

6 다음과 같이 규칙적으로 수를 배열할 때 네 개의 귀퉁이에 있는 1, 12, ㉠, ㉡의 수의 합은 266입니다. ㉠에 알맞은 수를 구해 보시오.

1	2	3	4	5	6	7	8	9	10	11	12
24	23	22	21	20	19	18	17	16	15	14	13
25	26	27	28	29	30	31	32	33	34	35	36
48	47	46	45	44	43	42	41	40	39	38	37
49	50	51……									
						⋮					
㉠											㉡

(   )

Memo